1

Le 8 mai 1952

> « *Sitôt nées, les voilà qui partaient vers l'Olympe, toutes fières de leur belle voix, de leur chant d'ambroisie, mêlé de danse ; et alentour la terre noire criait à leurs hymnes. Il inspirait l'amour, le fracas montant sous leurs pieds tandis qu'elles s'en retournaient chez leur père. Lui, il règne au ciel, seul maître du tonnerre et de la foudre brûlante.* »
>
> Hésiode

Le vent léger, mêlé aux cerisiers chargés de fruits, glisse obstinément sur l'eau frémissante du Potomac. Des centaines de taxis jaunes empruntent déjà les avenues endolories. Les tout premiers métros arrachent les lueurs de mai. Washington ouvre ainsi ses bras amoureux. Il n'est pourtant que 6 heures du matin.

Jackie s'étend doucement sous ses draps en soie. Ses grands yeux noirs sont rivés sur le ciel azur. Elle ne s'est jamais sentie aussi heureuse : les Bartlett ont exaucé son vœu le plus cher. Ce soir, John Fitzgerald Kennedy dînera à ses côtés.

Charles Bartlett en est à sa troisième tentative. En 1949, il les avait invités au mariage de son frère à Long Island. Dans une robe rose vif, copie d'un modèle de la collection été d'Hubert de Givenchy, Jackie avait attiré l'attention de la gent masculine, excepté celle du jeune représentant démocrate du Massachusetts ! Sous le kiosque de la propriété, celui-ci s'était entretenu avec plusieurs journalistes à propos du projet de loi Taft-Hartley. À la fin de cette journée, ils n'avaient pas échangé le moindre mot.

En 1951, leur deuxième rendez-vous n'avait pas été plus encourageant. Deux sénateurs avaient interrogé John sur l'avenir d'Adlai Stevenson, candidat démocrate à la présidence des États-Unis. Jeune diplômée de l'université George-Washington, Jackie avait écouté sagement ses réponses et s'était bien gardée d'y ajouter quoi que ce fût.

Et puis elle était fiancée à John Husted.

Fils d'un banquier new-yorkais, ancien élève du prestigieux collège de Summerfield en Angleterre, diplômé de l'université de Yale, brillant officier dans l'armée britannique durant la Seconde Guerre, John Husted était un excellent parti. Sa singulière ressemblance avec le père de Jackie, John Vernon Bouvier, l'avait troublée. Il était beau, mesurait 1 m 85, était courtier à Wall Street et s'habillait au 346, Madison Avenue, chez Brooks Brothers.

Les soirées chic d'East Hampton n'assouvissaient plus la curiosité ni les rêves de la jeune femme. Elle avait grandi avec la plupart de ses cavaliers et aucun d'eux ne l'impressionnait. Jackie était en quête d'un aventurier, d'un homme dont la nature dangereuse n'aurait rien à envier à celle de son père. Combien de fois avait-elle remonté le Nil jusqu'à ses sources nourricières en dévorant le manuscrit autobiographique de Richard Burton et du colonel John Hanning Speke ? Les terres inconnues de l'Afrique centrale envoûtaient ses nuits les plus agitées.

Jackie fuyait les prémices d'une vie ennuyeuse ; elle méditait les pensées de Périclès : « Si Athènes te paraît grande, considère que ses gloires ont été acquises par des hommes vaillants », ou celles d'Aristote : « Aux jeux Olympiques, ce ne sont pas les hommes les plus beaux et les plus forts que l'on couronne, mais ceux qui entrent en lice… »

John Husted ne satisfaisait en rien ses fantasmes. Il manquait de fantaisie, sa conversation était fade. Il ne partageait pas sa passion pour les biographies, la peinture, les chevaux. Il leur préférait les journaux économiques et le bridge. Mais, grâce à lui, elle échappait à la rigueur des Hamptons, en Virginie, et goûtait à la liberté.

Au début de leur liaison, ils quittaient Long Island pour de longues escapades romantiques en Virginie, dînaient au Polo Bar de l'hôtel Westbury à New York et ouvraient les bals de charité du Sulgrave Club.

En décembre 1951, leurs fiançailles à Merrywood furent l'une des journées les plus tristes de sa vie. Ils s'ignorèrent. Aux yeux de la jet-set, leur comportement était la conséquence d'une excellente éducation, mais pour Jackie il signifiait que leur relation était vouée à l'échec.

Le 21 janvier 1952, les tabloïds annoncèrent que le mariage était prévu pour juin...

Ils décidèrent de vivre séparément leurs fiançailles : John Husted résiderait à Greenwich Village, tandis qu'elle garderait son appartement de Georgetown. Elle refusait de vivre à New York pour deux raisons : préserver son indépendance et ne pas être le témoin de la destruction sociale de son père.

Jackie décrocha un poste de reporter-photographe au *Times Herald*, à Washington. Des membres du Congrès, des chefs d'entreprise, des professeurs d'histoire, des écrivains comptaient parmi ses sujets d'article, outre les enfants célèbres, telle la fille de Richard Nixon, alors candidat à la vice-présidence d'Eisenhower :

— Tricia, que penses-tu de ton papa ?

— Il est toujours parti. S'il est aussi connu, pourquoi ne reste-t-il pas à la maison ?

Jackie et Husted s'écrivaient la semaine et se retrouvaient les week-ends. Après que Jackie eut rencontré John F. Kennedy, leurs rendez-vous s'espacèrent. Husted se résignait à ses absences sans demander la moindre explication :

« Voici ma cinquième lettre et je m'attends à ton cinquième silence. »

« Quoi que les gens, y compris nos amis, puissent te raconter à propos de mes sentiments pour cet homme politique, dis-toi bien que tout est faux ! Il n'y a pas la moindre chose entre nous. Affectueusement, Jackie. »

Trois mois plus tard, elle lui rendait sa bague de fiançailles en saphir et diamants :

— Je suis sûre que nous faisons le bon choix.

Dehors, des écoliers en bermuda courent vers l'autobus qui les déposera au collège. Leurs rires traversent les fenêtres de sa chambre. Elle sourit. Depuis son réveil, le visage de John Kennedy n'a pas quitté ses pensées. Elle est restée dans sa chambre à relire quelques poèmes de Byron.

La veille, Martha Bartlett l'avait jointe au téléphone :

— Il sera seul. Je viens de parler avec lui, il m'a demandé si tu venais également demain soir.

— Oh ! mon Dieu, c'est magnifique ! Comment puis-je te remercier ?

— Sois la plus belle !

Jackie a l'intention d'être le centre d'attention de la soirée. Elle a désormais assez d'expérience en politique pour défendre ses idées, qui sont plutôt républicaines.

Vers 8 heures, comme chaque matin, elle récupère discrètement, en robe de chambre, les journaux jetés sur son perron : le *Washington Post* et le *New York Times*. Les titres annoncent que Robert Francis Kennedy quittera en juin son poste d'avocat à la section criminelle du département de la Justice pour rejoindre l'équipe de campagne de son frère, John Fitzgerald Kennedy.

En dévorant des œufs au bacon, Jackie relit plusieurs fois le papier, illustré d'une photographie des deux frères en haut des marches du Capitole. Pour répondre au journaliste qui l'interroge sur les difficultés d'une élection sénatoriale, Bobby cite Machiavel : « Il n'y a rien de plus difficile à prendre en main, rien de plus périlleux à conduire, ni de plus incertain dans son succès que l'initiative d'introduire un nouvel ordre des choses. »

Dans la cuisine, la radio diffuse l'un des succès de l'année précédente : « Take My Love », de Frank Sinatra. Jackie allume sa première cigarette. « Prends mon amour... Dis-moi que nous nous aimerons jusqu'à la fin de notre vie. Prends mon amour, prends mon amour, dis-moi que tu es bien, dis-moi que nous nous aimerons jusqu'à notre mort... »

Elle ne travaillera pas aujourd'hui. Frank Waldrop lui a accordé sa première journée de congé.

— Eh bien, Jacqueline, vous n'avez pas envie de bosser ? C'est bien la première fois !

— J'ai un dîner et je veux être prête.

— Vous faites la cuisine, maintenant ?

— Non, je suis invitée chez les Bartlett.

— Oh ! vous les saluerez de ma part... J'ai reçu plusieurs lettres de nos lecteurs vous félicitant pour votre reportage sur les Rockefeller. Bon sang ! Il fallait pouvoir lui poser cette question sur Marilyn Monroe ! Vous êtes incroyable !

— Merci Frank, vous êtes si gentil avec moi.

Dans sa minuscule chambre au papier peint beige, Jackie fouille désespérément ses placards. Son maigre salaire mensuel, 228 dollars, ne lui permet pas encore d'acheter un joli tailleur Chanel ou une robe de soirée griffée Balmain. En 1949, son adorable logeuse à Paris, la comtesse Guyot de Renty, l'avait invitée aux défilés de haute couture. Les collections classiques l'avaient subjuguée.

Pour aujourd'hui, elle doit se contenter de modèles américains, excepté quelques copies réalisées par la couturière de sa mère.

Elle déniche *in extremis* un ravissant ensemble bleu marine, une paire d'escarpins noirs et une broche ayant appartenu à sa grand-mère maternelle. Tout en se préparant, elle fredonne Frank Sinatra : « Tu seras ma musique, tu seras ma chanson... Je ne peux plus attendre aussi longtemps ma chanson... »

À Palm Beach, durant les fêtes de Noël 1945, Charles Bartlett avait interviewé pour la première fois John F. Kennedy dans la luxueuse propriété familiale de ses parents. Jeune reporter, Bartlett faisait brillamment ses armes à la rédaction du *Chattanooga Times*, à Washington. Comme la plupart des Américains, il avait lu les récits héroïques du lieutenant Kennedy à bord de son *PT 109*, durant la Seconde

Guerre mondiale. Ces portraits flatteurs avaient été publiés grâce aux relations et à la puissance financière de son père.

Le richissime Joseph Kennedy préparait l'entrée imminente de son fils au Congrès américain. De son bureau new-yorkais, il orchestrait astucieusement les événements médiatiques : dons colossaux aux associations de charité et à l'archevêché de Boston, baptême du destroyer *USS Joseph P. Kennedy Jr*, achat d'un gratte-ciel à Chicago pour 12,5 millions de dollars... Il avait habilement libéré le siège de James Michael Curley à la Chambre des représentants du Massachusetts, en contribuant financièrement à sa campagne municipale.

Le patriarche du clan, l'ex-ambassadeur des États-Unis à Londres, tenait le destin de sa progéniture entre son impressionnante mâchoire et sa fortune. Rien n'était laissé au hasard. Il appuyait les ambitions de ses trois fils avec tous les moyens dont il disposait : son influence dans les médias en raison de ses dépenses publicitaires, son expérience à Washington suite à sa contribution financière aux campagnes présidentielles de Roosevelt et sa volonté inébranlable. John, Bobby et Teddy le respectaient et le craignaient pour les mêmes raisons.

L'entretien avec John Kennedy avait été amical. Charles et John avaient échangé des souvenirs sur la guerre du Pacifique. John lui avait raconté son expérience de journaliste pour Hearst. Il avait couvert, entre autres, les premières réunions de l'ONU et la défaite de Winston Churchill contre Clement Attlee.

« J'ai toujours admiré cet homme, mais les Anglais ne veulent plus entendre parler des dettes de la guerre et de l'avancée du communisme en Europe. Churchill est un guerrier. Il reviendra plus tard leur botter les fesses ! Je vous le garantis, mettre un lion en cage n'est pas la meilleure façon de s'en débarrasser ! »

Sa réputation de coureur de jupons n'était pas une légende. John analysait les faiblesses de la politique étrangère américaine à l'égard de l'Union soviétique et, quelques minutes plus tard, s'extasiait sur l'opulente poitrine de Gene Tierney dans *Le ciel peut attendre*, de Lubitsch. Ses nombreuses aventures sexuelles lui permettaient d'échapper un moment aux affres de la vie politique et à l'autorité paternelle.

— Tout le monde a des maîtresses à Washington, je ne vois rien de mal là-dedans. Après tout, la vie est si courte.

Après leur entretien, Bartlett fut accepté dans le cercle restreint de ses amis. Ils se voyaient fréquemment en dehors des conférences de presse. Ils naviguaient sur son voilier, le *Victoria*, ou déjeunaient dans les restaurants de Hyannis Port.

La présence à ses côtés était excitante, John se passionnait pour tout. Sa soif de connaissances était insatiable. C'était un véritable héros shakespearien. Il était animé de solides convictions progressistes et aspirait à une Amérique nouvelle. John était au centre des discussions de sa famille et de ses amis. Ils admiraient son énergie et partageaient sa vision moderne des problèmes sociaux des États-Unis. Quand il discourait sur les valeurs fondamentales de la Constitution, la politique, pour la première fois depuis longtemps, reprenait sa dignité.

Bartlett lui confia, quelques années plus tard, qu'il devait peut-être penser au mariage pour consolider sa carrière politique. John avait déjà entendu ce refrain de la bouche de son père, mais il ne se sentait pas prêt à franchir le pas.

— De toute façon, je n'en connais aucune qui répondrait à vos exigences et aux miennes.

Parmi ses relations, le journaliste connaissait une jeune confrère du *Times Herald* à Washington : Jacqueline Bouvier.

— Il faudrait que tu la rencontres. C'est une jeune femme étonnante. Bon sang, elle est drôlement jolie. Martha et moi l'aimons beaucoup.

À cette époque, Jackie était déjà une Américaine affranchie. Elle logeait seule dans le quartier de Georgetown, conduisait une Mercury noire d'occasion et... était très ambitieuse. Douée pour les relations publiques, elle disposait d'un carnet d'adresses impressionnant : Orson Welles, Ali Khan, Jean Cocteau, Max Ophuls, Élie de Rothschild, Pamela Churchill, Rita Hayworth, Bernard Buffet, René Clair et bien d'autres encore. Ils appréciaient sa fraîcheur, son éducation, son intelligence et sa détermination. À vingt-trois ans, elle avait déjà une grande expérience de la vie. Le divorce de ses parents et l'effondrement social de son père avaient marqué sa personnalité.

John Bouvier, surnommé Black Jack, descendant lointain d'un soldat de Napoléon Ier, était un mélange astucieux de Clark Gable, d'Howard Hughes et d'Errol Flynn. C'était un homme d'affaires avisé avant que ses multiples aventures extraconjugales et ses excès d'alcool ravagent sa situation financière. Il s'était marié à Janet Lee, une riche Américaine de la Côte Est. Loin d'être exubérante, Janet dégageait néanmoins le charme des Années folles. Ses cheveux bruns coupés « à la chien » encadraient un visage aux traits fins et au sourire éclatant.

Les relations exécrables de Black Jack avec son beau-père, le promoteur de Manhattan et banquier James T. Lee, avaient contribué à l'échec de son mariage. Diplômé de droit, ayant fait preuve de perspicacité sur le marché immobilier américain, propriétaire des plus prestigieux immeubles résidentiels de New York, James T. Lee reprochait à son gendre son manque de savoir-vivre, son arrivisme et son alcoolisme. Il ne supportait ni sa vulgarité ni sa réputation écœurante d'homme à femmes.

— John Bouvier aime notre argent et rien d'autre ! Tu peux avoir confiance en moi, il te rendra malheureuse, ma chérie.

Janet était envoûtée par son assurance et son charisme. À ses yeux, Black Jack symbolisait le panache, la liberté et la fantaisie. C'était un solide jeune homme toujours bronzé, aux yeux bleus, à la chevelure épaisse et gominée. Sa compagnie était stimulante ; il récitait de sa voix chaude les vers du poète John Keats : « Jusqu'au jour où l'avenir osera oublier le passé, son destin et sa gloire seront un écho et un flambeau sur le chemin de l'éternité » ; il racontait l'accident qui avait coûté la vie à la danseuse Isadora Duncan ou hurlait de rire en évoquant une de ses expériences sexuelles.

Soutenu par un réseau familial puissant, Black Jack acquit rapidement l'estime des investisseurs en vue de Wall Street. Son revenu annuel s'élevait à plus de 80 000 dollars. À trente-six ans, il incarnait le rêve américain.

Le 7 juillet 1928, à l'heure où l'Amérique bénéficiait des premiers téléviseurs à 75 dollars et à la veille de l'investiture présidentielle d'Herbert Hoover, Janet Lee épousait John Vernon Bouvier III à l'église catholique Saint Philomena.

La presse célébrait le mariage singulier de deux familles antagonistes. Les Bouvier étaient fiers de leurs ancêtres et contestaient la légitimité de la fortune des Lee, qui n'étaient à leurs yeux que des opportunistes irlandais.

Après la cérémonie religieuse, les Bouvier foulaient irrévérencieusement les jardins soignés de la propriété de Newport sous le regard furieux de James Lee.

Janet Lee Bouvier, échappant à l'autorité paternelle, emménageait dans le luxueux appartement new-yorkais de son époux.

Black Jack l'invitait à la table littéraire de *L'Algonquin*, où ils croisaient les plus grands écrivains et personnalités du moment : Dorothy Parker, Edna Ferber, Alexander Wolcott et Franklin P. Adams. Ils étaient conviés aux événements mondains de la Côte Est ou aux vernissages dans le quartier chic de Soho. Ils voyageaient sans cesse et sans compter à travers le monde.

Ils félicitaient Louise Brooks pour sa prestation dans *Poings de fer, cœur d'or* d'Howard Hawks, applaudissaient les matchs de polo à Newport ou faisaient l'amour dans l'une des plus belles suites du Ritz à Paris.

La collection de Bugatti de Black Jack impressionnait leur entourage. Il prêtait de l'argent avec générosité et imprudence. Peu lui importait : le play-boy nourrissait adroitement son image de marque.

Le couple affichait librement son train de vie. À East Hampton, face à l'Atlantique, les somptueuses réceptions données dans la propriété familiale des Bouvier faisaient la une dans la presse. Elles exhalaient l'ivresse éclatante décrite dans les romans de Francis Scott Fitzgerald. Black Jack et Janet y recevaient la jet-set de Long Island : écrivains, actrices, sénateurs, producteurs, cavaliers de grands prix, musiciens, aviateurs…

Black Jack, comme Gatsby le Magnifique, était convaincu que sa fortune effacerait les errances de son passé et lui épargnerait les blessures de la haute société. Sa singulière innocence ignorait les règles fantaisistes et perverses des riches de la Côte Est. Le jeune couple avançait, tels des funambules au-dessus de l'abîme attentif. Émue par l'inaltérable générosité de son mari, Janet excusait ses excès, ses colères et ses infidélités.

Leur amour avait toutefois le goût du Jack Daniels et l'odeur des jetons de casino. Les rumeurs sur les escapades sexuelles de Black Jack enflammaient l'indignation des Lee. Honteuse, Janet se réfugiait dans la peinture et la musique classique.

Enceinte, elle réorganisa son existence : elle déclina la plupart des invitations et changea la décoration de leur appartement.

Tandis que Black Jack s'essayait lamentablement à l'aviation, elle se préparait à accueillir l'heureux événement. La nouvelle rapprocha Janet de son père, qui vint régulièrement lui rendre visite à New York et l'aida à rééquilibrer les comptes bancaires du ménage.

Jacqueline Bouvier naquit dans la chaleur du dimanche 28 juillet 1929, avec six semaines de retard, à l'hôpital de Southampton, à Long Island.

Sa naissance apaisa les disputes conjugales de ses parents. Ils passèrent leurs vacances d'été dans la propriété du grand-père de Black Jack. Lasata était un havre de paix. Les dunes encerclaient les cinq hectares de la demeure en bois de cèdre. Black Jack, en maillot de bain, emmenait Jackie sur la plage pour lui raconter des histoires sur les baleines sacrées de l'Atlantique. Il ne buvait plus et s'occupait beaucoup du bébé.

De temps en temps, Black Jack s'échappait pour rejoindre le Maidstone Club, à quelques pas de la propriété. L'endroit constituait le cœur de la vie sociale d'East Hampton. Black Jack se contentait de quelques daiquiris et plaisantait avec les jolies filles.

Le 30 octobre 1929 ruina définitivement tout espoir de réconciliation entre les époux. Black Jack était anéanti comme tant d'autres. Des courtiers et des banquiers se jetaient des fenêtres des immeubles de Wall Street. Les États-Unis s'évanouissaient dans la brume humide du krach boursier, tandis que des milliards de dollars s'échappaient amèrement du rêve américain. Des millions d'épargnants furent ruinés, des milliers d'entreprises firent faillite. Les Morgan perdirent plus de 50 millions de dollars, les Rockefeller les trois quarts de leur capital... La surproduction et la spéculation eurent raison du plus important créancier au monde. Les principales banques du pays fermèrent leurs guichets. Le Congrès vota en urgence un plan de redressement : plus de 100 millions de dollars furent consacrés à l'aide aux plus démunis.

James Lee cessa immédiatement ses versements mensuels. L'univers de Black Jack s'écroulait dans la colère et les verres de Martini. Les dettes s'accumulaient au 790, Park Avenue. Les premiers huissiers remplaçaient les invités prestigieux. Black Jack empruntait, tout en sachant qu'il ne parviendrait jamais à rembourser le moindre dollar. Il avait l'habitude de boire en société ; il prit celle de boire seul. Ainsi que pour Abe North dans *Tendre est la nuit*, de Francis Scott Fitzgerald, « l'alcool ravivait les événements heureux du passé comme s'ils continuaient d'exister ; comme s'ils étaient sur le point de se reproduire ». Janet sombrait dans le chagrin auprès de leur enfant.

En 1932, James Lee vint à la rescousse de Janet et de sa petite-fille. Il leur offrit un superbe appartement dans Manhattan et les aida de nouveau financièrement.

Le 3 mars 1933, Lee Bouvier naquit. Janet se retrouvait la plupart du temps seule à élever Jackie et la nouveau-née, tandis que Black Jack oubliait ses dettes dans le lit de jeunes effrontées. Son revers de fortune n'avait en rien changé ses habitudes : il découchait autant, buvait et jouait les dollars de son beau-père dans les casinos de la Côte Est.

Black Jack demeurait cependant un père affectueux. Malgré les difficultés financières de ses parents, Jackie vivait une enfance heureuse. À cinq ans, elle remportait son premier championnat avec Danseuse, une magnifique jument que son père lui avait offerte pour son anniversaire. Black Jack l'inscrivait aux compétitions prestigieuses de la rive sud de Long Island, auxquelles il assistait fidèlement en compagnie de ses deux grands danois.

En costume trois pièces, pochette de couleur sombre, chapeau élégant, chaussures blanches et moustache à la Clark

Gable, il paradait avec Jackie dans les cocktails et la présentait sans la moindre gêne à ses maîtresses.

Janet, cavalière émérite, restait dans les tribunes au côté de la petite Lee pour applaudir discrètement Jackie. Jalouse de la relation privilégiée entre Black Jack et sa fille aînée, elle en voulait à cet homme indigne qui dissimulait avec talent sa véritable personnalité aux yeux de ses deux enfants. Jackie était consciente des frasques de son père, mais elle le vénérait et lui vouait un amour extraordinaire. Ils se câlinaient, s'embrassaient et ne pouvaient se passer l'un de l'autre. Janet et Jackie se disputaient régulièrement à son sujet.

Black Jack n'avait plus d'argent, il ne connaissait plus aucun succès en Bourse. Il dépendait financièrement de son beau-père, et cette situation le mettait hors de lui lorsqu'il avait trop bu. De l'homme que Janet avait tant aimé, il ne restait qu'une illusion terriblement humiliante. L'abîme dans lequel il avait plongé avait aspiré ses qualités professionnelles et son charme. Black Jack n'était plus que l'ombre de lui-même. Seules Jackie et Lee lui procuraient l'espoir que tout recommencerait un jour ou l'autre. Il ne survivait plus qu'à travers l'affection de ses filles ; Janet ne représentait plus rien à ses yeux, sinon la preuve de sa déchéance.

Le couple était en désaccord sur tout, y compris sur l'éducation des enfants. Janet désapprouvait le fait que Jackie participe aux compétitions locales. Somme toute, l'équitation était sa passion, mais elle devait garder son rang. La découvrir au beau milieu d'une foule anonyme l'exaspérait.

— Jackie est notre fille, c'est une Bouvier et une Lee. Il n'est pas question de poursuivre ces compétitions vulgaires pour la soif de ton orgueil.

Black Jack restait muet et continuait à l'inscrire aux événements équestres. Jackie obéissait en s'éloignant du regard furieux de sa mère.

La presse, respectant l'auréole aristocratique de John Vernon Bouvier III et la mémoire pourtant décadente de leur fortune, saluait le courage de la jeune cavalière pour la plus grande fierté de Black Jack, qui découpait chaque article et l'encadrait dans son minable bureau de New York.

Le 1ᵉʳ juin 1936, au cours d'une compétition équestre à New York, Black Jack fut photographié caressant la main de Virginia Kernochan, une de ses nombreuses maîtresses. À leur côté se tenait Janet, le dos tourné. La photographie fut publiée dans le *Daily News* et déclencha un scandale au sein de la jet-set.

En octobre, le tribunal de New York accorda à Janet une période de six mois de séparation.

En juillet 1938, Janet emmena Lee, cinq ans, et Jackie, neuf ans, dans un appartement loué à Bellport. La presse à scandale en fit ses choux gras durant des mois. Le *New York Daily Mirror* annonça dans ses tabloïds : « Un financier de la haute société des Hampton est assigné en divorce ! »

Le divorce fut prononcé en juin 1940. Jackie fêtait ses onze ans un mois plus tard. Black Jack fut condamné à verser 1 000 dollars par mois de pension alimentaire ; ses droits de visite furent limités à un week-end sur deux, un jour dans la semaine, la moitié des vacances scolaires et six semaines pendant l'été.

Le 21 juin 1942, Janet se remariait avec l'un des hommes les plus influents de la Côte Est : Hugh D. Auchincloss. Cet ami de longue date, rencontré au cours de vacances dans le Nevada, divorcé deux fois, était un homme fort, sobre, tenu à des règles élémentaires de bienséance convenant parfaitement à la rigueur de la jeune mère. Le richissime républicain lui apportait enfin la sérénité.

L'Amérique avait déclaré la guerre à l'Allemagne nazie, à l'Italie fasciste et au Japon. Après l'attaque de Pearl Harbor, le président Franklin D. Roosevelt, bouleversé, avait proclamé au Congrès : « Quel que soit le temps qui sera nécessaire pour refouler cette invasion préméditée et injustifiée, le peuple américain usera de sa puissance légitime, et ce jusqu'à la victoire finale ! En raison de cette attaque lâche et sans motif commise par le Japon, j'attends de notre Congrès qu'il déclare la guerre. »

Jour après jour, Janet reprenait goût à la vie mondaine. Son mariage avec Hugh Auchincloss amorçait la mort sociale de Black Jack, dont les deux filles vivaient désormais avec leur mère à Merrywood, en Virginie. Elles étaient le sujet acharné d'une bataille ju...dique et verbale entre les Auchincloss et les Bouvier.

Vexé par la fortune colossale des Auchincloss, Black Jack accepta une cure de désintoxication dans l'une des cliniques discrètes de l'État de New York, sans succès. La honte et le chagrin avaient emporté ses illusions, tandis que le whisky reprenait ses droits sur ce corps abîmé. À quarante-neuf ans, sa santé était défaillante. Il se couchait à l'aube et se réveillait dans l'après-midi. Black Jack s'enfermait chez lui, au 125, East 74th Street, pour écouter la *Symphonie héroïque* de Beethoven en pleurant l'absence de ses enfants.

Jackie se réfugiait auprès de sa jument Danseuse et des chevaux de son beau-père. Elle correspondait régulièrement avec Black Jack pour lui raconter ses derniers exploits hippiques et sa vie à Merrywood.

L'immense bâtisse au style colonial, sur un terrain de vingt hectares, dominait crânement les somptueuses falaises du Potomac. Elle était agrémentée d'une piscine olympique, d'écuries, d'un manège, d'un terrain de tennis, d'un hammam et d'un court de badminton. Des dizaines de jardiniers entretenaient son parc planté de noyers, de chênes centenaires et de milliers de rosiers rouges. Des fontaines monumentales rejetaient une eau bruyante sous laquelle grouillaient des poissons multicolores. Les deux garages renfermaient une exceptionnelle collection de voitures anciennes et une Rolls-Royce.

Jackie avait le sentiment de vivre l'aventure de Jane Eyre, le personnage mythique de Charlotte Brontë. Le quotidien de son beau-père ne correspondait en rien à celui de son père. Membre actif des clubs les plus chic de la Côte Est, il fréquentait les intellectuels, les artistes en vue, les économistes, les hommes politiques… Son autorité financière était suffisante pour faire face aux tragédies de la guerre. Jackie n'avait tout simplement jamais vu autant d'argent !

À quinze ans, elle partageait ses loisirs entre la lecture, la danse et l'équitation. Elle pique-niquait régulièrement avec

Lee au bord de la rivière de la propriété, lui lisant de sa voix murmurante ses derniers poèmes et les nouvelles de la guerre. Elle lui racontait le week-end à Merrywood du premier président des États-Unis, George Washington.

— Il est venu habillé de son prestigieux uniforme de général, le sabre le long de sa jambe gauche. Ses bottes en cuir noir martelaient le marbre de la grande salle à manger. Les anciens propriétaires étaient fiers de recevoir ce héros et cet homme si bon pour l'Amérique.

Mimant la scène sous les rires de sa sœur, Jackie entamait un défilé militaire très convaincant.

Jackie et Lee profitaient de la présence de leurs demi-frères et demi-sœurs, Hugh Dudley III – surnommé Yusha –, Nina, Thomas et Eugene Vidal Jr, pour organiser des compétitions de tennis, de natation et d'équitation au sein même de la propriété.

Jackie fut envoyée en pension à l'école renommée de Farmington, dans le Connecticut, petite ville résidentielle à 16 kilomètres à l'ouest d'Hartford, composée de discrètes maisons du XVIIIe et d'un parc joliment boisé. Elle brilla dans toutes les disciplines et se fit une excellente réputation de jeune écrivain. Ses camarades de classe et ses professeurs appréciaient ses nouvelles et ses poèmes. Jackie écrivait avec tant d'assiduité que son beau-père était persuadé qu'elle serait un jour une grande romancière, telle Virginia Woolf. Après cette prémonition, Jackie dévora sans tarder *Mrs Dalloway*, *La Promenade au phare*, *Orlando* et *Les Vagues*.

Quand elle rédigeait une composition de sujet libre, elle racontait généralement sa vie avec les Auchincloss : « Je ne saurai jamais ce que je préfère, Hammersmith et ses prés verdoyants battus par les vents estivaux, ou Merrywood sous la neige avec ses rivières et ses extraordinaires collines pentues. J'aime ces deux lieux aussi passionnément que j'aime celui à qui ils appartiennent. »

Janet, quant à elle, retrouvait son rang social en jouant au très sélect Burning Tree Golf et organisait des parties de bridge dans la propriété. Elle se rendait utile pour son pays en participant à des œuvres de charité, aux opérations de la Croix-Rouge, en travaillant bénévolement aux urgences qui recevaient les premiers blessés de guerre.

Les Auchincloss étaient également propriétaires d'une splendide ferme sur la Côte Est, dans la région de Newport. Hammersmith Farm surplombait les plages de Narragansett. La demeure de vingt-huit pièces, que John Auchincloss avait fait construire en 1887, était essentiellement composée de galets. Un parc dessiné par le talentueux paysagiste de Central Park, Frederick Law Olmsted, ceinturait la propriété.

C'était un véritable bijou, où gambadait une impressionnante ménagerie : des lapins, des poules, des paons et des chevaux. Durant l'été 1943, Jackie et Lee y passèrent un séjour inoubliable. Hugh Auchincloss leur offrit deux vachettes surnommées Jacqueline et Caroline, qu'elles promenaient à travers les dix hectares de la propriété, lavaient et déguisaient pour la plus grande joie des domestiques.

En septembre 1944, Jackie entra au collège très chic de Miss Porter, à Farmington, dans le Connecticut. C'était une élève disciplinée et admirée par ses professeurs.

Une fois par semaine, Black Jack arrivait au volant de sa décapotable noire, remplie de cadeaux, pour l'emmener dans les meilleurs restaurants de la ville. Jackie lui récitait des poèmes et ses passages préférés de Shakespeare. Elle racontait en détail les pièces de théâtre qu'elle interprétait :

— Papa, je veux devenir une actrice ! J'ai adoré jouer Mr Bingley dans *Orgueil et Préjugés*, de Jane Austen !

Elle confiait à son père ses échecs avec les garçons, expliquant qu'elle préférait s'enfermer des heures entières à la bibliothèque plutôt que de rejoindre, comme ses amies, les terrains de football.

— Je sais très bien que je ne me marierai jamais ! Je vais finir mes jours dans la maison de maman à Farmington !

Black Jack souriait, la prenait dans ses bras pour la couvrir de baisers et lui murmurait à l'oreille :

— Aucune princesse de ce monde ne se retrouve sans roi. Je te le promets.

Janet donna à nouveau naissance à deux enfants : Janet Jr, le 13 juin 1945, et James Lee, deux ans plus tard. Le baptême du petit garçon offrit à Jackie l'opportunité de faire ses débuts dans le monde : des centaines d'invités de marque découvrirent sa beauté au très sélect Clambake Club de Newport. Vêtue d'une robe de tulle blanc laissant ses épaules découvertes, Jackie fit sensation en accueillant chaque invité par un petit bouquet blanc de bouvardias, ses fleurs fétiche.

En juin 1947, Jackie recevait les félicitations du proviseur de Miss Porter. Elle obtenait son diplôme avec mention en latin et en français. À dix-huit ans, elle était une ravissante adolescente, convoitée par de nombreux jeunes de son âge. Sur l'annuaire du collège, se souvenant de la promesse de son père, elle écrivit sous sa photographie :

— Je ne serai jamais une femme à la maison !

À Newport, elle fut sacrée Débutante de l'année par Igor Cassini, du *New York Journal American* : « Jacqueline Bouvier, dix-huit ans, est une ravissante brunette aux traits classiques et au teint de porcelaine de Dresde ! Elle a de la grâce, est cultivée et intelligente, tout ce que la représentante des Débutantes devrait posséder. Ses antécédents sont rigoureusement vieille garde. Inutile de lire un tas de coupures de presse pour être conscient de ses qualités inoubliables. »

Après les vacances d'été, elle fut acceptée à Vassar, prestigieux collège exclusivement féminin, et s'émerveilla de sa collection privée : 10 000 objets rares, dont des antiquités méditerranéennes et des tableaux de l'école Hudson River.

Dans sa chambrée, elle relisait inlassablement les œuvres de William Shakespeare : *Richard III, Le Songe d'une nuit d'été, La Tempête, Antoine et Cléopâtre…* tout en fumant ses premières cigarettes.

Jackie était une étudiante très gaie qui amusait ses camarades de classe. Elle imitait Fred Astaire et aimait se déguiser. Elle entretenait une excellente relation avec son professeur de lettres, Helen Sandison, qui lui faisait découvrir les romanciers anglo-saxons et les poètes grecs.

Sous les marronniers, elle lisait avec jubilation les romans de Thomas Hardy, les pièces de Bernard Shaw, les nouvelles du jeune dandy Robert Louis Stevenson : « Personne n'est capable d'admiration comme un jeune homme. De toutes les passions et de tous les plaisirs de la jeunesse, c'est le plus commun et le dernier auquel on renonce... »

Elle pénétrait dans les traductions d'Homère le mystère des mythes fondateurs de l'imaginaire occidental. Le courage d'Achille, les larmes d'Andromaque et la mort de ses héros hantaient ses nuits.

Chaque vendredi, elle retrouvait son père à New York. Ils se promenaient dans Central Park, dégustaient des salades savoureuses au Club 21 ou visitaient pour la énième fois l'imposant Metropolitan Museum. Certes, Black Jack n'assistait plus aux enchères privées à Sotheby's, mais il demeurait un connaisseur averti. Le musée était un réservoir inépuisable d'objets rares. Jackie s'émerveillait devant les toiles des peintres français : Claude Lorrain, Auguste Renoir, Honoré Daumier, David...

Leurs conversations étaient bien plus divertissantes qu'à Merrywood. Ils parlaient de chevaux, de mode, des derniers coupés Bugatti, de gastronomie française, de potins... Jackie riait aux éclats. Chez les Auchincloss, les dîners étaient austères, on y évoquait la politique désastreuse d'Harry Truman, les faiblesses du plan Marshall, la République populaire de Chine... Hugh Auchincloss était dépourvu d'humour et d'imagination. Avec Black Jack, l'existence était légère et romantique.

Durant l'été 1948, Jackie s'envola pour l'Europe avec trois amies et son professeur de latin. En Angleterre, Jackie admira le buste du colonel Lawrence à la cathédrale Saint Paul, Buckingham Palace, les fameux corbeaux de la Tour de Londres. Puis elles visitèrent Paris et ses environs : le musée du Louvre, les jardins des Tuileries et du Luxembourg, le château de Versailles, Fontainebleau, le quartier Saint-Germain-des-Prés, où elles espéraient croiser André Malraux, Jean-Paul Sartre ou Albert Camus. Elles gagnèrent ensuite les palaces de la Côte d'Azur (Cannes, Antibes, Mandelieu, Monaco), puis Rome, Milan et Florence.

À son retour, Jackie inscrivit son nom sur la liste des élèves de Vassar désirant poursuivre leurs études en Europe. Elle désirait retourner à Paris. À dix-neuf ans, elle voulait échapper à l'éducation rigide des Auchincloss et goûter au romantisme français. Quelques semaines plus tard, sa candidature fut acceptée. En août 1949, elle passa six semaines à l'université de Grenoble, hébergée par une famille bourgeoise. Elle adressa une carte postale à son père pour le rassurer :

« J'apprends à les connaître. Ils sont chaque jour plus attentionnés avec moi. Je suis considérée maintenant comme un membre de leur famille. Nous rions beaucoup durant les repas et leur mère est une femme qui a une excellente nature. Ils sont d'une vieille aristocratie, mais les temps ont changé et les enfants sont obligés d'étudier tout comme moi. Mes amis étudiants m'aident dans mes devoirs, ils corrigent mon mauvais français. C'est vraiment très difficile d'apprendre cette langue, mais ils sont toujours là pour moi. Ils sont vraiment adorables. »

Puis elle gagna Paris pour suivre pendant une année des études à la Sorbonne. Elle appréciait particulièrement les cours d'art et ceux d'Histoire de France. Elle loua à la comtesse de Renty un studio au 78, avenue Mozart, dans le XVIᵉ arrondissement.

La France lui apporta un raffinement nouveau, tant sur le plan de l'expression que des manières. Elle profita des cinémas d'art et d'essai, des promenades en péniche, assista aux défilés de haute couture, bref, elle jouit d'une totale liberté ! Sa curiosité intellectuelle était enfin assouvie ; elle visitait chaque musée de la capitale avec frénésie. En juin 1950, elle reçut son diplôme de Vassar avec une mention d'excellence.

Après un court séjour sur la Côte d'Azur et trois semaines en Irlande, elle partit pour l'Autriche et l'Allemagne en compagnie de Claude de Renty, la fille de sa logeuse. Elle adressa une lettre à son père pour lui exprimer sa douleur devant les monuments détruits par les bombardements :

« J'ai passé sans doute le séjour le plus terrifiant de mon existence en Autriche et en Allemagne. Nous avons vu ce que les Russes ont fait de Vienne. Nous avons visité le camp de concentration de Dachau. Je n'ai jamais vu une chose aussi épouvantable… Dans le Sud de la France, c'était bien différent. Les gens là-bas sont amusants avec leur accent du Midi. Ils sont toujours heureux, car ils vivent sous le soleil et l'amour ! Je n'oublierai pas la Camargue et ses traditions, ses chevaux, ses taureaux, ses marais que la mer et le Rhône viennent recouvrir. »

À son retour en Amérique, Jackie était une jeune fille transformée.

En octobre, elle rejoignit les onze mille étudiants de l'université catholique George-Washington, à Washington D.C., pour sa dernière année d'études en langue française. Elle concourut au très sélectif prix de Paris, organisé par la rédaction américaine de *Vogue* et ouvert aux étudiantes en quatrième année. Comme il était exigé dans le règlement, elle envoya son autoportrait :

« Je mesure 1 m 70, je suis brune, j'ai un visage carré et des yeux tellement écartés qu'il faut trois semaines pour me fabriquer une paire de lunettes ! Ma silhouette n'est pas exceptionnelle, mais je peux avoir l'air élancée si je choisis des vêtements adaptés. Je me flatte d'être du genre à sortir de chez moi habillée comme un clochard parisien, mais ma mère me court toujours après pour me prévenir que la couture de mon bas gauche n'est pas droite ou que le premier bouton de mon manteau ne va pas tarder à tomber. »

Le concours consistait à rédiger un texte sur le sujet suivant : « Les gens que vous auriez aimé connaître. » Jackie passa de nombreuses heures à la bibliothèque de l'université afin de dénicher une multitude de détails sur la vie de Charles Baudelaire, Oscar Wilde et Serge de Diaghilev, qui dirigea les Ballets russes.

« Oscar Wilde et Charles Baudelaire sont des poètes et des idéalistes capables de peindre le péché avec franchise, sans jamais cesser de croire en quelque chose de plus noble… Serge de Diaghilev possède un talent plus rare encore que le génie artistique : le don de tirer le meilleur de chacun et d'en faire l'élément d'un chef-d'œuvre. Si je pouvais être une sorte de directeur artistique du xxe siècle, ce sont leurs théories sur l'art que j'appliquerais. »

En juin 1951, Jackie remporta le prix parmi les mille deux cents élèves des plus grands collèges des États-Unis. Black Jack passa la semaine à contacter ses proches pour leur faire part de l'excellente nouvelle. La photographie de Jackie fut publiée dans le numéro d'été de *Vogue* avec les félicitations de la rédaction.

Janet et Hugh D. Auchincloss, bien qu'ils reconnussent des qualités indéniables dans l'écriture de Jackie, émirent des réserves quant à l'acceptation de la récompense, qui permettait à la lauréate de s'envoler de nouveau pour Paris. À leur demande expresse, Jackie dut renoncer à retourner en France :

— Il faut que tu termines tes études et que tu obtiennes ton diplôme. Ensuite nous verrons. Mais, à défaut d'une année complète à Paris, nous vous offrons, à toi et ta sœur, un voyage d'été en Europe.

Jackie et Lee embarquèrent en juillet 1951 sur le *Queen Elizabeth* en compagnie d'une de leurs meilleures amies, Solange Herter. Jackie tint lieu de guide. À Biarritz, les jeunes filles louèrent une Coccinelle de couleur rouge, qu'elles harnachèrent de leurs nombreux bagages, maintenus par des tendeurs. La voiture ne cessait de tomber en panne. Jackie, en short bleu marine, riait aux éclats, tandis que sa sœur et son amie demandaient du secours au bord des routes nationales. Jackie ne se préoccupait pas de son apparence, elle ouvrait systématiquement les fenêtres de l'automobile et abandonnait sa chevelure au vent.

Pour taquiner leur mère et les Auchincloss, elles réalisèrent un album composé de dessins et de poèmes hilarants qui racontaient leurs mésaventures. Cet ouvrage ne fut pas du goût de leur beau-père, mais Black Jack l'adora.

À son retour aux États-Unis, en septembre, Jackie, désormais diplômée de l'université George-Washington, dans le quartier de Georgetown, avait l'intention de chercher du travail pour obtenir son indépendance financière. Elle parlait couramment quatre langues. « Il est sans doute temps que, à vingt-deux ans, je songe à faire quelque chose de constructif dans ma vie. »

Lee fut admise à l'université Sarah-Lawrence. Elle fut à son tour élue Débutante de l'année. Jackie la félicita et lui souhaita bonne chance pour son entrée dans le monde.

— Tâche de te souvenir de tous les conseils que je t'ai donnés et tout ira bien.

Hugh Auchincloss entretenait de bonnes relations avec Arthur Krock, le patron du *New York Times*. Au cours d'un déjeuner à Merrywood, il évoqua les talents de sa belle-fille :

— Jackie est une jeune fille très douée, je suis sûr que vous apprécieriez son travail.

— Je vais appeler Frank Waldrop, du *Times Herald* de Washington. Je pense qu'elle fera l'affaire.

Hugh Auchincloss s'engagea à régler tous les frais de déménagement et d'installation de Jackie, ainsi que le loyer d'un petit appartement à Georgetown.

C'est ainsi que Jackie débuta comme journaliste photographe à Washington, en décembre 1951.

8 mai 1952. Il est presque 18 heures. Jackie descend à son garage pour sortir sa Mercury. Les Bartlett habitent à quelques rues, dans une charmante petite maison de briques rouges. Ces jeunes mariés organisent avec talent des soirées inoubliables, où sont invitées les personnalités les plus en vue : éditeurs, juristes, artistes, historiens et... hommes politiques. Martha, riche héritière d'un magnat de la sidérurgie, a un goût exquis pour animer ces rendez-vous. On y joue d'interminables parties de Monopoly ou de bridge jusqu'aux aurores. Cette jolie maison de Georgetown est devenue en un rien de temps l'un des lieux les plus prisés de la capitale.

Georgetown s'est créé en 1789. Les Washingtoniens aisés restaurèrent ses quartiers maritimes, datant des XVIIIe et XIXe siècles. Jackie apprécie cet endroit, où elle déjeune pour 4 dollars dans des restaurants de caractère. Elle y mène une vie très agréable, partagée entre salons de beauté, galeries de peinture, bistros français, boîtes de jazz et librairies où fourmillent des étudiants de tous pays.

Le dimanche après-midi, elle flâne dans le parc soigné de la bibliothèque byzantine, Dumbarton Oaks. Elle nourrit les oiseaux migrateurs sur les bords de Towpath Row. Elle achète ses fruits et légumes au petit marché de Market House.

Parfois, elle retrouve d'anciennes amies de l'université George-Washington, lors de concerts organisés librement dans les jardins par les étudiants. Abandonnant sa voiture, elle gagne Chesapeake à bicyclette.

Traversant l'avenue Wisconsin, Jackie aperçoit le visage de John Fitzgerald Kennedy sur la devanture d'un kiosque à journaux :

JOHN FITZGERALD KENNEDY, UN PROCHAIN
SÉNATEUR POUR LE MASSACHUSETTS ?

Parvenue au 3 419 Q Street, elle éteint nerveusement sa cigarette et se parfume d'une eau de toilette française Christian Dior. Elle remarque immédiatement la Morgan immatriculée dans le Massachusetts de John F. Kennedy, une décapotable deux places très appréciée par la nouvelle génération, importée d'Angleterre par les soldats américains depuis la dernière guerre.

Martha ouvre la porte et l'embrasse affectueusement :

— Rentre ma chérie, tu es superbe.

Dans le petit salon au mobilier chaleureux, John est debout, près de la cheminée. Un verre de Martini à la main, il s'avance pour serrer la main de Jackie :

— Comment allez-vous ? Cela me fait très plaisir de vous revoir ici, chez nos amis.

L'ambiance de la soirée est détendue. Un tourne-disque entraîne le nouvel album de Frank Sinatra, qui comporte les chansons « Nancy with the Laughing Face » et « You'll Never Walk Alone », puis quelques morceaux de Dean Martin.

Jackie remarque que John a perdu du poids depuis l'année précédente. Mais son parfait bronzage met en valeur son regard bleu-gris. Ses cheveux épais et roux lui donnent l'air d'un jeune étudiant irlandais. Son pantalon est si court que Jackie n'a aucun mal à découvrir ses chaussettes rouges ! John se fiche éperdument de son aspect vestimentaire. D'ailleurs, sa fraîcheur fait rapidement oublier ces détails. Car, dans le verbe et l'humour, il excelle. C'est bien la première fois que Jackie écoute un homme politique aussi intéressant.

Charles Barlett leur propose du bordeaux. Jackie accepte volontiers, mais John, qui n'est pas un grand amateur d'alcool, préfère en rester là.

— Les hommes politiques sont-ils tous aussi jeunes et sages que vous ?

— Oh ! non. Il faudrait que vous m'accompagniez à déjeuner, Jackie, à la Chambre des représentants, et vous saurez que notre pays est dirigé par nos arrière-grands-parents ! Tous portent une barbe blanche et sont sourds ! Quant à leur sagesse, je vous laisserai libre d'en juger par vous-même...

Tous rient de bon cœur. Jackie répond, un brin ironique :

— Ils sont vieux, mais savent de quoi ils parlent ! Nous avons beaucoup à apprendre d'eux.

John la questionne sur Paris.

— C'est une ville très romantique.

— Ma mère connaît les meilleures adresses pour s'habiller ! Connaissez-vous ma mère ?

Jackie éclate de rire. Aucun citoyen américain n'ignore le fameux clan des Kennedy : leur histoire est régulièrement racontée dans la presse internationale.

— Je crois qu'elle a de la chance de vous avoir comme fils. Elle doit être très fière de votre carrière à Washington.

John reste dubitatif :

— Je pense que mon père en est assez satisfait... mais ma mère est plus exigeante que lui sur certains sujets.

— Toutes les mères ne sont-elles pas exigeantes avec leurs enfants ?

— Certes, mais attendez de la rencontrer, c'est une femme peu ordinaire...

Jackie se sent une enfant à ses côtés. Ils partagent une même fascination pour la mer et une passion des biographies. Elle se régale des souvenirs de régate de John à Hyannis Port et de son récit de la vie de Winston Churchill, un de ses héros. Il lui explique en détail l'aventure de ses grands-parents irlandais venus découvrir le rêve américain.

À la fin de la soirée, John l'accompagne jusqu'à sa voiture. Jackie lui remet ses coordonnées téléphoniques. Les Bartlett sont aux anges.

— Je ne manquerai pas de vous joindre, Jackie. Nous pourrions dîner, la prochaine fois, au Shoreham Hotel.

— Avec plaisir, John.

De retour à son appartement, Jackie s'installe confortablement, en chemise de nuit, dans son vieux canapé. Elle passe le restant de la nuit à regarder *Les Enchaînés*, d'Alfred Hitchcock, à la télévision.

Le lendemain matin, elle attend impatiente la sonnerie du téléphone. Jackie a toujours détesté les conversations téléphoniques et les écourte autant que possible. Cette fois, ce sera différent. « Je lui parlerais des heures entières. » Vers 11 heures, un appel la fait frissonner. Ce n'est que sa mère, qui lui demande des nouvelles des Bartlett. Les Auchincloss avaient été invités à leur mariage et au baptême de leur premier enfant.

— Comment vont-ils ?

— Ils ont acheté une nouvelle voiture et sortent beaucoup.

— Et cette soirée, comment était-elle, Jackie ?

— Très bien. J'y ai revu le jeune représentant du Massachusetts...

— John Kennedy ?

— Oui, tout le monde l'appelle Jack, maman. Il est l'homme politique le plus moderne de notre pays !

— C'est un Kennedy ! Les Kennedy sont si puissants qu'ils pourraient acheter l'Amérique sans sourciller.

— Il est très séduisant.

— Oh ! sûrement. La presse ne cesse de louer ses succès auprès des femmes. On raconte qu'il a eu une aventure avec Ava Gardner.

— On raconte tellement de choses dans la presse...

— Je ne veux pas que tu souffres, sois prudente. Les journaux ont révélé aussi son mauvais état de santé. Un homme malade n'apporte que le malheur.

Jackie a remarqué que John peinait à se lever de table et qu'il posait ses mains sur le haut de sa chaise lorsqu'il se tenait longtemps debout. Elle reconnaît cette douleur, car Black Jack souffre aussi de terribles maux de la colonne vertébrale. Des journalistes, en octobre 1947, avaient annoncé que John était atteint de la maladie d'Addison, mais la rumeur fut étouffée par son père :

— John souffre de paludisme depuis son naufrage à bord du *PT 109*. Il est soigné pour cela et rien de plus.

Le lieutenant John F. Kennedy avait été décoré pour son courage dans le Pacifique Sud. Il avait sauvé la vie de ses hommes après que leur vedette, le *PT 109*, fut éperonnée par un navire japonais sur les mers de Kolombangara. Il était rentré en héros et l'Amérique était tombée amoureuse de lui.

Grâce à l'habileté financière du patriarche, son exploit fit la une des journaux en un temps record. Le journaliste John Hersey, du *New Yorker*, raconta ses exploits sur plusieurs éditions tandis que des scénaristes d'Hollywood proposèrent à des producteurs célèbres le récit de ses aventures.

Quelques années auparavant, en 1940, Joseph avait déjà orchestré une campagne de marketing à l'occasion de la sortie du premier livre de son fils : *Pourquoi l'Angleterre sommeillait*. 80 000 exemplaires furent vendus en peu de temps. À vingt-trois ans, John était incontestablement l'une des personnalités les plus en vue du rêve américain. À vingt-neuf ans, il était élu à la Chambre des représentants avec une facilité déconcertante. Son ascension politique était fulgurante. Des observateurs avisés à Washington se doutaient qu'il serait un jour, sous l'œil averti de son père, candidat démocrate à la présidence des États-Unis.

Ce midi, Jackie a rendez-vous avec Lee pour savourer de merveilleuses salades de foie gras, mets qu'elle apprécie par-dessus tout. À son retour, elle corrige un article sur les derniers mois de la présidence de Truman, quand la sonnerie du téléphone traverse de nouveau les pièces de l'appartement. Jackie écrase sa cigarette et dévale les escaliers étroits.

— Mademoiselle, je suis la secrétaire de M. Kennedy, qui regrette beaucoup de ne pas vous avoir appelée plus tôt, mais une nouvelle session lui tient à cœur en ce moment. Il m'a chargée de vous dire qu'il vous téléphonera demain matin.

— Je vous remercie, madame Gallagher, mais dites-lui bien qu'il peut m'appeler tard à la maison. Je ne sortirai pas beaucoup, j'ai moi-même du travail pour le journal.

— Je lis tous vos articles, M. Kennedy également. Il en est très friand.

— Vraiment ?

— Je vous l'assure. Vous pouvez compter sur son appel demain matin.

Mary Barelli Gallagher et Evelyn Lincoln, les deux secrétaires de John, détiennent l'ensemble de son emploi du temps, comprenant notamment ses rendez-vous galants. Depuis sa nomination au Congrès, ses petites amies n'hésitent pas à le contacter à son bureau. John a une entière confiance en la discrétion de ses assistantes. Après le dîner chez les Bartlett, il leur a confié le soin d'accueillir avec gentillesse une dénommée Jacqueline Bouvier.

Le lendemain, vers 10 heures, John et Jackie déjeunent au célèbre restaurant français La Caravelle, situé au cœur du Shoreham Hotel. Dans ce décor ultramoderne, il lui livre sa vision sur la politique étrangère des États-Unis.

— J'ai toujours été convaincu du bien-fondé du discours de Woodrow Wilson : « Un Américain patriote n'est jamais aussi fier du drapeau de sa patrie que lorsqu'il symbolise pour les autres comme pour lui l'espérance et la liberté. »

Malgré ses convictions républicaines, Jackie est éblouie par l'enthousiasme de son interlocuteur. Elle dira plus tard à sa sœur :

— John est un idéaliste sans illusions.

Par certains aspects, John lui rappelle son père : il charme les femmes comme les hommes, avec une aisance inattendue pour son âge – il n'a que trente-cinq ans. Malgré son éducation très « Côte Est », il ne manque pas d'humour :

— Mon frère Bobby m'a dit un jour qu'un moustique ne survivrait pas s'il me piquait !... Il faudrait que vous rencontriez Bobby, c'est un garçon épatant.

Quelques jours plus tard, Jackie fait la connaissance de Bobby et son épouse, Ethel. John les emmène voir le dernier film d'Howard Hawks, en avant-première : *Chérie, je me sens rajeunir.* Durant la projection, John s'extasie sur la sensualité de Marilyn Monroe et les longues jambes de Ginger Rogers.

Jackie s'en amuse, habituée à ce comportement si masculin. À la fin de la séance, Jack les invite à prendre un verre à Georgetown.

Bobby est plus petit que son frère, mais son énergie est tout aussi débordante. Sportif – ainsi que sa jeune épouse –, il apprécie la joute intellectuelle et s'avoue rarement vaincu. Têtu, il est capable d'argumenter son point de vue des heures durant jusqu'à ce que son adversaire soit totalement convaincu de la véracité de ses propos. John a trouvé en lui un véritable athlète politique.

— Bobby ne dort pas... il rumine ! Méfiez-vous de lui, Jackie, il est terrifiant. Mes conseillers le craignent comme la peste bubonique !

— J'ai accompagné mon frère et notre sœur Patricia en Israël. Nous avons été reçus par Franklin Roosevelt Jr. Nous nous sommes querellés sur la question juive et sur l'avenir de l'Asie communiste. Jack ne voulait plus m'emmener nulle part ! En Inde, je me suis fâché avec Nehru, mais de toute manière Jack ne le supporte pas non plus !

— Bobby a un sens bien particulier de la diplomatie, Jackie.

Diplômé de Harvard, Bobby fait aussi l'admiration de ses parents. Rose, sa mère, respecte ses idéaux vis-à-vis des minorités ; elle est fière de sa foi. Les Kennedy sont des catholiques pratiquants, excepté John qui assiste aux messes essentiellement dans un but électoral.

— Ce n'est pas vraiment son style, il a d'autres priorités !

L'année dernière, Bobby traquait les agents soviétiques depuis son bureau, au département de la Justice. Ses excellents résultats furent salués par la presse américaine. Aujourd'hui, il est avocat à la division criminelle ; il est actuellement chargé d'inculper deux hauts fonctionnaires soupçonnés de corruption.

Jackie est séduite par le caractère teigneux du « petit frère ». En le quittant, Jackie lui murmure :

— Vous êtes un garçon étonnant.

— Je vous renvoie le compliment, mademoiselle Bouvier...

Bobby sourit tout en serrant contre lui Ethel.

— Ma femme n'est pas du même avis, vous savez ?

— Oh ! Bobby !

John raccompagne Jackie dans sa décapotable. Il l'embrasse longuement devant chez elle.

— Je vous remercie de cette soirée délicieuse.

— Jack, tout était merveilleux.

Le 4 juillet, John invite Jackie à Hyannis Port, la résidence d'été de ses parents. Il fait un temps magnifique ; John a délaissé son costume sombre pour un bermuda, un polo blanc et une paire de Sperry Topsider en toile beige. Il s'est fait soigneusement couper les cheveux. John est particulièrement attentif à son cuir chevelu, qu'une de ses assistantes, à son bureau au Congrès, est chargée de masser chaque matin. Ses confrères se moquent régulièrement de cette fantaisie :

— Vous riez, mais je suis le seul à ne pas perdre un seul cheveu ici ! Regardez-vous !

Il utilise également une lampe à UV dans sa chambre pour parfaire son bronzage et soigne régulièrement ses mains.

Ces petites manies amusent beaucoup Jackie. Dans la voiture, elle relit l'article du *Capitol News*, qui a désigné John comme le parlementaire le plus séduisant de l'année.

— Eh bien, j'espère que toutes les Américaines ne vont pas tomber amoureuses de toi !

— Je t'aime, Jackie. Les journalistes aiment écrire ce genre de choses, mais j'espère ne pas être élu grâce à cela !

Depuis deux mois, John et Bobby travaillent d'arrache-pied à la campagne sénatoriale. Le candidat adverse n'est autre que le redoutable Henry Cabot Lodge Jr, qui avait eu le toupet d'entrer en contact avec Joseph Kennedy :

— Votre fils perdra et vous, monsieur Kennedy, vous perdrez beaucoup d'argent.

— Nous verrons bien.

Sur la route, John prend le temps d'expliquer à Jackie les règles du clan, y compris celles des compétitions sportives :

— Nos matchs de football déclenchent chez mes frères et sœurs une violence qui risque de te choquer. À la maison, personne ne doit perdre pour éviter les remarques de papa !

— Drôle de façon de passer un week-end !

— Tu t'y feras… Ethel est la plus dure de nous tous.

— Je suis loin de lui ressembler, c'est un véritable garçon manqué.

— Peut-être, mais elle est aujourd'hui une Kennedy.

— Et moi je resterai avant tout une Bouvier !

— Alors tu passeras du temps avec le patriarche. Ce ne sera pas pour lui déplaire, il a toujours apprécié la compagnie des jolies femmes !

La demeure en cèdre blanc est posée sur les dunes. Les Kennedy en sont devenus propriétaires en 1902. Elle possède des jardins agréables et une plage privée. C'est l'architecte Frank Plaine, de Boston, qui aménagea les quatorze pièces principales de la maison, ainsi que les neuf salles de bains.

En dehors de sa taille et de sa situation géographique, la villa ne présente aucun signe extérieur de richesse. Les Kennedy détestent arborer leur fortune. Joseph défend à ses enfants d'acheter des voitures luxueuses et de porter le moindre bijou. À table, tous les sujets sont abordés, excepté celui de l'argent. À dix-neuf ans, Ted avait demandé l'autorisation à son père de s'inscrire au club de polo de Boston :

— Les Kennedy ne jouent pas au polo ! Ils jouent au football.

Eunice, Jean et Patricia se tiennent derrière leurs parents et détaillent Jackie de la tête aux pieds sans la moindre gêne. Les garçons, derrière leurs lunettes de soleil Way Ferer, plaisantent sur sa robe jaune pâle et son collier de perles. Son élégance française contraste avec leurs vêtements sportswear. Seule Rose Kennedy se démarque par le soin de ses toilettes.

La petite dame dirige d'une main de fer les domestiques de la maison, ainsi que les membres du clan. John avait confié à Jackie en riant que sa mère tenait un journal pour chacun d'entre eux, où elle notait méticuleusement l'évolution de leur taille, de leur poids, les maladies infantiles qu'ils avaient contractées et leurs allergies.

— A-t-elle aussi noté le nom de toutes tes petites amies ?

Rose s'avance vers Jackie en souriant. Son sourire franc est identique à celui de John.

— Nous sommes ravis de vous recevoir chez nous, mademoiselle Bouvier. Vous êtes ravissante. Alors, quels sont les derniers potins de Washington ?

— Maman, laisse-lui le temps de déposer nos bagages.

Jackie avait déjà rencontré les parents de John le Noël dernier. Elle était en vacances à quelques pas de leur résidence d'hiver à Palm Beach. À Washington, elle avait un peu fréquenté Eunice. Lorsque celle-ci proposa à sa mère d'inviter Jackie à passer quelques jours chez eux, sa réponse la fit éclater de rire :

— C'est étrange, Jack ne m'a jamais parlé de ce garçon !

— Mais, maman, Jackie est une fille !

Durant ce court séjour, Jackie n'avait pas quitté la cheminée du salon. Il faisait horriblement froid. Eunice avait expliqué que ses parents étaient très riches, mais que sa mère surveillait la moindre dépense :

— Y compris celle du chauffage ! Maman nous répète que le froid est excellent pour la circulation !

Joseph se montre très chaleureux avec Jackie. Il ne manque pas l'occasion de la regarder longuement derrière ses lunettes en écaille. Son corps élancé, ses grands yeux noirs et sa poitrine timide confirment son sentiment que Jacqueline Bouvier serait une épouse formidable pour son fils.

— Mon fils nous a tellement parlé de vous, mademoiselle Bouvier. Et il me semble qu'il ne nous a pas menti. Bienvenue à la maison.

— Merci, monsieur Kennedy.

Après le déjeuner, sous l'agréable véranda attenante au salon, Jackie répond à ses questions. Le patriarche cherche toujours à connaître les petites amies de ses trois fils, à saisir leur personnalité.

— Votre beau-père est l'un des hommes les plus influents de notre pays. Il mérite sa réputation. Nous ne sommes pas amis car nous ne fréquentons pas les mêmes clubs, mais je l'estime beaucoup.

— Il m'est très dévoué.

— Qu'en est-il de votre père ? Comment se portent ses affaires maintenant ?

— Eh bien, il va mieux, je crois qu'il a repris confiance en lui. Nous nous voyons de temps à autre à New York.

Joseph a suivi dans la presse la chute de John Vernon Bouvier. Par respect, il n'insiste pas davantage. Il a été l'un des rares hommes d'affaires à s'être enrichis durant la crise de 1929. Il n'a jamais perdu un seul dollar, excepté durant sa liaison avec la star du cinéma muet, Gloria Swanson. Sa société de production, la FBO, finançait ses films sans compter. Les caprices de Gloria étaient de plus en plus incontrôlables. Lors du tournage de *Marécage*, ses relations avec le réalisateur Erich von Stroheim étaient devenues impossibles. Le film ne vit jamais le jour. Joseph cessa immédiatement son activité de producteur et rompit avec la star. Il retourna à Hyannis Port pour s'occuper essentiellement de ses enfants.

— Je connais très bien Wall Street, j'ai dirigé la banque de mon père, la Columbia Trust, lorsque j'avais vingt-cinq ans. Depuis la crise économique de 1929, le pouvoir n'est plus dans les mains des hommes d'affaires, mais dans celles des dirigeants de la nation. C'est pour cette raison que j'ai demandé à mes fils de consacrer leurs talents à la vie politique de notre pays. L'avenir appartient désormais, mademoiselle Bouvier, aux hommes de Washington !

— John a beaucoup d'ambitions dans ce domaine.

— Il sera élu un jour président des États-Unis, je vous le garantis.

Jackie se détourne de son regard bleu acier.

— Je crois qu'il a trouvé la perle rare. Il ne s'est pas trompé.

— Et moi, monsieur Kennedy, me suis-je trompée ?

Joseph sourit face à son aplomb :

— L'avenir est une chose fantastique. Vous pouvez compter sur l'intelligence de Jack. Soyez sans crainte.

Après le souper, John et Jackie s'assoient sous le porche recouvert de chèvrefeuille :

— Tu as réussi le test principal : mon père t'adore.

Joseph observe du premier étage le couple enlacé. Il regarde ensuite l'océan, où quelques cétacés troublent la surface de l'eau. Des goélands les survolent gracieusement. Ce joli ballet le fait sourire depuis longtemps.

— L'existence nous réserve toujours des surprises.

Il avait cru au destin politique de son fils aîné, le lieutenant Joseph Patrick Jr, mais sa tragique disparition au-dessus de la mer du Nord, peu avant la fin de la guerre, avait brisé ses rêves. Son chagrin avait été immense ; il s'était enfermé dans sa chambre durant une semaine pour écouter Wagner. Joseph Patrick Jr possédait suffisamment de dons pour remporter n'importe quel combat politique. Il était brave et intelligent.

Joseph s'était alors tourné vers Jack. Celui-ci reprendrait le flambeau de son frère défunt. Jack lui avait redonné l'espoir de voir un Kennedy à la Maison Blanche. Jackie arrivait au bon moment, elle lui apporterait l'équilibre nécessaire pour traverser les étapes du pouvoir. Joseph en était déjà persuadé.

2

La campagne sénatoriale de John F. Kennedy

« Cent fois par jour, je me répète que ma vie intérieure et extérieure dépend du labeur des autres hommes, des vivants et des morts, et que je dois faire en sorte de donner autant que j'ai reçu. »

Albert Einstein

John est le seul représentant démocrate du Massachusetts à oser s'opposer à la candidature sénatoriale du républicain Henry Cabot Lodge Jr. Aucun de ses confrères ne veut se risquer dans cette bataille qui semble perdue d'avance.

Le 7 novembre 1916, Honey Fitz, le père de Rose, s'était déjà cassé les dents face à la dynastie des Cabot Lodge. Son immense popularité n'avait pas réussi à briser leur puissance ancestrale et financière. L'échec avait affaibli l'ambition politique de la caste irlandaise de Boston, y compris celle des Fitzgerald.

Près de quarante ans plus tard, Henry Cabot Lodge Jr expose aux électeurs un parcours convaincant. Fils d'une des plus grandes familles protestantes de la Nouvelle-Angleterre, lieutenant-colonel durant la Seconde Guerre mondiale, élu sénateur du Massachusetts après une victoire écrasante en 1946, le républicain devrait aisément conserver son titre, selon les derniers sondages.

En 1952, le parti républicain présente des candidats sérieux dans les cinquante États. Dwight D. Eisenhower, surnommé

41

amicalement Ike par les Américains, est en bonne voie pour écraser l'impopulaire Harry Truman et son maladroit poulain, Adlai Stevenson.

Henry Cabot Lodge Jr obtient le soutien d'Eisenhower. La venue du candidat aux élections présidentielles dans le Massachusetts provoque un véritable séisme dans les rangs démocrates. Divisés par des querelles intestines, chahutés par la médiatisation de cette union, les principaux leaders démocrates n'apportent plus leur soutien financier à John Kennedy.

— De toute façon, Lodge le massacrera, concentrons-nous là où nous pouvons encore gagner !

Les conseillers de John en sont consternés et craignent que les appuis de son père ne suffisent plus à renverser la situation, devenue dramatique.

— Les amis de Joseph Kennedy sont bien trop âgés. Ils n'ont plus aucune audience à Washington et leurs arguments en matière de stratégie politique sont désuets. Mais qui osera le dire au patriarche ?

Personne, au sein de l'équipe de campagne, n'a le courage d'affronter son autorité et son mauvais caractère.

— Seul Bobby pourrait le faire. Il serait le seul à pouvoir lui dire la vérité.

Kenny O'Donnel prend les devants et contacte Bobby dans sa maison de Georgetown.

— Bobby, il faut que nous nous voyions. Ton frère ne remportera pas l'élection. Nous en sommes convaincus depuis qu'Eisenhower soutient officiellement Lodge.

— Eh bien, quelle joie d'entendre cela ! Jack serait ravi de votre courage !

— L'argent de ton père ne suffira pas, nous devrions organiser une véritable campagne sur le terrain. Les républicains sont en train de prendre l'ensemble des sièges dans chaque État. Nous avons besoin de toi pour en discuter franchement avec ton père. Nous courons à la catastrophe, Bobby !

— Venez à la maison demain soir, nous en parlerons de vive voix.

La soirée du lendemain est électrique. Bobby refuse fermement de démissionner de son poste au département de la Justice :

— Je n'ai pas envie de passer les mois qui suivent à me fâcher avec mon père.

— Imagines-tu un instant qu'il me faudrait lui annoncer que ses amis sont de vieilles branches ?

Bobby sourit.

— Ton frère a besoin de toi. Jackie est à ses côtés, mais il a besoin de toi pour cette campagne. Toi seul pourrais convaincre ton père de revoir entièrement la stratégie de cette foutue élection !

Après plusieurs heures de négociation, Bobby finit par accepter.

— Mais je ne veux pas entendre ces politiciens me dire ce que je dois faire ou ce que Jack doit faire !

Dès l'annonce de la candidature de John Kennedy aux élections sénatoriales, la presse s'empare de l'événement. La lutte entre les deux hommes dépasse rapidement les ambitions des deux partis pour se transformer en une guerre acharnée entre les deux familles les plus riches du Massachusetts. Les cinq millions d'électeurs suivent avec passion ce match inespéré. Les titres provocants des journaux font le bonheur des lecteurs :

UN FACE-À-FACE HISTORIQUE :
KENNEDY CONTRE LODGE

La course pour le Massachusetts devait, aux dires des démocrates, ridiculiser leur camp ; elle éveille en réalité l'intérêt de la population.

Les attaques verbales de Lodge sont de plus en plus virulentes et chacune de ses interventions calomnieuses est reprise dans les colonnes des journaux nationaux. En 1946, Jack avait déjà affronté une telle campagne : ses adversaires dénonçaient son manque d'expérience, ironisaient sur son enfance gâtée et mettaient en garde l'électorat contre le fils de l'ex-ambassadeur des États-Unis à Londres en 1938, qui avait tenté de trouver un arrangement avec l'Allemagne nazie. Le cynisme de John Cotter, l'adversaire de John, n'avait reculé devant aucune ignominie.

Les Kennedy avaient chargé Joe Kane, un cousin, d'orchestrer une véritable stratégie militaire. Les journalistes s'étaient trompés : Joseph n'avait pas administré la campagne de son fils, c'était Kane qui avait été le principal rédacteur des dossiers de presse et qui avait pensé ce slogan :

La nouvelle génération propose un leader

Les actions du clan s'étaient alors concentrées sur la population ouvrière du Massachusetts. Il avait innové en matière électorale en créant les fameux *tea times*, afin de rencontrer et sensibiliser les électrices. Rose, à la tête de ces manifestations locales, avait été félicitée par la presse pour son ingéniosité.

Le budget avait largement dépassé les 250 000 dollars ! Mais le résultat final avait été à la hauteur des investissements humains et financiers : John avait été élu représentant du Massachusetts avec 71,9 % des voix. Le *New York Times* avait salué sa victoire. L'expérience électorale acquise par son clan était colossale.

Aujourd'hui, son équipe électorale maîtrise adroitement les ficelles d'une telle élection, rédige de meilleurs discours et sait communiquer avec les médias locaux et nationaux. Lui-même a mûri : son élocution est plus lente, ses gestes sont étudiés, le sujet de ses interventions est remarquablement dominé et sa légendaire spontanéité ne le dessert plus. Bien au contraire, elle lui donne ce charme fou qui hypnotise ses électrices. L'élève indiscipliné de Harvard a disparu pour faire surgir un homme capable de rassurer la classe ouvrière comme le milieu des affaires. Jack a cédé sa place à John Fitzgerald Kennedy.

La première étape de la campagne consiste à recueillir les 2 500 voix qui soutiendront officiellement sa candidature. Après plusieurs semaines de coups de fil, d'entretiens, plus de 260 000 bulletins sont comptabilisés au bureau central des Kennedy !

Jackie, de son côté, se charge d'améliorer l'image publique de John. Elle lui apprend à s'habiller, à se nourrir convenablement – la plupart du temps, ses déjeuners sont essentiellement composés de sandwichs crevettes-mayonnaise –, à respecter les principaux usages de bienséance, plus particulièrement vis-à-vis du sexe dit faible. John ne vient jamais lui ouvrir la portière de sa voiture et il lui arrive de lui marcher sur les pieds sans s'excuser. Chez les Kennedy, les hommes sont de véritables machos. S'il veut réussir en politique, il est peut-être temps d'acquérir les bonnes manières. Et ce ne sont sûrement pas ses amis ou ses frères qui les lui dicteront. Ils sont les premiers à fumer au beau milieu d'un repas ou à rentrer avec des chaussures de golf couvertes de boue. Jackie a l'intention de faire de lui un vrai gentleman.

Cependant elle sait qu'elle ne pourra jamais agir sur les terres de Hyannis Port. Le clan y a ses propres règles... À Washington, la situation est différente, notamment lorsqu'il vient chez elle.

— Oh! John, tu ne peux pas laisser toutes tes affaires ainsi dans le salon. Ce n'est pas possible! As-tu vu la couleur de tes chaussures? Est-il normal que tu partes avec une chaussure noire et une marron?

— Bon sang!

— Je t'ai préparé un repas et des serviettes de table. Essaye de t'en servir, cette fois!

— Jackie, tu es merveilleuse.

Jackie appelle chaque après-midi l'une des deux secrétaires de John pour savoir s'il a bien déjeuné.

— Oui, mademoiselle Bouvier, il s'est même régalé.

Depuis quelque temps, la presse n'hésite plus à l'interroger sur leur liaison. Jackie répond sagement :

— Jack est une personne violemment indépendante et je suis aussi indépendante que lui! Notre relation a besoin de temps pour trouver son chemin.

Jackie décide de présenter Jack à sa famille. Elle contacte son demi-frère, Hugh Auchincloss Jr, pour lui faire part de son intention :

— Il est très séduisant et il est membre du Congrès. Crois-tu que ce serait une bonne idée de l'inviter à dîner à Merrywood?

— Oui, pourquoi pas... J'aimerais bien le rencontrer.

— Ne te lance pas dans des débats avec lui, c'est un démocrate!

Les Auchincloss tombent sous son charme.

John rencontre ensuite Black Jack à New York. Jackie a souvent parlé de lui lors de leurs déjeuners en tête-à-tête avec son père. Pour sa plus grande joie, les deux hommes s'entendent à merveille. Ils discutent de golf, de boxe, de politique, de cinéma et des femmes.

Durant l'été, le directeur du collège de Harvard contacte Joseph Kennedy à sa résidence de Palm Beach.

— Nous avons un problème avec votre fils, Edward Moore Kennedy.

— Qu'en est-il ?

— Il a été pris en flagrant délit de tricherie lors de ses derniers examens ! Nous devons l'exclure de Harvard. Il ne sera pas parmi nous l'année prochaine.

Joseph est consterné. Il sait que Teddy est différent de ses frères et sœurs. Son insouciance a déjà posé bon nombre de difficultés par le passé. Il est immédiatement envoyé à Fort Dix, dans le New Jersey, pour son service militaire.

— Que cela te serve de leçon, il n'y aura pas de tricheur dans cette maison. Sais-tu que ton frère est sur le terrain pour gagner les élections sénatoriales ? Peux-tu comprendre que ton geste pourrait mettre en péril tous ses efforts ?

Le 26 juillet 1952, John, accompagné de Jackie et des membres du clan, se rend à la Convention nationale du parti démocrate. Chicago est en pleine effervescence. Le maire, Richard Dailey, est le premier à lui serrer la main.

— Tenez bon Jack, c'est le grand jour !

Des centaines de journalistes sont impatients de communiquer à leurs lecteurs la liste définitive des représentants démocrates qui soutiendront la candidature présidentielle d'Adlai Stevenson. Ils ont passé la moitié de la semaine à interviewer la plupart d'entre eux dans les hôtels de la ville.

Jackie n'a jamais vu une chose pareille ! Une odeur épouvantable de sueur se mêle aux fumées de cigares, parmi des hurlements frôlant l'hystérie. La chaleur de juillet s'élève jusqu'à la nuée de ballons multicolores lâchés dans le ciel. La foule ceinturant frénétiquement la haute tribune officielle semble vaciller à chacune des allocutions. Des dizaines de milliers de partisans démocrates tenant à bout de bras des pancartes hurlent : « Stevenson ! Stevenson ! Stevenson ! »

Adlai Stevenson, le front dégarni, attend patiemment sur son siège. Le gouverneur de l'Illinois savoure les déclarations élogieuses de ses confrères et l'exaltation de la foule. Il attend ce moment depuis longtemps. En avril dernier, le soutien inattendu d'Harry Truman avait bouleversé la donne : les dirigeants démocrates ne pouvaient compter sans lui pour les présidentielles.

John n'apprécie pas particulièrement Stevenson, mais il a également décidé de le soutenir, pour l'intérêt général. Une présidence républicaine anéantirait la reconstruction sociale de son pays. Depuis 1945, Harry Truman et son gouvernement se sont attelés à cette tâche difficile en période de guerre froide. Lorsque le président de la délégation du Massachusetts est invité à présenter son choix, la foule hurle : « Kennedy ! Kennedy ! Kennedy ! Stevenson ! Stevenson ! Stevenson ! » Après une longue déclaration, John s'assoit aux côtés de Jackie et de son frère. Il est épuisé.

Au petit déjeuner, John s'était plaint de son dos. Depuis quelques jours, il se déplace à l'aide d'une paire de béquilles en bois, confiées discrètement à son valet, George Thomas, dès l'arrivée des journalistes. Jackie est persuadée qu'il est atteint de la malaria, contractée dans le Pacifique durant la Seconde Guerre mondiale. Elle est restée sur la déclaration officielle de son père. Elle ne se sent pas le courage de demander plus d'explications à Bobby. De toute manière, celui-ci a pris l'habitude de ne jamais répondre aux questions sur la santé de son frère. Il hausse juste les épaules et se retire sans prononcer le moindre mot. Jackie est inquiète par la quantité impressionnante de pilules multicolores que John avale chaque jour.

Avant les premières séances de la Convention, Jack avait eu un malaise en regagnant la voiture de Kenny O'Donnel. Il s'était appuyé sur le capot arrière, avait souri et s'était engagé malgré tout dans la Ford. Jackie n'avait rien pu lui demander, car au côté de John était assis l'un des rédacteurs du *Washington Post*.

Après la Convention, la campagne reprend de plus belle. À vingt-six ans, Bobby travaille presque vingt heures par jour. Ses traits sont tirés et il a perdu plusieurs kilos. John, quant à lui, sillonne le Massachusetts dès 6 heures du matin pour accueillir les ouvriers aux entrées des usines.

— Bonjour, je me présente, je suis John Fitzgerald Kennedy.

Des mains se tendent, d'autres non. Le candidat serre les dents et garde le sourire. John se rend également aux entrées des supermarchés et plaisante avec les jeunes ménagères. Sur les parkings, il lui arrive d'aider des personnes âgées à mettre leurs paquets dans leur automobile. Elles le trouvent en général charmant et de « bonne figure » !

Leur relation n'étant pas encore officielle, John fait en sorte que Jackie n'apparaisse pas au cours de ses interventions publiques. Elle ne s'en vexe pas et accepte de rester enfermée dans sa chambre d'hôtel. Elle collabore cependant à la rédaction de certains de ses discours avec Theodore Sorensen, conseiller politique de John, et veille sur la qualité de son sommeil. Pour le distraire, elle lui raconte les derniers potins de Washington. Elle répond à sa place aux courriers des électeurs, tout en lui laissant le soin de signer.

Black Jack lui téléphone régulièrement pour se tenir informé des premiers résultats de la campagne.

— Les gens l'adorent, papa. Et puis il y a Bobby, il est formidable. Il fait un travail extraordinaire pour Jack.

— Reste prudente, Jackie, tu ignores ce que les hommes politiques sont capables de faire pour remporter leurs fichues élections ! Et puis, c'est à cause de Joseph Kennedy que je suis ruiné ! Ce type est un fou, il n'a jamais rien compris à notre pays. De plus, il est antisémite !

Joseph Kennedy n'a pas l'intention de perdre la face devant les Lodge. Il participe généreusement au budget colossal de la communication : affiches, spots publicitaires sur les radios locales, *tea times*, mailings et importantes notes téléphoniques. Il règle également la facture d'une garde-robe fournie.

Le 5 octobre, grâce à ses excellentes relations avec le président d'une chaîne locale du Massachusetts, la Wnac TV, Joseph obtient la diffusion d'une émission de grande écoute intitulée : « Café avec les Kennedy. » Rose apparaît aux côtés de ses filles devant plus de 50 000 téléspectatrices. Le lendemain, les journaux saluent « l'intelligence » des Kennedy. À Springfield,

Patricia, Eunice et Jean accueillent plus de deux mille électrices. Rose est à l'origine de ce rendez-vous :

— Le Massachusetts détient le record national du nombre d'électrices ! John arrive toujours à ses fins avec nous, il n'aura aucun mal à en faire autant avec elles !

Les chaînes de télévision sont présentes pour suivre l'événement : « Aucun homme politique aux États-Unis n'a été autant aimé par les électrices de notre pays. »

Malgré des malaises réguliers et des colites douloureuses, John arpente des milliers de kilomètres. Il s'alimente peu et boit des quantités impressionnantes de lait. Dans la plupart des motels où il vient passer la nuit, le vacarme continu des poids lourds et des sirènes s'est substitué au frémissement des vagues de l'Atlantique.

— Comment peuvent ils dormir ici ?

Les chambres à 6 dollars ne sont pas toujours climatisées. Le personnel fatigué sert plus de quatre cents repas par jour. John serre les mains et plaisante un moment avec les clients dans l'odeur des pommes de terre rissolées et du bacon grillé. Son allure de jeune premier d'Hollywood à la tignasse rousse dénote quelque peu dans ces endroits typiquement américains, mais John y est à l'aise. Il lui arrive de s'asseoir auprès d'un représentant en savonnettes ou d'un éleveur de chevaux pour discuter de Saigon.

À Boston, le bureau de campagne sur Kilby Street est en état de siège. Des jeunes filles découpent des banderoles, sortent des cartons des canotiers signés en rouge « Kennedy » et répondent aux centaines d'appels téléphoniques. Dans une pièce, des hommes en chemise et bretelles s'entretiennent autour d'une table. Il est pratiquement impossible de discerner leur visage à travers la fumée. Près de la machine à café, Larry O'Brien drague une des jeunes volontaires à la bouche délicieuse.

La capitale irlandaise des États-Unis, aux jardins privés somptueux, ne ressemble en rien au reste du Massachusetts : ses 680 000 habitants, dont 75 % de catholiques, ont un niveau de vie supérieur à la moyenne nationale. Les Kennedy et les Fitzgerald y règnent depuis 1895. John n'a pratiquement pas fait campagne ici.

De jolies étudiantes prêtent main-forte pour l'organisation des soirées électorales. Jackie s'inquiète des absences répétées de Jack. Il reste parfois injoignable pendant deux jours. Elle se souvient des avertissements de sa mère sur son passé sexuel. Elle se demande alors s'il la considère comme une amie, une copine ou une future fiancée. Ses appels depuis les drugstores ou les bars à huîtres sont très brefs et, dans le vacarme des juke-box et le cliquetis des jetons, elle ne distingue pratiquement pas sa voix.

John est pourtant prévenant à son égard. S'il montre rarement de signe de tendresse en public ou en présence de sa famille, il ne manque aucune occasion de l'inviter au cinéma, de disputer avec elle une partie de tennis, de lui apporter un pull-over, lorsqu'elle s'entretient le soir avec son père, ou de lui préparer ces cocktails de fruits dont elle raffole. Chaque week-end, ils se parlent tranquillement le long des plages de l'Atlantique. Ils jouent au golf en compagnie des Fay, puis dégustent un homard au club-house. John adore l'emmener à bord de son voilier pour observer les danses nuptiales des baleines. Le soir, ils participent aux tournois de backgammon organisés par Rose et Eunice. De temps en temps, ils descendent dans la salle de cinéma au sous-sol – l'une des premières installées en Nouvelle-Angleterre – pour regarder des westerns et des films de guerre, de préférence avec Cary Grant.

Jack est soudainement devenu la source de toutes ses émotions. Son élégance intellectuelle et la justesse de ses propos la bouleversent. Sa fragilité éveille en elle un instinct protecteur. Jack est l'homme le plus mystérieux et le plus séduisant qu'elle ait jamais rencontré. Elle a conscience qu'elle vit sans doute les plus beaux jours de son existence.

À la différence de son ex-fiancé, qui l'exposait dans les clubs chic de la Côte Est, John préfère les espaces lumineux de l'océan. Sous le soleil éblouissant de l'été 1952, Jackie devient une femme.

Leur intimité, à l'abri du regard de la presse et de leurs familles respectives, a une saveur exquise. Jackie s'épanouit jour après jour. Elle lui ouvre son cœur comme jamais elle ne l'avait fait ni espéré. John efface les larmes de son passé.

Bobby est aussi sur les routes et présente fidèlement les grandes lignes du programme lorsque Jack ne peut se déplacer.

— Si Jack était ici, il vous dirait que Lodge est très mal dans les sondages et qu'il faut voter pour lui.

Il se tient dans l'ombre de John. Il est à la fois son meilleur ami, son conseiller et son confident. Les proches de Bobby se plaignent de sa brutalité et de son arrogance, mais Jack prend désormais sa défense :

— J'en ai assez de vos attaques ! Cela me rend fou de rage, Bobby est le seul qui ne me poignarde pas dans le dos. J'ai besoin de lui pour gagner, je vous demande de suivre ses ordres, un point c'est tout ! Que cela vous plaise ou non, c'est lui qui dirige la machine !

À Worcester, Rose, accompagnée d'Eunice et de Jean, monte à la tribune de la chambre de commerce. Les États-Unis vivent des heures dramatiques en Corée. Le conflit militaire, qui a entraîné la chute du célèbre général Douglas MacArthur et a engendré de graves pertes au sein de l'armée américaine, fait resurgir le souvenir de la mort de son fils :

— Je suis avec les mères de ceux qui sont en Corée pour défendre la liberté. Je comprends leurs peurs… J'ai moi-même perdu un fils durant la Seconde Guerre mondiale.

Pressentant la défaite de Cabot Lodge Jr, le puissant parti républicain concentre ses actions sur la candidature présidentielle d'Eisenhower.

L'Amérique, hantée par les fantômes du second conflit mondial et par la crainte du communisme, cherche désespérément un homme d'expérience pour guérir de ses cauchemars. En 1950, la popularité d'Eisenhower est à son apogée. Les 175 millions d'Américains, dont nombre de démocrates, retrouvent en lui la grandeur de George Washington. Les Américaines sont subjuguées par le prestige de son uniforme et sa force de caractère. Son visage romain, sa voix ferme et sa prestance gagnent leur sympathie et leur respect. Eisenhower répond parfaitement à leur soif de considération internationale.

L'échec des interventions militaires américaines en Corée ordonnées par Harry Truman laisse une plaie béante au sein du parti démocrate. Adlai Stevenson doit garder ses distances vis-à-vis de la Maison Blanche pour ne pas compromettre ses chances. Son attitude n'étonne pas Joseph Kennedy :

— Ce type ne vaut rien. Il n'a ni le cran d'un gagnant ni le respect envers ceux qui l'ont poussé jusque-là !

Lors de la Convention nationale républicaine, Eisenhower choisit Richard Nixon, sénateur de Californie, comme vice-Président. Il représente la preuve incontestable, depuis l'affaire Hiss[1], de son engagement dans la lutte anticommuniste. Eisenhower a besoin de cet homme brutal et sans scrupules à ses côtés, malgré la haine des médias et de nombreuses stars du cinéma à l'égard de celui-ci. Quelques années auparavant, la marche contestataire devant le Capitole des célébrités de Hollywood avait fait sensation dans le monde entier : y participaient Humphrey Bogart, Lauren Bacall, Frank Sinatra, James Stewart, Gregory Peck, John Huston, Spencer Tracy, Katharine Hepburn, Judy Garland, Rita Hayworth, Ava Gardner... Nixon est détesté, mais on le craint.

Dès septembre, Nixon attaque à sa façon les candidats démocrates :

— M. Acheson, ministre des Affaires étrangères de Harry Truman, nous a fait perdre la Chine, puis l'Europe orientale, et a incité les communistes à déclencher une guerre en Corée ! Jusqu'où iront les démocrates dans notre politique étrangère ? En ce qui concerne Adlai Stevenson, c'est un diplômé de la communauté des peureux d'Acheson ! Acheson, quant à lui, est un architecte de la confusion au pantalon rayé... Je préfère un président en kaki plutôt qu'un président portant le

---

1. Lors de la commission d'enquête sur les activités antiaméricaines, l'avocat Richard Nixon attira l'attention des médias en vitupérant l'une des personnalités les plus respectées aux États-Unis : Alger Hiss, haut fonctionnaire du département d'État et figure montante du parti démocrate. L'affaire fit scandale dans tous les milieux, y compris dans celui de la puissante administration américaine. Hiss fut jugé coupable et condamné à cinq ans d'emprisonnement. Nixon devenait le symbole de la lutte anticommuniste aux États-Unis.

rose au département d'État! Si Stevenson est élu, il faudra nous attendre à quatre ans de la même politique! Car M. Stevenson a reçu son éducation de ce haut fonctionnaire du département d'État, aux moustaches bien taillées et aux costumes de tweed britanniques!

Truman retourne la situation en attaquant personnellement Eisenhower. Ils ne s'adresseront plus la parole.

— Je m'interroge sur l'implication du général Eisenhower dans le mauvais résultat des accords de Yalta et de Potsdam, qui ont permis aux communistes de s'emparer de l'Europe orientale. Les républicains nous donnent des leçons en matière de politique étrangère, bien… Je suis en droit de m'interroger sur leur capacité de raisonnement. Nixon attaque le secrétaire d'État, c'est son droit, mais se souvient-il de ce qui s'est passé en février 1945?

Le soir du 6 novembre, Jackie se trouve aux côtés de Jack et de sa famille à Hyannis Port. Les premiers résultats indiquent qu'il gagnera confortablement les élections. Près des dunes fouettées par un vent glacial, Bobby fume un petit cigare en compagnie de son père. Cela fait près d'une heure qu'ils marchent ainsi de long en large. Dans quelques jours, il fêtera ses vingt-sept ans. Ethel et Jackie les observent depuis la fenêtre du grand salon.

— Je me demande bien ce qu'ils se racontent depuis autant de temps! Ils vont finir par s'enrhumer. Bobby est si fatigué.

Jack se repose dans sa chambre. Les douleurs sont devenues insupportables. Le médecin de famille est passé pour lui injecter plusieurs traitements à base de cortisone.

Rose s'occupe des bains de Kathleen et de Joseph Patrick, les deux premiers enfants d'Ethel et Bobby.

— Votre oncle va faire beaucoup pour notre pays.

— Est-ce que Jack va gagner, mamie?

— Seul Dieu saurait répondre à ta question, mais nous avons tous beaucoup travaillé pour cela, il faudra être bien sage cette nuit.

John remporte les élections avec 71 % des voix. Eisenhower, de son côté, écrase littéralement son adversaire avec plus de

6,5 millions de voix d'avance : 55,1 % contre 44,4 %. Les républicains obtiennent la majorité à la Chambre et au Sénat. Leur victoire met fin à vingt années de règne démocrate.

John fait dorénavant partie de ceux qui compteront pour l'avenir de son parti. Le président Harry Truman lui adresse ses félicitations.

Henry Cabot Lodge Jr quitte le Massachusetts pour une semaine de vacances sans le moindre message de félicitations – comme la tradition l'exige – à son challengeur.

Au cours du dîner, Jack déclare :

— Je veux vous remercier pour tout ce que vous avez fait. Je n'oublierai jamais tes goûters, maman. J'ai repris dix kilos ! Je t'en suis reconnaissant. Lodge murmure déjà à la presse que c'est grâce à toi que nous avons gagné ces élections… Eh bien, je ne sais pas ce qu'en pense Bobby, mais je crois que c'est vrai !

Tous éclatent de rire.

— Et toi, papa, merci d'avoir cru en moi. Nous y sommes arrivés.

Jackie pose sa main sur celle du patriarche et lui sourit.

— En ce qui te concerne, Bobby, je pense que, grâce à toi, j'ai gagné un fauteuil au Sénat mais perdu la moitié de mes amis !

Joseph le regarde avec fierté. Il a toujours eu confiance dans les capacités d'organisateur de Bobby, qui est lui aussi un futur leader.

La sonnerie du téléphone retentit. La gouvernante, Rose Dallas, annonce à Jack que Teddy désire lui parler. Il n'est toujours pas rentré de ses classes militaires en Europe.

— Monsieur le sénateur ?

— Oh ! Ted.

— Je te félicite, tu es formidable ! Nous fêtons ta victoire au champagne, avec mes copains de chambrée ! Nous allons passer une belle soirée ! Tu diras à papa que je pense souvent à lui.

Avant de regagner sa chambre, Joseph reste un moment sur la terrasse. Le vent a disparu, le ciel scintille de milliers d'étoiles. Il n'a jamais été aussi heureux. Le destin semble de nouveau sourire aux Kennedy et aux Fitzgerald.

3

Le mariage de l'année

« Je viens vers toi comme un enfant. J'ai besoin de ta sagesse et de ta force. Laisse-moi marcher dans la beauté et fais que mes yeux aperçoivent toujours les rouges et pourpres couchers de soleil... Fais que je sois toujours prêt à me présenter devant toi avec des mains propres et un regard droit. Ainsi, lorsque ma vie s'éteindra comme s'éteint le coucher du soleil, mon esprit pourra venir à toi sans honte. »

Prière ojibwa

Le 20 janvier 1953, Jackie accompagne le jeune sénateur au bal inaugural de l'investiture présidentielle d'Eisenhower.

Plus d'un millier de célébrités internationales sont venues féliciter le nouveau Président. Parmi elles : Bing Crosby, Leslie Caron, Gene Kelly, Jane Russel, Clark et Sylvia Gable, Betty White, Bill Levitt, Arnold Newman...

L'élégance de Jackie est saluée par la Première Dame.

— Mademoiselle Bouvier, vous êtes ravissante.

— Je vous remercie, madame, de nous avoir reçus. Le sénateur et moi-même passons une formidable soirée.

Jackie, comme la plupart des Américaines, a suivi dans la presse l'histoire mouvementée du couple Eisenhower. Durant la Seconde Guerre mondiale, Mary avait reçu 319 lettres passionnées de son époux. Elle ignorait qu'il entretenait une liaison avec sa secrétaire, Kay Summersby, une Irlandaise divorcée. À la fin du conflit, les deux amants se quittèrent. Trois ans plus tard, Summersby publia un livre intitulé : *Eisenhower était mon patron*. Le général et sa femme ne firent aucun commentaire dans la presse. Jackie admire la force de Mary Eisenhower, qui affronta dignement l'infidélité de son mari, la mort de leur premier enfant, âgé d'à peine quatre ans, et l'humiliation. Aujourd'hui, elle se trouvait à la Maison Blanche pour suivre le destin de son époux.

Quelques jours plus tard, les 300 000 fonctionnaires de Washington reprennent leur travail. Depuis l'élection du général Ulysses Grant en 1868, Eisenhower est le premier militaire à entrer au bureau ovale. À soixante-trois ans, il a la ferme intention de trouver une conclusion honorable à la guerre impopulaire de Corée, de rattraper le retard nucléaire des États-Unis face à l'Union soviétique et de restaurer la confiance du peuple en l'honnêteté de ses dirigeants et de ses hauts fonctionnaires.

Les cent sénateurs applaudissent chaleureusement son discours sur l'état de l'Union et les quatre cent trente-six représentants de la Chambre se sont levés à son apparition. Tout comme Jackie, John apprécie le style washingtonien : la capitale fédérale des États-Unis possède des parcs à perte de vue bordés de larges avenues. La taille des immeubles reste modeste et les rues bien aérées sont accueillantes. Les maisons de bois, peintes en blanc, de style colonial, ceinturent avec le Potomac les monuments imposants : le Capitole, la Cour suprême, la bibliothèque du Congrès, le Lincoln Memorial, l'obélisque, le cimetière d'Arlington et la Maison Blanche s'offrant sur Pennsylvania Avenue. La vie est mondaine dans le quartier prisé de Georgetown.

Au Sénat, Jackie décore le bureau 362 avec de jolies aquarelles de la Boston Tea Party, des modèles réduits de voiliers, des caricatures amusantes de personnages politiques, le portrait de Daniel Webster, admiré par John pour son courage en politique en 1850, et des photos de famille.

Elle consulte avec lui les dossiers traitant de la France et de l'Algérie, traduit les rapports transmis par l'ambassadeur français. Lors d'entretiens téléphoniques avec le roi du Maroc, elle sert d'interprète. Le secrétaire administratif de John, Ted

Reardon, admire sa vivacité d'esprit et sa fraîcheur. Depuis la nomination de John, la cadence de travail est devenue infernale et la présence agréable de Jackie est toujours appréciée par ses collaborateurs.

Ensemble, ils revoient les termes de l'opposition de John au budget de 400 millions de dollars réclamé par le nouveau gouvernement afin de soutenir l'armée française au Vietnam. Ted Sorensen, secrétaire législatif de John, rédige la plupart de ses discours et tient compte, en général, des remarques de Jackie. Le sénateur exige que ses déclarations comportent des citations historiques, et Jackie est chargée d'en trouver avec Ted. Cette responsabilité l'amuse beaucoup ; elle contacte la bibliothèque du Congrès pour consulter les ouvrages de référence. Jack est souvent d'accord avec ses choix et les transmet à Sorensen. Il est très pointilleux sur chaque mot employé :

— Il n'est pas question que je dise cela, ce n'est pas moi. Je veux que vous revoyiez entièrement ce papier ou je le jette à la corbeille ! Je veux un message clair, et non grandiloquent !

En dehors des affaires courantes qui l'ennuient, John est passionné par la politique étrangère. La presse et le cercle politique de Washington remarquent la qualité de ses interventions à ce sujet. Le journaliste Hirsh Freed écrit dans son éditorial du *New York Times* : « John F. Kennedy n'est pas vraiment intéressé par la politique locale ou par la politique à Boston. Non ! Il a toujours été intéressé par la position de notre pays dans le monde. »

Jackie et John lisent attentivement les chroniques politiques et les revues historiques pour y relever des anecdotes dont le sénateur se servira dans ses interventions.

John rédige également des articles publiés dans les quotidiens nationaux. Ils traitent de législation, de diplomatie et de politique. Il prend l'habitude de demander à Jackie de les relire avant de les adresser aux rédactions. Jackie apprécie son style : précis et sans emphase.

Le rédacteur en chef du *Times Herald* demande à Jackie d'interviewer le sénateur du Massachusetts. Les lecteurs du journal s'intéressent toujours à la vie privée des occupants de la Maison Blanche et des hommes politiques en général. Jackie avait soufflé cette idée à Frank Waldrop, du journal.

Sa nouvelle coiffure – cheveux coupés court – est remarquée par les deux officiers de sécurité en fonction aux portes principales. Jackie a toujours une plaisanterie pour eux.

— Bonjour, mademoiselle Bouvier, quel bon vent vous amène ?

— Je viens interviewer le sénateur, attendez, je ne me souviens plus de son nom... le sénateur Kennedy !

— Je crois qu'il se trouve au bureau n° 362, mademoiselle Bouvier.

— Oh ! vous êtes si charmants. Si je ne reviens pas, appelez la police !

— Nous n'y manquerons pas, mademoiselle.

Evelyn Lincoln est en train de préparer du café et des petits gâteaux. Jackie aperçoit Jack qui rédige une lettre de mission pour l'un de ses proches conseillers. À son entrée, Jack range discrètement ses lunettes de vue dans leur étui.

— Bonjour, Jackie, j'espère que tu ne raconteras à personne le désordre qui règne ici ! J'ai beaucoup de travail en ce moment, je ne sais plus où donner de la tête. Maintenant que Bobby est retourné à son travail, il n'y a plus personne pour m'aider ! Alors, de quoi allons-nous parler ?

— J'ai plusieurs questions à te poser, ensuite nous irons faire une photo dans les jardins du Sénat... si vous le voulez bien, monsieur le sénateur.

— Entendu.

— Pour commencer, l'auteur irlandais Sean O'Faolain affirme que les Irlandais sont peu doués pour l'art d'aimer. Êtes-vous d'accord ?

— Il a écrit cela ! Il faut qu'on le pende !

En mars 1953, Ethel veut célébrer comme il se doit la Saint-Patrick, le patron des Irlandais. Elle propose à Bobby d'organiser une réception dans leur maison de Georgetown.

Dans la matinée, Bobby téléphone à son frère au Sénat :

— Nous célébrons la Saint-Patrick à la maison, es-tu des nôtres ?

— Puis-je inviter Jackie ?

— Bien sûr, Ethel va s'en charger.

Jackie vient de rentrer de sa promenade à Georgetown. Elle apprécie ce temps sec et ensoleillé, grâce auquel, dissimulée derrière un cache-nez en laine, elle peut observer les passants. Dans sa boîte aux lettres, elle trouve un colis. Black Jack lui a envoyé le catalogue de l'exposition d'Edward Hopper intitulée « Faucons de nuit ». Sa carte de visite accompagne le présent : « Greenwich Village… tant de souvenirs. Je t'aime. Papa. »

La sonnerie la fait bondir, elle court à la cuisine :

— Allô ?

— Jackie ? Tu as l'air essoufflée !

— Oui, un peu…

— Jack sait-il que tu fumes toujours ?

— Non, je ne crois pas.

— Bon, nous fêtons la Saint-Patrick à la maison, Jack sera là… Nous serions ravis de te compter parmi nous.

— Jack m'en a parlé hier soir et je suis sûre que cette soirée sera l'une des plus belles de l'année.

— Nous nous habillons tous en noir. C'est le thème de la soirée.

Jackie est étonnée. Cette couleur se prête peu à de telles festivités, mais elle accepte volontiers la recommandation.

— Entendu, ce sera une occasion de revoir Jack en smoking.

Le 17 mars, vers 20 heures, Jack est accueilli chaleureusement par son conseiller Arthur Schlesinger Jr, professeur à Harvard et à l'université de New York, et Bobby, qui lui demandent des nouvelles de Jackie.

— Elle ne va plus tarder maintenant.

Ayant laissé sa Mercury décapotable au garage, Jackie arrive dans la superbe Rolls-Royce de son beau-père, avec une heure et demie de retard. Son entrée fait sensation auprès des autres femmes. Elle est vêtue d'une robe de soirée en satin noir audacieusement décolletée. Son visage régulier, un peu carré, au menton saillant et volontaire, barré par une fine fossette, est légèrement maquillé. Sa bouche, soigneusement peinte d'un rouge corail, à la lèvre inférieure charnue, laisse entrevoir une dentition parfaite. Sa chevelure, châtain foncé avec des reflets acajou, coupée très court sur la nuque, bouffe au-dessus de son front lisse et court. Le lobe de ses oreilles est enveloppé de rubis cernés de diamants. À son cou, elle porte un triple rang de perles blanches.

John la félicite pour son élégance :

— Tu n'as jamais été aussi belle.

— Monsieur le sénateur, vous n'êtes pas mal non plus.

Jackie souhaite remercier Ethel pour son invitation, mais celle-ci n'est pas encore descendue.

— Je ne l'ai jamais vue passer autant de temps dans notre salle de bains !

— Oh ! Bobby, ne sois pas si dur avec elle, tu as une épouse charmante.

Quelques instants plus tard, Ethel se tient en haut de l'escalier principal de la maison et s'adresse en riant à ses invités :

— Je suis ici ! Comment allez-vous ?

À la stupeur générale, elle porte une robe couleur olive. Jackie murmure à l'oreille de Jack :

— C'est une femme très intéressante, n'est-ce pas ? Après tout, c'est sa soirée ! Personnellement, je n'aurais jamais pu faire une chose pareille !

Durant l'apéritif, Jackie est le centre de toutes les attentions. Ethel enrage :

— C'est ma soirée, comment peut-elle me faire cela !

Au moment de passer à table, Jackie s'avance vers les maîtres des lieux et leur annonce qu'elle doit les quitter :

— Mais... le dîner ?

— Je suis sincèrement désolée, je ne peux pas rester davantage.

Jackie salue ses hôtes. La Rolls-Royce s'avance de nouveau dans la petite allée. Les invités se précipitent vers les fenêtres du salon. John la raccompagne :

— Tu as été merveilleuse. C'est dommage que tu ne puisses pas rester.

— Nous déjeunerons demain en tête-à-tête.

— Avec joie, Jackie.

Ethel amuse ses invités en imitant Jackie.

— Jack Queen est repartie dans son palais !

Bobby et Jack s'en amusent :

— Cela lui va comme un gant...

Le lendemain, Ethel reçoit une lettre de Jackie : « J'ai passé un moment délicieux chez vous et je tenais à vous remercier. Vos invités étaient tous fascinants, les conversations passionnantes. Encore merci pour votre gentillesse. Ethel, tu as été une parfaite hôtesse de maison, la plus ravissante dans ta superbe robe verte. Veuillez encore m'excuser d'avoir manqué le dîner. »

Le 18 avril, Lee Bouvier, sœur de Jackie, épouse Michael Canfield, fils du célèbre éditeur new-yorkais, à l'église catholique de la Trinité, à Washington D.C. Après la cérémonie religieuse, John retrouve Black Jack parmi les invités du déjeuner. Hugh Auchincloss a accepté sa présence à la condition qu'il ne boive pas une goutte d'alcool. Jackie est ravie de faire visiter pour la première fois Merrywood à son père. Black Jack ne fait aucun commentaire. Il préfère s'entretenir longuement avec John au sujet d'Eisenhower. À la fin de la journée, Black Jack confie à Jackie :

— Tu ne trouveras jamais un homme aussi charmant que lui. Je l'aime beaucoup, ma chérie.

Le 23 mai, les Kennedy célèbrent le mariage d'Eunice et Sargent Shriver, après sept ans de vie commune. La cérémonie a lieu dans la cathédrale Saint-Patrick de New York. Jackie est absente, elle s'est rendue à Londres pour assister au couronnement de la reine Elizabeth. La rédaction du *Times Herald* lui a confié ce travail.

La capitale anglaise est dans une agitation indescriptible depuis la mort du roi George VI, auquel sa fille aînée, Elizabeth, doit bientôt succéder. Elle sera la première femme à monter sur le trône depuis la reine Victoria en 1837. Jackie a lu avec amusement les colonnes du *Time*, qui consacraient la future souveraine « homme de l'année » !

Les États-Unis n'ayant jamais eu de familles royales, les préparatifs sont suivis attentivement. Des milliers de téléviseurs sont achetés dans tout le pays. La cérémonie royale du

2 juin sera diffusée en direct par la chaîne britannique BBC. À Paris, des salles de cinéma se préparent à recevoir des personnalités de Matignon.

À vingt-six ans, Elizabeth entre dans l'histoire de son pays. « Que Dieu m'aide à remplir dignement cette lourde tâche qui m'échoit si tôt dans la vie ! »

Jackie, équipée de deux appareils, photographie le parcours majestueux des carrosses se rendant à l'abbaye de Westminster. Elle note les moindres faits et gestes de la famille royale.

L'archevêque de Canterbury pose la lourde couronne de saint Edouard, ornée de mille pierres précieuses, sur la tête de la jeune reine.

Jackie est fascinée. Le destin des grandes femmes l'a toujours enflammée : Eva Perón, Jeanne Lanvin, le prix Nobel Gerty Cori, Eleanor Roosevelt, Ingrid Bergman, Colette, Simone de Beauvoir et la divine Maria Callas.

Elle avait confié à John que les Bouvier descendaient d'une famille d'aristocrates français. C'était du moins la version officielle de Black Jack, qui avait fait fabriquer une prestigieuse plaquette intitulée *Nos ancêtres*, retraçant l'itinéraire généalogique des Bouvier. À commencer par André Eustache Bouvier, venu de France pour combattre en Amérique aux côtés du général George Washington durant la guerre d'Indépendance. Son fils, Michel Bouvier, s'installa bien des années plus tard en Nouvelle-Angleterre et se maria avec Louise Vernon, fille d'un noble ayant fui la Révolution française...

Après la parution de son premier reportage dans le *Times Herald*, Jack lui adresse un télégramme de félicitations et... la demande en mariage.

« Tes articles sont excellents, tu me manques beaucoup. Veux-tu m'épouser ? Tendrement, Jack. »

Jackie n'oubliera jamais cette journée du 2 juin qui représente à ses yeux le rêve accompli d'une princesse et un changement radical dans sa vie amoureuse. Elle accepte avec émotion sa proposition.

L'Amérique est pressée de voir Jackie rentrée. Sur le tarmac de l'aéroport de Boston, Jack attend, impatient, sa future épouse.

À Hammersmith Farm, le 25 juin, Janet et Hugh Auchincloss annoncent officiellement les fiançailles de mademoiselle Jacqueline Bouvier avec le sénateur John Fitzgerald Kennedy. Le mariage est prévu pour septembre prochain. La presse américaine, dont le *Saturday Evening Post* et *Time*, évoque l'union de deux des plus grandes familles des États-Unis.

Les Kennedy fêtent la nouvelle avec leurs amis dans leur résidence de Cape Cod, dans le Massachusetts. Jackie est reçue par Joseph qui l'embrasse tendrement. Dans la soirée, elle confie à son futur époux :

— J'adore ton père. C'est un homme si bon.

Le lendemain, Janet s'entretient au téléphone avec Rose et l'invite à passer une après-midi à Hammersmith Farm :

— Nous discuterons des préparatifs du mariage.

Rose, en robe de soie bleu clair, arpente les jardins fleuris de la propriété. Il fait une chaleur étourdissante. Dans les champs couverts de coquelicots, la jument de Jackie s'ébroue tranquillement sur l'herbe moelleuse. Jack, sur l'un des transats de la piscine, est arrivé depuis quelques jours en compagnie de ses deux jeunes secrétaires. Il est torse nu et porte des pantoufles. Janet invite Rose à s'asseoir sous l'immense parasol jaune clair pour prendre un thé à la menthe.

— Chez nous, Jack doit se raser et s'habiller. Je vous conseille de lui demander d'en faire autant ici. Sa décontraction peut lui coûter sa carrière !

Jackie avait prévenu sa mère du caractère parfois désagréable de sa future belle-mère.

— Mais ne t'inquiète pas, maman, il suffit de lui dire que le Seigneur est partout et elle est ravie !

Janet exprime ses préférences quant à la sélection des invités :

— Uniquement la famille et quelques proches…

Rose ne répond pas et, après quelques heures de négociation sur les frais inhérents au mariage, elle quitte la demeure après avoir embrassé son fils et sa future belle-fille.

— Nous ferons au mieux pour votre bonheur, mes chéris, profitez de cette journée. De mon côté, je retourne à la fraîcheur de Hyannis Port.

Le 20 juillet, *Life Magazine* fait sa une avec un cliché des fiancés photographiés sur le voilier de Jack. Les Américains admirent l'élégance et la beauté du jeune couple. Le mariage est annoncé comme l'un des plus grands événements mondains de l'année.

John part une semaine en Europe pour enterrer sa vie de garçon. Il est accompagné, entre autres, par l'un de ses camarades de Harvard : Torbert McDonald. Ils louent un yacht et naviguent le long de la Côte d'Azur. Chaque soir, de jeunes Françaises montent à bord pour partager du champagne et les chambres du bateau luxueux. Ils font ensuite une excursion en Suède et en Angleterre. Jackie est sans nouvelle de lui pendant deux semaines et demie.

Pendant ce temps, Joseph Kennedy remonte la Cinquième Avenue jusqu'à la prestigieuse enseigne de Van Cleef et Arpels. Chacun de ses bijoux a une histoire : Louis Arpels, cinquante-sept ans, connaît personnellement les plus grandes célébrités du monde, y compris les Kennedy. Les stars telles que Grace Kelly, Eva Perón, Sophia Loren, Marlene Dietrich, ont déjà franchi le seuil de la boutique au décor feutré.

Joseph se décide pour une bague ornée d'une émeraude carrée de 2,84 carats et d'un diamant assorti de 2,88 carats. Il ajoute au coffret un bracelet magnifique de rubis et de diamants, ainsi qu'une broche en forme de feuille.

Au cours du dîner des fiançailles au Clambake Club, Hugh Auchincloss offre le champagne à ses vingt invités. John murmure dans l'oreille de son ami Paul Fay :

— Dis-moi, quelle est la tradition irlandaise ?

— Ces verres sont très beaux, mais la tradition veut qu'une fois bus ils soient jetés dans la cheminée !

John se lève alors de table et, avant de jeter sa coupe dans les flammes, annonce fièrement à son futur beau-père :

— Je porte le premier toast de la soirée à ma future femme, Jackie !

Les dix-huit autres verres, à l'exception de celui de Hugh Auchincloss, rejoignent celui de John. Le maître d'hôtel revient avec un second service en cristal.

— Je veux porter un nouveau toast à ma fiancée !

Dix-neuf verres sont jetés de nouveau dans la cheminée.

L'incident marquera longtemps les relations entre les deux familles. Les Auchincloss et les Kennedy ont en commun leur fortune, mais comme le fait remarquer Hugh D. Auchincloss à son épouse :

— Nous ne l'avons pas gagnée de la même façon !

Le 12 septembre 1953, John et Jackie s'unissent à l'église catholique romaine Saint Mary de Newport, dans le Rhode Island. Le temps est splendide.

Depuis la veille, des milliers de curieux sont arrivés pour apercevoir les jeunes mariés et les célébrités qui assistent à la cérémonie. Le service d'ordre de la petite bourgade est littéralement débordé. Les Auchincloss n'ont jamais vu une foule pareille :

— Ces Kennedy n'ont aucun savoir-vivre !

Black Jack dort au Viking Hotel. Janet a mis à sa disposition plusieurs bouteilles de Dom Pérignon pour être sûre qu'il sera incapable de se rendre à Saint Mary. Le téléphone de sa chambre a été débranché. Il est ivre mort.

Jackie s'inquiète de son absence. Elle prie John d'envoyer un de leurs amis prendre de ses nouvelles. John sait que cette journée ne sera réussie que si Black Jack assiste aux vœux. Il envoie immédiatement Charles Spalding.

— Charge-toi d'amener Black Jack à l'église.

Spalding le découvre en travers de son lit, habillé d'un simple caleçon. Le malheureux est incapable de marcher. Charles parvient difficilement à le faire monter dans sa voiture et le conduit discrètement à la chapelle.

La cérémonie peut désormais commencer sous la bénédiction du cardinal Richard J. Cushing. Jackie avance au bras de son beau-père. Elle a pris pour témoins sa sœur Lee et Michael Canfield, son mari. Jack a choisi Bobby et Teddy.

Jackie porte une éblouissante robe de taffetas coquille d'œuf, dessinée par son amie Anne Lowe, une couturière noire qui travaille depuis longtemps pour les Auchincloss. À son cou, un simple collier de perles. Dans ses mains, elle tient un joli bouquet d'orchidées blanches et de gardénias.

Les télévisions et les photographes surexcités attendent le couple sur le parvis, dans une cohue déconcertante. John sourit au côté de Jackie, sous les applaudissements et les grains de riz jetés par les milliers de curieux.

Sept cent cinquante invités, dont le sénateur Joseph McCarthy et l'actrice de cinéma Marion Davies, sont présents au déjeuner. Au menu : poulet à la crème, pour le plus grand bonheur du marié, glaces en forme de roses et salades de fruits.

L'orchestre dirigé par Davis Meyer interprète les succès de l'année. John choisit « I Married an Angel » pour ouvrir le bal avec sa jeune épouse. Joseph Kennedy savoure cette journée exceptionnelle en invitant sa belle-fille sur « From Now On ».

Dans l'après-midi, Jackie offre une médaille de Saint-Christophe à son mari :

— Qu'elle t'apporte protection et sérénité, Jack. Je t'aime.

À la fin de la journée, le couple se retire pour sa nuit de noces à New York, au Warldorf Astoria, avant de s'envoler pour deux semaines à Acapulco. Tandis que John s'essaye à la plongée sous-marine et pêche un splendide espadon – qu'il accrochera au-dessus de sa bibliothèque au Sénat –, Jackie écrit ses souvenirs dans son journal intime et quelques poèmes sur son mari :

> *Dans l'air frais de l'automne américain*
> *Il voyait en esprit ses lendemains*
> *Se dérouler en Nouvelle-Angleterre*
> *Et l'histoire l'accueillait sur cette terre.*
> *[…]*
> *Il bâtira des empires*
> *Et il aura des fils*
> *Tandis que d'autres tomberont*
> *Il trouvera l'amour*
> *Mais il ne trouvera jamais la paix*
> *Car il cherchera la Toison d'or*
> *Et tous ses rêves l'emporteront vers l'avenir*
> *Tous ses rêves dans le vent devront finir.*

4

La vie publique de Jackie et John F. Kennedy

> *« Ce qui compte, ce n'est pas ce que vous êtes, mais ce que l'on croit que vous êtes. »*

Joseph Kennedy

La période nuptiale écoulée, John et Jackie s'installent pour six semaines à Hyannis Port. La location qu'ils ont trouvée à Washington ne sera libre que début novembre. Jack confie sa jeune épouse à ses parents avant de repartir pour le Sénat. Il dormira à l'hôtel.

Jackie se retrouve seule sous l'autorité capricieuse de sa belle-mère. Rose organise l'emploi du temps de la famille, y compris le sien. Au bout de quelques jours, Jackie se réfugie dans sa chambre et ne descend que vers 11 heures.

— Comment peut-elle rester aussi longtemps au lit ?

Jackie attend impatiemment le vendredi soir pour retrouver John. Durant la semaine, ils s'entretiennent au téléphone plusieurs fois par jour. Jackie a pris l'habitude de lui adresser des petits mots accompagnés de poèmes et de dessins.

Sa relation avec Joseph est enrichissante. Excellent cavalier, il accompagne chaque après-midi Jackie pour de longues balades à cheval sur les plages désertes. Jackie décèle en lui certains aspects de la personnalité de Black Jack. Contrairement à Rose, il apprécie son humour pince-sans-rire et ses manies de jeune fille bien élevée de la Côte Est. Joseph lui raconte ses souvenirs du temps où il était reçu par le roi George V en tant qu'ambassadeur. Jack était encore étudiant à Harvard.

— Il est venu avec moi à Rome. Nous avons été reçus par le pape Pie XII. Il ne tenait pas en place et agitait sans cesse ses longues jambes maigres. Il est parti ensuite au Proche-Orient, d'où il nous a adressé des lettres nous montrant qu'il était déjà sensible aux affaires internationales. Jack a toujours été un garçon brillant.

Vers la mi-octobre, Jackie s'installe à Merrywood pour se préparer à sa nouvelle vie. John la rejoint les week-ends.

En novembre, le couple s'installe dans une jolie maison de brique rouge à Washington, dans le quartier de Dent Place. Jackie est ravie, elle peut enfin ranger soigneusement leurs cadeaux de mariage : de la vaisselle, des tableaux, des meubles... Elle aménage un bureau pour Jack au premier étage et fait installer des étagères hautes afin qu'il ne soit pas obligé de se baisser pour prendre ses vêtements et ses chaussures. Les repas sont sous la responsabilité de Margaret Ambrose, cuisinière de son mari depuis plus de dix ans. Son valet, George Thomas, y prend également ses quartiers.

Jackie organise des dîners aux chandelles en recevant des personnalités importantes pour la carrière de son mari et les membres de leurs familles respectives. Jack est soulagé de la voir aussi épanouie.

Le couple devenant rapidement la coqueluche des Américains, le célèbre présentateur de télévision J. Morrow s'installe dans leur intimité pour un direct d'une heure et demie.

— On dit que tous les jeunes enfants rêvent. Ils veulent être politiciens, stars du football ou commander un navire de guerre... D'autres rêvent d'être un jour journaliste ou sénateur des États-Unis ou encore d'épouser une ravissante jeune femme. Le sénateur John Fitzgerald Kennedy a réalisé tous ces rêves dans les trente-six ans de son existence, sauf celui de devenir policier ! Êtes-vous là, monsieur le sénateur ? Madame Kennedy ?

— Oui, monsieur Morrow.

John et Jackie sont assis sur leur canapé fleuri. Elle porte une robe noire discrète et ses mains sont croisées sur ses genoux.

— On a beaucoup parlé et écrit sur vos fiançailles. Comment vous êtes-vous rencontrés ?

Jackie lui répond sagement :

— C'était chez un ami, il y a deux ans environ.

— Vous étiez journaliste, madame Kennedy, à cette époque ?

— Oui.

— Cette première rencontre était-elle destinée à l'interviewer ?

— Je l'ai rencontré d'abord, ensuite je l'ai interviewé.

— Qu'est-ce qui demande le plus de diplomatie : interviewer un sénateur des États-Unis ou en épouser un, madame Kennedy ?

Jackie, gênée, murmure :

— En épouser un, monsieur Morrow.

John éclate de rire.

Depuis quelque temps, Patricia, l'une des sœurs de John, vit une romance avec le jeune et bel acteur anglais Peter Lawford. C'est un coureur de jupons, la presse prétend qu'il a été l'amant d'Ava Gardner. Il partage son existence entre Washington et Los Angeles en compagnie de Frank Sinatra, Dean Martin, Sammy Davis Jr et Joey Bishop.

Joseph ne l'apprécie pas du tout et le fait savoir à Hyannis Port lorsque le couple vient passer un week-end.

— Pat, Peter a les deux défauts que je ne supporte pas : il est comédien et anglais. Est-il aussi homosexuel, comme tous ces tarés à Hollywood ?

Pat ne l'écoute pas. Le mariage est prévu l'année prochaine, le 24 avril, à l'église Saint Thomas More à New York.

Après quelques mois de vie commune, Jackie prend conscience que son mari est plus gravement malade que les Kennedy ont bien voulu le lui laisser entendre. Il souffre continuellement de sa colonne vertébrale. Ses nuits sont épouvantables, Jack est obligé de marcher des heures durant avant de trouver le sommeil. Il souffre aussi de crises de gastro-entérite aiguë et de fortes fièvres.

John s'est habitué à vivre avec la maladie, mais pour Jackie la situation est difficile. Elle doit non seulement surveiller ses évanouissements, mais encore ne pas en faire la moindre allusion à la presse. Sa santé est tenue secrète par le clan depuis plus de douze ans et il n'est pas question qu'elle déroge à la règle.

Atteint de la maladie d'Addison, dite familièrement « du vagabond », John suit rigoureusement un traitement à base de corticostéroïdes. L'insuffisance des glandes surrénales est la cause de ses grandes périodes de fatigues, de malaises, de fièvres, de colites, de la décoloration de ses cheveux et de son teint bronzé. John est persuadé qu'il mourra avant d'atteindre quarante-cinq ans. Il se confie régulièrement à ses amis. Jackie le surprend parfois en train de relire le poème « I Have a Rendez-Vous with Death », d'Alan Seeger :

> *Peut-être viendra-t-elle me prendre la main*
> *Pour me conduire dans le sombre pays qui est le sien*
> *Et elle fermera mes yeux et étouffera mon souffle.*
> *J'ai rendez-vous avec la mort.*
> *[...]*
> *À minuit dans une ville flamboyante*
> *Quand le printemps s'éloignera vers le nord*
> *Et, à mon serment, je resterai fidèle,*
> *Je ne manquerai pas le rendez-vous avec la mort.*

En décembre, John critique sévèrement la politique sociale d'Eisenhower lors d'une séance houleuse au Sénat. Il dénonce les grandes lignes de son programme qui défend les intérêts des classes supérieures au détriment des minorités. Ses déclarations sont reprises dans la presse et font bondir le Président.

— Ce petit merdeux de Kennedy, que peut-il savoir des pauvres ?

Jackie n'a pas l'intention de rester enfermée à la maison pour s'occuper du ménage. Elle veut participer à la carrière de son mari. Ses cours en sciences politiques ont assis ses convictions sur la plupart des sujets d'actualité. Elle sensibilise John aux problèmes raciaux dans les États du Sud, à la précarité de certains hôpitaux et à l'échec de l'assurance maladie. John l'écoute attentivement et fait part de ses objections à ses collaborateurs :

— Examinez ce dossier, je veux en savoir plus.

Elle le met en garde contre certaines de ses relations qui pourraient le desservir plus tard. Ses conseils le mettent parfois hors de lui, mais ils finissent toujours par payer.

Jackie collabore avec les assistantes de John sur l'implication américaine en Indochine. Lorsque Jack a besoin de plus d'informations sur l'Union générale indochinoise, elle étudie pendant plusieurs semaines, à la bibliothèque du Congrès, les ouvrages historiques traitant de cette période. Elle tient à préserver l'indépendance intellectuelle de son mari :

— En étudiant les notes que je t'ai préparées, tu t'apercevras que la presse ne dit pas toujours la vérité.

John apporte un ton nouveau en matière de réflexions politiques. Ses allocutions sont écoutées avec attention par la nouvelle génération. Il utilise avec talent des formules célèbres. Il n'est pas rare de l'entendre citer Eschyle au cours d'une conférence dans une université : « En temps de guerre, c'est la vérité la première victime. »

Jackie invite à dîner des historiens, des économistes, des écrivains, des philosophes... Chaque soirée est l'occasion d'une discussion animée sur la présidence d'Abraham Lincoln, l'œuvre de Walt Whitman, le destin du général de Gaulle, la mise en place de l'Europe, le désendettement de l'Angleterre, la reconstruction de l'Allemagne...

Jackie choisit pour son époux des costumes sombres, des chemises bleu ciel et des cravates étroites. Elle fait faire sur mesure des pantalons pour palier la différence de longueur de ses jambes. Elle jette à la poubelle une bonne partie de ses vêtements – ce qui fera hurler de rage sa belle-mère –, excepté une veste en tweed que Jack affectionne depuis son dernier séjour en Angleterre. Pour les sorties en week-end, elle met en valeur son allure sport chic en lui achetant des pull-overs bleu marine, de jolis polos beiges, des chemises oxford, des mocassins et de superbes lunettes de soleil Ray Ban.

Elle exige qu'il soit plus attentif sur la route. Jack est souvent arrêté par la police pour excès de vitesse ou pour avoir grillé des feux. La plupart du temps, il ne porte sur lui ni ses papiers d'identité ni son permis de conduire, encore moins son portefeuille. Jack a pris l'habitude de ne rien payer. Depuis son élection à la Chambre des représentants, ses factures sont envoyées pour règlement au bureau new-yorkais de son père. Jackie règle parfois elle-même les additions des restaurants ou leurs places de cinéma.

Le soir, elle lui fait apprécier la musique classique : Wagner, Schubert, Mozart... en particulier les opéras. Elle lui fait découvrir la nouvelle comédie musicale : *Camelot*, avec Richard Burton.

Depuis 1942, le FBI enquête sur les aventures amoureuses de son mari. En effet, une jeune et jolie journaliste danoise, travaillant à la rédaction du *Times Herald* de Washington, l'avait interviewé lorsqu'il était officier dans la marine. Ils étaient devenus amants.

Inga Arvard était fichée au FBI pour ses activités d'espionnage au service de l'Allemagne nazie. John ignorait tout de son passé et coulait des jours heureux en sa compagnie. Les agents du FBI craignaient qu'elle n'obtienne par lui des informations sur les positions stratégiques des bâtiments américains dans le Pacifique. Ce dossier fut transmis directement à Joseph Kennedy, via le président Roosevelt. John dut quitter immédiatement sa maîtresse et fut affecté à Charleston.

Hoover, directeur du FBI depuis 1924, maintient une surveillance étroite sur les Kennedy, plus particulièrement sur la vie sexuelle de John. Les rapports confidentiels sont rangés soigneusement dans l'un de ses tiroirs. La vie privée de John n'est plus un secret pour lui : il a des renseignements sur la plupart de ses maîtresses : Hedy Lamarr, Angela Green, Joan Crawford, Olivia de Havilland, Peggy Cummins, Lana Turner... Hoover déteste les Kennedy, il s'est toujours méfié des origines de la fortune du patriarche et n'apprécie pas toute la publicité organisée autour de « cette foutue famille irlandaise » ! « Ces types sont des menteurs, des manipulateurs. Je voudrais bien voir la tête d'une de nos ménagères si elle jetait un coup d'œil sur les parties fines de ces messieurs ! »

Jackie n'est pas naïve au point d'ignorer que John revoit de temps en temps ses anciennes maîtresses. Il a toujours été passionné par les femmes, qu'elles soient célèbres ou non. John répète souvent à leurs amis : « Il ne faut jamais renoncer aux plaisirs lorsqu'ils s'offrent à vous. » Jackie s'était confiée à l'une de ses amies de Georgetown, un soir de déprime : « En épousant John, je savais que je connaîtrais la déception et le chagrin. Mais je décidai que ce chagrin vaudrait la peine. »

Jackie sait entre autres que, durant son séjour sur la Côte d'Azur, quelques semaines avant leur mariage, John a retrouvé l'une d'elles dans un des palaces de Cannes. Leurs disputes sont à la fois désespérées et douloureuses. Jack déteste les bouderies de Jackie, qui durent parfois plusieurs jours. C'est cependant le seul moyen qu'elle ait trouvé pour le punir et pour lui montrer sa lâcheté. Jackie reste persuadée que la naissance de leur premier enfant pourrait anéantir son appétit.

— Tu agis comme un petit garçon ! Ton intelligence ne te sert pas à grand-chose ! Je te demande d'être plus attentif envers moi si tu veux que je reste au sein de la famille !

John claque la porte de leur maison pour rejoindre sa chambre d'hôtel louée à l'année.

Avant leur premier anniversaire de mariage, des rumeurs circulent sur leur divorce. Jackie reste souvent seule. La vie politique de John a pris le dessus sur ses sentiments. Ses absences sont de plus en plus longues et sans excuse. Jackie fume cigarette sur cigarette. Elle ne sait plus quoi faire pour sauver son mariage. Elle se réfugie de temps en temps chez son père pour de longues promenades dans Central Park. Le vieil homme est terriblement usé par ses excès en tout genre. Dans son chagrin, il est incapable d'aider sa fille ; lui-même a tout perdu pour des femmes sans lendemain. Jackie revient encore plus désemparée.

Un journal à scandale annonce un jour dans ses colonnes : « M. Joseph Kennedy aurait remis la somme d'un million de dollars à sa belle-fille pour qu'elle renonce à divorcer du sénateur John F. Kennedy. » Jackie sourit, appelle le patriarche dans sa résidence de Palm Beach :

— Avez-vous lu ce papier ?

— Oui, Jackie, je suis désolé.

— Ça n'a pas d'importance ! J'aurais dû vous demander le double.

Joseph sourit et lui propose de déjeuner avec lui.

— Dans quelque temps, oui, dans quelque temps.

Hoover est à l'origine de l'archivage de 160 millions d'empreintes digitales, devant contribuer à la sécurité intérieure du pays. Il utilise en toute impunité des écoutes téléphoniques pour exercer des chantages. Le cercle politique de Washington, y compris les occupants de la Maison Blanche, redoute ses indiscrétions. Hoover est à la tête d'un véritable empire qui obéit à sa seule autorité. Ses liens avec le crime organisé sont connus de tous mais personne, pas même Joseph Kennedy, n'ose l'affronter. « Ce sale type a assez de dynamite pour faire sauter la capitale ! »

Hoover travaille avec acharnement au nettoyage initié par Joseph McCarthy. Le sénateur du Wisconsin préside, depuis l'élection d'Eisenhower, la sous-commission permanente d'enquête du Sénat rattachée à la Commission de surveillance du gouvernement. Elle a pour but d'inculper les agents communistes au sein du pays. Elle est composée de sénateurs républicains, en majorité, et de sénateurs démocrates, tels William Stuart Symington, Henry Jackson et John McClellan.

Selon un sondage publié en janvier 1954, plus de la moitié des Américains soutiennent le maccarthysme. Le FBI consacre les trois quarts de son budget à cette funeste démarche. Les républicains ne savent plus comment se débarrasser de Joseph McCarthy, héritage de la présidence d'Harry Truman. « C'est un serpent dans l'herbe qui pourrait devenir une vipère pour notre parti. »

McCarthy proteste avec virulence au Sénat contre la nomination de l'ancien président de l'université de Harvard, James Bryant Conant, au haut-commissariat américain basé à Berlin. Le fonctionnaire, estimé par l'élite intellectuelle du pays, avait formellement défendu l'idée qu'un membre de Harvard puisse être communiste et avait dénoncé les manœuvres d'investigations visant à mettre en doute l'image du célèbre collège. McCarthy insinue qu'il est sans doute à la solde de Moscou.

Le président Eisenhower enrage. Les hostilités entre le bureau ovale et le sénateur sont de plus en plus virulentes. McCarthy répond en s'attaquant à l'un des plus illustres conseillers de la CIA, William Bundy, qu'il soupçonne d'avoir eu des liens avec le parti communiste. Nixon rencontre McCarthy. L'entretien terminé, McCarthy renonce à poursuivre son enquête.

Les soupçons de McCarthy se dirigent alors vers l'armée américaine. Pour le bureau ovale, c'en est trop. Sa tête est mise à prix. Eisenhower veut préserver ses excellentes relations avec les principaux membres des états-majors. Il n'est pas question de laisser discréditer l'image de l'armée. Le ministre des Armées, Robert Stevens, est chargé de parlementer avec McCarthy.

— Je vous suggère, monsieur le sénateur, d'orienter vos enquêtes vers d'autres domaines. Nous sommes tous républicains et nous sommes tous convaincus de la bonne cause de votre combat. Nous sommes ici pour élever l'Amérique et je vous demanderai de nous laisser faire notre travail. L'armée a déjà fait tant de sacrifices, nous ne voyons pas l'intérêt de poursuivre la moindre enquête à son encontre. Vous me comprenez?

L'Irlandais le regarde, ne dit pas un mot et se rend à une conférence de presse en Floride. Quelques semaines plus tard, il convoque plusieurs officiers devant la sous-commission, dont le commandant Irving Peress et le général Zwicker. Peress est accusé d'être la porte d'entrée des communistes au sein de l'armée.

— En tant que président de la sous-commission, j'en suis à me demander qui a eu intérêt à donner une promotion à cet officier. Vous, monsieur le général, n'êtes pas digne de porter cet uniforme!

Le ministre des Armées est chargé de répondre aux attaques du sénateur. La presse s'empare du scandale et le président Eisenhower, en vacances, jette dans l'eau ses clubs de golf:

— Bon Dieu! Ce type est un fou! Il n'est pas question de lutter contre le communisme et de saborder l'américanisme!

Le 16 février 1954, Bobby reprend son fauteuil au sein de la commission d'enquête dirigée par McCarthy. Le sénateur du

Wisconsin est un ami de la famille. Le patriarche admire son courage et sa volonté de mettre un terme à l'infiltration communiste du pays. Quelques mois plus tard, Bobby rejoint une nouvelle commission qui enquête sur les agissements des collaborateurs de McCarthy, dont Roy Cohn, jeune avocat new-yorkais et bras droit de McCarthy. Des millions d'Américains – dont Jackie et John – assistent en direct à la télévision au lynchage de McCarthy et de son collaborateur. Bobby est à la une de tous les journaux.

La commission conclut que les accusations de McCarthy envers l'armée sont sans fondement. Le 2 décembre, soixante-sept sénateurs votent pour une motion de blâme à l'encontre de McCarthy.

Les élections sénatoriales de 1954 déclenchent de nouvelles hostilités. Les républicains souhaitent garder la majorité au Sénat. Le vice-président, Richard Nixon, parcourt plus de 60 000 kilomètres pour prêcher la bonne parole. Au Comité national républicain, l'ambiance est au beau fixe. La popularité d'Eisenhower est en hausse, malgré sa politique étrangère en Indochine.

5

Le courage en politique

« *Et maintenant, adieu. Je m'en vais loin d'ici. Avec ces femmes que tu vois. Vers l'île d'Avalon et ses vallées riantes. Où ne tombe la grêle ou la pluie ou la neige... où jamais ne se plaint le vent, mais qui s'étend avec ses prés profonds, ses vergers, ses pelouses... L'abri de ses vallons, sous une mer ensoleillée, là je pourrai guérir de ma grave et douloureuse blessure.* »

Tennyson

Jackie se prépare à accompagner son époux dans sa nouvelle campagne. Cette longue période électorale épuisera les dernières ressources de son mari. John se déplace désormais en public avec ses béquilles. La presse fait paraître régulièrement des articles sur ses malaises : « Le sénateur du Massachusetts s'effondre au cours d'une session portant sur la loi McCarran. » En réponse à ces déclarations, aucun communiqué n'est envoyé par la famille. Joseph se tait et attend le diagnostic des médecins.

Durant l'été, John est confié à la clinique Lahey de Boston et, quelques jours plus tard, à l'hôpital de New York. Joseph joint le professeur chargé des examens médicaux, Philip D. Wilson :

— Nous devons l'opérer, mais c'est une intervention très délicate sur les disques vertébraux. Nous devons procéder à

77

une double arthrodèse... Je crains pour sa vie. Mais, si nous ne l'opérons pas, votre fils finira ses jours infirme. Mon collaborateur, le docteur Ephraim Schorr, du service d'endocrinologie, est très pessimiste sur le succès de cette opération.

— Je vous remercie pour votre franchise. C'est à John de prendre cette décision.

Depuis l'échec de la lobotomie de sa fille Rosemary en 1942, Joseph n'a plus confiance en la médecine. Il rend compte du rapport médical à son fils sans lui donner son avis. John prend lui-même sa décision :

— Je ne vais pas finir sur un fauteuil roulant ! Je veux prendre le risque. Je suis d'accord pour subir les deux interventions en même temps.

Dans la douceur de septembre 1954, les Américains ne se doutent pas que le sénateur John Fitzgerald Kennedy, en congé, vit peut-être ses dernières semaines. Les examens approfondis réclamés par Jackie en août dernier ont confirmé que l'opération, prévue pour octobre, risque d'être fatale. John a énormément maigri. Pour l'heure, il a mis de côté sa réélection dans le Massachusetts.

Joseph contacte le *New York Times*, auquel il annonce que son fils sera opéré dans quelques semaines pour un problème de colonne vertébrale :

— C'est la conséquence de son héroïsme durant la Seconde Guerre. L'opération est sans danger.

Le 10 octobre, John est envoyé aux urgences de l'hôpital de chirurgie spéciale de New York. Il est opéré onze jours plus tard. Dehors, la neige a recouvert la ville d'un immense manteau blanc. Jackie attend dans sa chambre, aux côtés de Bobby et de Teddy. Après plusieurs heures d'intervention, le professeur annonce à Jackie que l'opération ne s'est pas déroulée comme prévu, mais que son mari est vivant.

Après six heures en observation, John est conduit dans sa chambre. Trois jours plus tard, une infection urinaire l'affaiblit considérablement. Les professeurs demandent à rencontrer Jackie :

— Madame Kennedy, votre mari peut mourir dans les prochaines heures. Nous avons fait tout ce que nous pouvions pour lui. Nous sommes désolés. Il est maintenant entre les mains de Dieu.

Jackie s'écroule sur la petite chaise en bois. Ses doigts sont tachés par les cigarettes fumées ces dix derniers jours. Elle n'a rien avalé depuis hier soir.

John reçoit l'extrême-onction du cardinal de New York. Les familles Auchincloss et Kennedy se joignent dans la prière. La presse, du fait de l'indiscrétion d'un certain Lyndon Johnson, apprend que le sénateur Kennedy lutte contre la mort. Joseph, fou de rage, joint le *New York Times* en hurlant :

— Mon fils est vivant ! Il se bat !

Avec l'aide de Bobby, Jackie adresse une lettre de plusieurs pages au sinistre Johnson. Bobby ne pardonnera jamais au Texan son attitude.

— Ce n'est qu'un fils de pute !

Jackie reste jour et nuit à ses côtés, lui tenant la main, récitant des prières qu'elle avait oubliées depuis longtemps. Black Jack et Hugh Auchincloss lui téléphonent régulièrement dans la chambre voisine pour ne pas inquiéter davantage Jack. Son meilleur ami, Lem Billings, ne le quitte pas non plus.

L'infection urinaire est arrêtée de justesse. Les forces reviennent peu à peu à John. Jackie et Bobby remercient Dieu dans la petite chapelle de l'hôpital. Joseph, le visage vieilli, annonce à la presse que son fils est en voie de guérison et que ses jours ne sont plus en danger.

Richard Nixon adresse une lettre d'encouragement à Jackie. Il a été l'un des rares républicains à demander des nouvelles chaque jour. Son courrier est suivi de celui du Président.

Jackie répond personnellement à plus de cent lettres en provenance du Massachusetts et du reste du pays. Chaque semaine, elle lit les meilleures d'entre elles à Jack.

L'hospitalisation de John se poursuit plus longtemps que prévu. Jackie lui apporte plusieurs biographies – il déteste les romans – et prend note de ses directives, qu'elle transmet ensuite à son bureau.

Avant les fêtes de Noël, John quitte l'hôpital. Allongé sur un brancard, il est conduit dans une ambulance sous la neige et les flashes des reporters. Seule à ses côtés, Jackie sourit aimablement aux journalistes.

Arrivés à l'aéroport, ils embarquent sous les caméras des chaînes de télévision pour se rendre à la résidence des Kennedy, à Palm Beach. John est accompagné par deux infirmières et par son médecin personnel. Le climat de la Floride l'aidera à surmonter la douleur. Tout le clan est réuni pour s'occuper de lui.

Profitant de cette longue période de repos, Jackie tente d'arrêter de fumer et initie John à la peinture. Il reprend doucement goût à la vie. La plaque en acier greffée à ses disques vertébraux continue à le faire souffrir. Jackie lui apporte le journal chaque matin, ainsi que différents hebdomadaires. Elle reste à ses côtés pendant ses séances de gymnastique, lave sa plaie couverte de pus et lui verse régulièrement de grands verres de lait.

Jackie lui propose d'écrire un livre sur le courage des hommes en politique. Elle rassemble, avec l'aide de son ancien professeur d'histoire, Jules Davids, les témoignages les plus convaincants. Ted Sorensen, Arthur Schlesinger Jr et Allan Nevins corrigent les premiers textes.

Huit personnalités sont choisies : le 6e président des États-Unis, John Quincy Jones, né à Braintree dans le Massachusetts, Daniel Webster, Thomas Hart Benton, du Missouri, Sam Houston, Edmund G. Ross, Lucius Quintus Cincinnatus Lamar, George Norris et Robert A. Taft.

Jack n'est pas autorisé à se déplacer. Il dépend donc des recherches de son épouse et de ses conseillers. Jackie travaille sur l'iconographie du livre et la mise en pages avec l'aide de Theodore C. Sorensen. Elle emprunte des livres à l'imposante bibliothèque publique de New York, à la bibliothèque du Congrès et à celle de Boston. Elle les lit avec beaucoup d'intérêt et souligne certains passages au crayon. Parmi la centaine d'ouvrages retenus : *Le Congrès américain*, de Joseph West Moore, *L'Opinion publique dans une démocratie*, de George Gallup, *La Vie et les Lettres d'Harrison Gray Otis*, de Samuel Eliot Morison.

Au cours des repas, Jack boit des litres de lait et fume de temps en temps un bon cigare – la cave de Palm Beach en est généreusement pourvue. À Palm Beach, le couple s'entretient longuement avec Joseph sur la carrière politique de John. Joseph leur annonce qu'il est en train de chercher une maison de caractère en Virginie, à quelques kilomètres de Washington. Jackie est ravie, car le bail de leur appartement de Georgetown arrive à expiration et John n'a pas l'intention de le renouveler.

— Cette maison vous permettra de recevoir plus de monde.

Le 14 février, John est hospitalisé de nouveau aux urgences de New York. Une seconde opération doit avoir lieu le lendemain. Les professeurs procéderont à une greffe osseuse dans la colonne vertébrale et ôteront la plaque de métal. Les pronostics ne se sont pas brillants, car le cœur de John s'est affaibli. Il a perdu plus de vingt kilos. Lorsque les chirurgiens l'emmènent pour l'anesthésie, il est persuadé qu'il ne reverra ni sa femme ni sa famille. Jackie pleure toute la matinée.

Après l'opération, son état s'aggrave. Une nouvelle fois, il reçoit les derniers sacrements. La presse *people* et politique prépare un résumé de sa vie. Les médecins pensent qu'il ne passera pas la nuit.

Le lendemain matin, John reprend des forces. Trois semaines plus tard, il retourne à Palm Beach et se remet avec Jackie à la rédaction de *Profil in Courage*. Son calvaire touche à sa fin. La maladie d'Addison continue cependant d'affaiblir son système immunitaire. Jackie veille sur lui, panse ses plaies et injecte elle-même des traitements à base de cortisone.

Au cours d'une soirée, John confie à Lem Billings : « Je sais maintenant à quel point Jackie est différente de toutes les femmes que j'ai connues jusque-là. Sans elle, je serais incapable de reprendre mon fauteuil de sénateur. »

À bout de forces, Jackie fume de nouveau deux paquets de cigarettes par jour et boit de temps en temps quelques verres de Martini. Le printemps lui semble long. La capitale adresse chaque jour des nouvelles de la vie politique, mais John n'y répond plus. Il réserve ces moments d'intimité à sa femme.

La plaque en acier retirée le 15 février dernier a soulagé ses nuits, mais ses malaises sont toujours aussi fréquents.

Il n'est plus que l'ombre de lui-même. Sa déficience endocrinienne l'affaiblit. Jackie prépare des repas reconstituants et des glaces, dont il raffole.

Le 23 mai, les journalistes découvrent avec joie John au côté de sa femme devant le Capitole. Les rumeurs avaient prédit qu'il ne reviendrait plus occuper son siège de sénateur. Joseph a convoqué les rédactions pour annoncer clairement son retour.

— Monsieur le sénateur, quelles sont vos impressions sur ce retour?

— Un grand plaisir. Absent depuis sept mois, j'avais hâte de revenir.

John a abandonné ses béquilles et gravit doucement les marches jusqu'à son bureau, sous les applaudissements du personnel du Sénat.

Le *New York Times* déclare le lendemain:

— John Fitzgerald Kennedy a dû subir deux opérations en raison des blessures importantes subies durant la Seconde Guerre mondiale. Le jeune sénateur a repris courageusement son travail.

Evelyn Lincoln lui apporte une magnifique corbeille de fruits de la part du vice-président Richard Nixon:

— Bon retour, nous sommes tous heureux de vous retrouver!

Le médecin Janet Travell, amie des Kennedy, lui recommande de porter un corset pour soulager son dos, une paire de chaussures orthopédiques pour palier la différence de longueur de ses jambes et de prendre chaque jour un traitement à base de novocaïne pour stimuler ses défenses naturelles.

Joseph fait fabriquer un fauteuil à bascule que John ne quittera plus. Pour dormir, il utilise un châlit ou pose directement son matelas sur le sol. Jackie l'accompagne discrètement chaque semaine dans l'une des cliniques de New York, où il suit des exercices en physiothérapie. Jack y pratique la natation pour muscler son dos et ses jambes.

Ses facultés intellectuelles ne sont pas touchées. Il est capable de lire cent vingt mots par minute et sa mémoire demeure impressionnante.

Durant sa convalescence, il contribue à la rédaction d'une dizaine de projets de lois. La presse est admirative devant son courage. Jackie est toujours disponible pour rassurer les journalistes quant à l'état de santé de son mari :

— Comme vous pouvez le constater, il va de mieux en mieux !

Le 1er juin 1955, son livre *Profil in Courage* est achevé. John le dédie à son épouse, avant d'en confier l'édition à Arthur Krock. « Ce livre n'aurait jamais été publié sans les encouragements, l'aide et les conseils de ma femme Jacqueline, dont je ne saurai jamais assez louer le soutien durant ma convalescence. »

Quelques semaines plus tard, Janet téléphone à sa fille pour lui annoncer qu'un joli manoir, répondant au nom de Hickory Hill, est en vente pour 125 000 dollars en Virginie. Jackie reçoit l'approbation de Jack pour le visiter avec sa mère.

Lorsque Jackie découvre la demeure, c'est un véritable coup de foudre. Elle aurait appartenu au général George B. McClellan durant la guerre civile. Hickory Hill s'étend sur plusieurs hectares et possède deux écuries, un terrain de tennis et une piscine. L'acte de vente est signé dans la semaine.

Durant l'été, Jack et Jackie partent pour plusieurs semaines en Europe. Jackie est folle de joie à l'idée de se promener en sa compagnie à Paris. Jack rencontre l'ancien président du Conseil Georges Bidault, tandis que Jackie leur sert d'interprète.

Le pape Pie XII les reçoit en présence de la presse italienne et d'une dizaine de correspondants américains. Une photographie de l'entrevue est publiée aux États-Unis, pour la plus grande fierté de Rose.

Jackie et Jack embarquent sur le yacht de l'armateur grec, Aristote Onassis. Jack est ravi car l'un des invités de marque de cette somptueuse réception n'est autre que Winston Churchill. Malgré l'enthousiasme du jeune sénateur, le vieux lion se détourne de lui et tire sur son cigare cubain. Jackie en profite pour taquiner l'orgueil de Jack :

— Il t'a sûrement pris pour l'un des garçons du restaurant !

Les Kennedy rentrent aux États-Unis à bord du paquebot *United States*. Jackie annonce une semaine plus tard qu'elle est enceinte.

Le 24 septembre, le président Eisenhower a une crise cardiaque. Il s'était plaint la veille d'une indigestion et la chaleur presque insupportable de la capitale l'avait conduit à se coucher. Alors que se préparent les élections de 1956, cette nouvelle atteint de plein fouet le parti républicain. Richard Nixon est contraint de reprendre les rênes du bureau ovale jusqu'au rétablissement du Président. Quarante-huit jours plus tard, Eisenhower revient à la Maison Blanche sous les applaudissements de son gouvernement, de son personnel et du peuple américain. John et Jackie lui adressent leurs vœux de prompt rétablissement.

Les relations entre Ethel et Jackie ont toujours été plus ou moins tendues jusqu'en octobre 1955, où les parents d'Ethel, qui revenaient d'un voyage d'affaires en Californie, meurent dans l'explosion d'un avion B 26. Jackie est bouleversée par le chagrin d'Ethel et reste à ses côtés durant les funérailles.

En novembre, Jackie et Jack sont invités à participer à la compétition familiale annuelle de *touch football*, à Hyannis Port. Jackie déteste ce sport, qu'elle trouve brutal et stupide. Elle a toujours préféré les parties de tennis avec Jack et Bobby à ces tournois violents :

— Qui peut supporter une chose pareille ? On vous arrache les cheveux, on vous jette par terre, on vous marche dessus !

Seule Ethel semble ravie de participer à cette activité très Kennedy.

— Après tout, si elle veut un jour mourir écrasée par ces fous, cela la regarde !

Sous la pression de Jack et les rires de ses belles-sœurs, elle finit par accepter de participer. Avant la fin de la première mi-temps, Jackie attrape le ballon, mais s'écroule quelques mètres plus loin, la jambe brisée. Elle est conduite aux urgences de l'hôpital England Baptist. Quelques jours plus tard, elle reçoit un superbe bouquet de roses rouges accompagné d'une carte signée Black Jack :

« As-tu marqué le point ? »

Les festivités de Noël se déroulent dans la résidence de Palm Beach, où le temps est agréable. Les longues plages sont balayées par des lumières douces et orangées. Le vol des goélands amuse les quelques promeneurs et leurs enfants. Jack, Teddy et Bobby sont partis depuis une heure pour une balade le long des rivages.

Bobby a annoncé la veille à ses parents qu'il avait l'intention de collaborer à la commission d'enquête du Sénat sur les activités du crime organisé. Sa décision inquiète le clan pour deux raisons : sa sécurité et celle de sa famille. Bobby n'en démord pas et refuse les conseils de son père :

— Je mettrai tous ces gens derrière les barreaux !

La mafia a su étendre ses ramifications jusque dans le système politique du pays, plus particulièrement au niveau local. Plusieurs conseillers municipaux sont sous sa gouverne. Elle a réussi à faire élire son propre maire pour débloquer des contrats de constructions immobilières. Des représentants illustres de la Chambre sont également sous sa tutelle.

Au FBI, Hoover dissimule les preuves de la présence de la mafia aux États-Unis : grâce aux informations que celle-ci lui communique, il profite de certaines transactions financières. Il déclare à la presse : « Le crime organisé n'existe pas chez nous. Seuls les communistes sont nos ennemis ! »

Jackie est seule au côté de Joseph sous la véranda. Lovée dans une couverture de laine, elle apprécie ce moment de répit. Le patriarche attend toujours avec impatience de pouvoir converser avec sa belle-fille.

— Êtes-vous heureuse, Jackie ?

Elle soupire en fixant l'horizon.

— Oui, sans doute, mais tout est parfois si difficile. Je n'imaginais pas les choses aussi compliquées avec Jack...

— Jackie, vous êtes à nos côtés. Le plus important, ne l'oubliez pas, c'est le clan ! Vous en faites partie et nous serons toujours à vos côtés et aux côtés de Jack pour les moments de joie et de peine. Je serai continuellement là pour vous, Jackie.

Jackie se blottit contre lui, des larmes coulent sur ses joues.

— Jack a besoin de vous, de votre courage et de votre intelligence pour réussir ce pour quoi il est ici...

— Que va-t-il faire ?

— Il sera président des États-Unis, je vous le promets, Jackie… Le destin de l'Amérique sera entre vos mains, à tous les deux ! Je vous le garantis et, en attendant, je suis là pour veiller sur vous.

Dès sa sortie en librairie, *Profil in Courage* est un best-seller. Plus de 120 000 exemplaires sont vendus les premières semaines. L'ouvrage reçoit un excellent accueil auprès du public, des journalistes, des historiens, des biographes. John obtient le prix Pulitzer.

Deux mois plus tard, le célèbre éditorialiste Drew Pearson, invité à l'émission « The Mike Wallace Show » sur ABC, affirme que le sénateur Kennedy n'est pas l'auteur de *Profil in Courage*, mais qu'il a abandonné sa plume à son conseiller Ted Sorensen. Le scandale fait grand bruit dans les milieux littéraires et politiques. Humilié devant la presse et le peuple américain, John prépare avec ses collaborateurs une action en justice.

— Cela met en cause mon travail pour ce livre et ma carrière politique ! Ils mettent en doute mon honnêteté et il n'est pas question que je laisse tomber cette affaire ! J'ai accepté le prix Pulitzer, je me battrai jusqu'au bout pour laver cet affront.

Un ami du clan Kennedy, l'attorney général Clark Clifford, contacte ABC. Une entrevue a lieu avec le président de la chaîne et Sorensen, qui déclare sur l'honneur que John est bien l'auteur de l'ouvrage récompensé. Quelques jours plus tard, la chaîne ABC dément les propos de sa rédaction. « L'auteur de *Profil in Courage* est bien le sénateur du Massachusetts, John Fitzgerald Kennedy. »

Le succès du livre permet à John de retrouver une aura politique auprès de ses électeurs et du parti démocrate car, depuis plusieurs mois, la presse politique avait délaissé le jeune politicien, qui n'apparaissait plus que dans les tabloïds des magazines *people*.

John est reçu en compagnie de Jackie par le corps professoral de Harvard pour recevoir une distinction honorifique : « John Fitzgerald Kennedy est un officier courageux, fidèle à son parti, et demeure inébranlable sur ses principes. »

6

Les élections de 1956

« L'opinion publique est tout. Avec elle,
rien ne peut échouer. Sans elle, rien ne peut
réussir. »

Abraham Lincoln

Le 19 février 1956, devant un dense parterre de journalistes, Eisenhower annonce qu'il se présente à sa propre réélection. La bataille des primaires peut commencer.

John soutient publiquement la candidature d'Adlai Stevenson à la présidence des États-Unis, malgré l'avis de son père :

— Si tu te mêles de cette histoire, cela pourrait te coûter ta crédibilité aux prochaines élections sénatoriales.

— Il me nommera à la vice-présidence, ce sera un excellent tremplin pour les prochaines présidentielles.

— Stevenson ne gagnera pas.

Jackie partage le sentiment de son beau-père. Elle ne croit ni aux chances de Stevenson, ni à celles de son mari pour la vice-présidence. L'état de santé de Jack n'est pas brillant et une campagne aussi virulente pourrait anéantir les résultats de sa convalescence.

— Pourquoi ne pas profiter de notre maison et attendre encore un peu ? confie-t-elle à Bobby.

Enceinte de huit mois, elle tente plusieurs fois de joindre Joseph, en vacances sur la Côte d'Azur :

— Peut-être devriez-vous revenir à Washington pour ramener John à la raison ?

— Mon fils a choisi son camp, je ne peux plus rien faire. S'il est élu à la vice-présidence, ce sera grâce à sa religion et non parce qu'on le juge digne de cette fonction!

— Nous attendons un bébé, je n'imagine pas un seul instant traverser tout le pays à ses côtés. Jack est formidable pour la vie politique, mais croyez-vous qu'un jour il sera doué dans sa vie privée?

Joseph ne lui répond pas et soupire.

Lors d'une interview télévisée, Jackie avoue : « Je ne dirai jamais qu'être mariée avec un homme politique est une vie facile… mais je tiens le coup! Je m'occupe de la maison et j'essaye de passer le maximum de temps avec John. Le meilleur conseil que je puisse donner aux femmes pour réussir leur mariage est de permettre à leur mari de faire ce qu'il aime… Mais je suis seule la plupart des week-ends. J'ai épousé une tornade! »

Le 13 août, la Convention nationale des démocrates s'ouvre à Chicago. John monte à la tribune pour soutenir la candidature de Stevenson sous les rafales d'applaudissements. En tant que président de la délégation démocrate du Massachusetts, sa contribution est importante. Stevenson est ravi d'être appuyé par un sénateur aussi médiatique. Il n'a pris cependant aucune décision concernant la vice-présidence. Les sénateurs Estes Kefauver et Hubert Humphrey attendent dans l'ombre.

Robert est venu soutenir le travail de son frère. Il est persuadé de la victoire de Jack à cette élection. Il ne lâche aucun représentant des différentes délégations. Dès le premier tour, les États du Sud soutiennent John au poste de vice-président. Il obtient 648 voix. Pour le second tour, il doit décider les 38 voix manquantes. La tension est à son comble, Bobby n'a pas dormi et court dans les allées de la Convention pour décrocher les derniers votes.

Au milieu des rugissements de la foule, le sénateur Albert Gore annonce son soutien à la candidature du sénateur Kefauver. Les dés sont jetés, ce revirement de situation ne peut plus être enrayé.

John ne sera pas présenté au poste de vice-président. Il est le premier Kennedy à perdre une élection.

À l'hôtel Conrad Hilton, Jack et Jackie reçoivent ceux qui l'ont soutenu durant ces dernières semaines. Jackie est en larmes et ne souffle le moindre mot. John, dépressif, quitte Jackie pour deux semaines. Elle le supplie de rester auprès d'elle, mais Jack embarque dans l'appareil sans se retourner sur le tarmac. Il rejoint l'hôtel Eden Roc au cap d'Antibes, où son père se repose.

À son arrivée à l'aéroport de Nice, Joseph le serre contre lui :

— Tu as encore toutes tes chances pour 1960. Dorénavant, les Américains connaissent ton visage.

Après plusieurs parcours de golf avec son père, John embarque pour une croisière en Méditerranée en compagnie de son ami George Smathers et de quelques amies. Jackie reste sans nouvelles de lui.

Le 23 août, Jackie accouche d'une petite fille, mort-née, Arabella Kennedy. À son chevet, Bobby la réconforte et assure que Jack ne tardera plus à rentrer. Jackie confie à sa mère le soir même :

— Lorsque nous avons des ennuis, Bobby est toujours à mes côtés.

Joseph s'occupe des obsèques.

Le 26 août, après l'atterrissage de son avion, John ne répond pas aux questions des journalistes. Il demande pardon à son épouse. Jackie accepte ses baisers et pleure en regardant le landau vide.

— Mon Dieu ! Qu'avons-nous fait pour avoir autant de malheurs, Jack ?

— Oh ! je t'aime, Jackie, pardonne-moi.

Jackie avait lu l'article du *Washington Star* qui affirmait que son mari était avec de jeunes femmes en croisière sur la Méditerranée.

Une semaine plus tard, les Kennedy quittent l'hôpital sous les flashes des appareils. Jackie demande à Jack de vendre leur propriété de Hickory Hill. Elle lui annonce qu'elle retourne chez ses parents pour une durée indéterminée.

Après sa défaite lors de la convention de Chicago, la mort de leur bébé, la colère de Jackie, John est anéanti. Il demande à son père de l'aider. Joseph organise un déjeuner avec sa belle-fille. Un divorce détruirait la carrière publique de son fils, il le fait comprendre à Jackie et lui soutient que Jack est amoureux d'elle.

— Il vous aime, Jackie, n'en doutez plus.

Drew Pearson, chroniqueur pour magazines *people*, qui avait soupçonné John de ne pas avoir écrit lui-même *Profil in Courage*, annonce le divorce imminent des Kennedy.

Après quelques semaines chez ses parents, Jackie s'envole pour Londres, où elle rejoint sa sœur, à laquelle elle confie les infidélités de son mari :

— Je ne retournerai jamais plus avec lui, c'est fini !

Lee organise un voyage à Paris et une croisière sur la Méditerranée pour lui changer les idées. Au bout d'une dizaine de jours, l'absence de son mari lui devient insupportable. Elle l'appelle à Washington :

— Jack, je rentre le week-end prochain.

Ils louent un nouveau logement à Washington D.C., au 2808 P. Street. Pittoresque, en raison de sa hauteur et de ses longs couloirs étroits, la demeure n'a cependant pas le charme ravissant de Hickory Hill, ni ses écuries ni ses champs à perte de vue. Jackie a la sensation d'être revenue en arrière. Dépressive, elle fume de plus en plus. Elle ne peut s'empêcher de penser qu'elle ne sera sans doute jamais heureuse avec John et qu'elle ne pourra peut-être jamais lui donner d'enfant.

Elle s'aménage un bureau confortable au premier étage et y accroche plusieurs photographies de son père. Black Jack ne lui a jamais autant manqué.

Robert et Ethel Kennedy leur achètent leur propriété en Virginie, où ils s'installent avec leurs trois enfants.

Le soir du 6 novembre, à Sheranton Park, Eisenhower est aux côtés de son vice-président, Richard Nixon, et de son épouse, attendant les résultats des élections présidentielles. L'ultime intervention télévisée de Stevenson n'a en rien altéré les résultats encourageants des récents sondages : « Aussi déplaisante que soit cette question, je dois dire que toutes les preuves scientifiques que nous avons, toutes les leçons de l'histoire et de l'expérience indiquent qu'une victoire des républicains demain signifierait que Richard Nixon serait probablement président des États-Unis d'Amérique dans les quatre prochaines années ! Aussi déplaisant que ce soit, c'est la vérité, la vérité sur la décision la plus fatidique que le peuple américain devra prendre demain. J'ai confiance en cette décision. »

Jackie avait écouté le discours de Stevenson et s'était interrogée sur l'avenir politique de John... Dénoncerait-on un jour aussi habilement sa santé ? Jack aurait-il à répondre aux mêmes insinuations ? Aurait-elle la force de supporter la vérité ? Jack aurait-il la force, lui aussi, d'aller jusqu'au bout ? Dans *Profil in Courage*, il avait résumé le courage de huit sénateurs, mais le sien aurait un adversaire redoutable à combattre : lui-même, sa douleur et ses larmes. Jackie n'avait aucune réponse à ces questions.

Eisenhower remporte dans la nuit les élections.

Durant les fêtes de Thanksgiving, les Kennedy se retrouvent à Palm Beach. Joseph est d'une excellente humeur. La défaite de Jack lui a malgré tout permis de toucher une très large audience :

— Nous aurions dû payer des millions de dollars pour passer autant à la télévision !

Jackie embrasse la joue de son mari.

— Jack, tu es une star maintenant !

Après le dîner, John rejoint son père dans son bureau. Des milliers de livres habillent une immense bibliothèque en chêne. John se souvient des lectures qu'il faisait ici même, tandis que son père rédigeait des rapports pour le président Roosevelt. Il se régalait des textes de Churchill et du général de Gaulle.

— Le temps passe vite, Jack, n'est-ce pas ?

Joseph lui propose un verre et s'assoit en face de lui.

— Que dirais-tu de t'attaquer à la Maison Blanche ? Il est temps de détrôner les républicains, ils sont en train de bousiller ce pays !

— Quand commençons-nous ?

En rejoignant les autres dans le salon, John murmure à Jackie :

— Nous y allons, papa est prêt pour lancer la machine !

— Jack, je suis si fière de toi...

Le reste de la soirée se déroule autour des principaux sujets de la campagne. Bobby en sera de nouveau le directeur.

7

La préparation des primaires

> « *Que le succès jamais ne dissimule son néant, la réussite sa vanité, le labeur sa désolation. Gardez le désir de pousser toujours plus avant cette douleur de l'âme qui nous aide à nous dépasser nous-mêmes. Ne regardez jamais en arrière. Et ne rêvez pas à l'avenir. Non seulement il ne vous rendra pas le passé, mais encore il ne saura nourrir vos rêves. Votre devoir, votre récompense, votre destin sont ici et maintenant.* »
>
> Dag Hammarskjöld

Depuis son élection à la Chambre des représentants, les ambitions de John sont claires :

— La présidence est le grand moteur et la grande source du système américain. Tous les hommes politiques rêvent un jour d'être Président.

Au cours d'un déjeuner au Hilton, il confie à Jackie, à Bobby et à Charles Bartlett :

— Pour être en politique une force positive dans l'intérêt du bien public, un homme doit posséder trois choses : un code moral solide qui règle ses actes publics, une connaissance étendue de nos institutions et de nos traditions et une formation précise sur les problèmes techniques de gouvernement. Enfin, il doit avoir du charme politique, c'est-à-dire le don de gagner la confiance et l'appui populaire. Maintenant, il est temps pour moi d'y aller !

Charles Bartlett se demande s'il n'est pas trop tôt :

— Tu as tout le temps. Pourquoi ne pas attendre, John ?

— Non, ils m'oublieront et d'autres viendront prendre ma place. Je dois y aller maintenant. Viens à mes côtés durant mes discours, tu seras surpris de leurs réactions.

Jackie lui prend la main et sourit :

— Je suis certaine que tu as toutes ces qualités.

Bobby est rassuré depuis quelque temps sur leur mariage. Jackie semble de nouveau être très amoureuse de son frère.

Le travail de Bobby à la commission John McClellan préoccupe son père. Son imprudence et son arrogance font le bonheur de la presse, mais risquent de lui coûter cher. John O'Rourke, Johnny Dio, l'avocat véreux George Fitzgerald, Paul Ricca, Joe Curcio, James Cross, président du syndicat des boulangers, les frères Block, Jim Elkins, racketteur des casinos de Portland, Carmine Lombardozzi, chef de la pègre de Brooklyn et les frères Gallo, propriétaires des juke-box de New York, utilisent les moyens et les hommes dont ils disposent pour menacer directement ou indirectement Bobby et ses collaborateurs.

— Bobby, tu devrais faire attention avec ces gens, ils ne plaisantent pas !

— Ne t'inquiète pas, je finirai par les mettre tous en prison, à commencer par ce salopard de Jimmy Hoffa.

Entouré de Kenny O'Donnel, de Carmine Bellino, de Walter Sheridan et de John Seigenthaler, Bobby prépare les convocations à l'intention des dirigeants du syndicat des camionneurs : Dave Beck et Jimmy Hoffa. Ces derniers sont accusés d'utiliser la grève comme moyen de pression afin d'obtenir de l'argent des grosses entreprises ayant besoin des camionneurs. Les premières audiences publiques, retransmises en direct à la télévision, attireront des millions d'Américains. La Commission sera une excellente opération de relations publiques pour John, qui en fait lui-même partie, parmi les sénateurs démocrates. Il sera aux côtés de son frère à chacune de ses interventions télévisées. Bobby est un avocat habile, mais il est aussi un maître en communication. Les arrestations arbitraires, les contrôles fiscaux et les écoutes téléphoniques déclenchent un véritable séisme au sein de la communauté mafieuse. Bobby cherchait un combat digne de lui et ne recule devant rien.

Le reporter Pierre Salinger travaille dans son équipe. Bobby avait lu son papier dans le *New York Herald Tribune* d'octobre dernier. Salinger enquêtait depuis déjà plusieurs mois sur le fonctionnement du syndicat des camionneurs, le plus important aux États-Unis. Bobby avait apprécié la pertinence de son enquête. Il l'avait convoqué à son bureau de New York pour le rencontrer. Après le dépôt de bilan de la rédaction de *Colliers*, qui employait Pierre Salinger, Bobby l'avait embauché au sein de la Commission.

— Bienvenue chez nous, Pierre, et bon courage !

Jackie suit avec intérêt les premières diffusions télévisées. Elle est impressionnée par la prestance et la brutalité de Bobby, qui n'a plus rien à voir avec ce jeune homme en bermuda qui courait avec ses enfants et ses chiens dans la propriété de Hickory Hill. Il est la fierté du clan Kennedy et de sa femme. Les journaux ne parlent que de lui et de son courage.

Le 19 février, Bobby dîne chez Jimmy Hoffa. Leur entretien tourne court en raison du mauvais temps ; la neige a envahi la capitale. Avant de le quitter, Hoffa lui lance :

— Dites à votre gentille femme que je ne suis pas aussi méchant qu'on veut bien le dire dans la presse. Je compte sur vous, Bobby, pour la rassurer !

Le 13 mars, Bobby le fait arrêter pour association de malfaiteurs et corruption. Jimmy Hoffa est en possession de 2 000 dollars. Cet argent aurait servi à marchander les récentes informations sur son compte à la Commission. Son avocat exige de rencontrer Bobby, afin de connaître les motifs de l'inculpation.

— M. Kennedy nous a répondu que le gouvernement a requis deux semaines d'ajournement. Je tiens à dire au nom de mon client, Jimmy Hoffa, que ces méthodes sont pour le moins douteuses.

— J'exige, monsieur Kennedy, que vous attestiez que je n'ai jamais souhaité contrôler ou être associé au parti communiste américain ! Messieurs, prenez bien note de ma déclaration.

La mafia est la première à maudire les interventions des deux frères. La chasse aux communistes est bientôt terminée, et c'est à son tour de payer la note des campagnes de communication de ces deux opportunistes :

— Il faudra bien un jour arrêter ces Kennedy !

Au cours d'une conférence de presse houleuse, Bobby déclare avec son arrogance coutumière :

— Si cette fois Hoffa s'en sort, je me jette du haut du Capitole !

Les journalistes éclatent de rire, mais Joseph Kennedy est très inquiet pour son fils et les membres de sa famille.

Le 19 juillet, Jimmy Hoffa est libéré de prison. Sa première déclaration est destinée à Bobby :

— J'ai entendu la promesse de Bobby Kennedy et j'ai un parachute à sa disposition dans mon bureau. On l'attend ! M. Kennedy est un menteur, il n'existe aucun fondement à ses multiples déclarations à la commission McClellan. J'affirme même qu'il a délibérément utilisé le prestige du Sénat des États-Unis pour s'enrichir et faire sa propre publicité !

Jackie, enceinte depuis mars, et John partent pour plusieurs semaines à Hyannis Port. Jackie veut se reposer pendant les travaux dans leur nouvelle maison, au 3 307 N Street, au Nord de Washington D.C. Elle adore « cette petite merveille » de trois étages qui donne sur un splendide jardin bordé de magnolias et de prunus sauvages. Jackie s'est passionnée pour la décoration et a dévalisé les antiquaires de Georgetown pour y dénicher des fauteuils Louis XV et des gravures anciennes. Leur salon est éclairé par deux fenêtres encadrées par de jolis rideaux fleuris. Jackie commande chaque vendredi des tulipes, les fleurs préférées de Jack, qu'elle dispose dans des seaux à champagne.

Le voisinage est composé de hauts fonctionnaires du département d'État, d'hommes d'affaires comme Averell Harriman, de journalistes tel Ben Bradlee du *Washington Post* – qui deviendra vite l'un de leurs amis les plus proches –, et de quelques écrivains non moins célèbres.

Sur la plage de Hyannis Port, Jackie profite de quelques instants de paix. Jack est parti seul faire de la voile à bord du *Victoria*, son voilier d'une dizaine de mètres. C'est à bord de celui-ci qu'il a remporté bon nombre d'épreuves locales. Jack adore la mer :

— Nous avons du sel dans nos veines, ce qui prouve bien que nous sommes éternellement liés à l'océan.

C'est l'une des rares activités sportives qu'il pratique sans souffrir du dos. Quand il arrive à quelques miles de la côte, il jette l'ancre et lit tranquillement ses journaux en savourant un cigare cubain. John cherche lui aussi à prendre du recul vis-à-vis de Washington. Son travail au Sénat n'est pas de tout repos.

Le 2 juillet dernier, en tant que membre de la Commission des affaires étrangères du Sénat, Jack s'est attaqué à la France pour son comportement en Algérie :

— Le moment est venu pour les États-Unis de comprendre les réalités de la situation à Alger et d'assumer leurs responsabilités en tant que leader du monde libre ! Je demande au président Eisenhower d'aider l'Algérie dans son combat pour l'indépendance.

Avec le temps, Jackie a appris à respecter les longs moments de solitude de son mari. Ce matin, elle l'a félicité pour un reportage paru dans *Look Magazine*, intitulé « La montée des frères Kennedy », qui citait John en tête des candidats démocrates à la présidence de 1960. À la lecture de l'article, Joseph avait ordonné à ses plus proches collaborateurs :

— À présent, il n'est plus question de faire quoi que ce soit qui puisse mettre en péril l'avenir de Jack… Je compte sur votre discrétion. Il y a des événements que vous ne pourrez plus jamais évoquer, même dans cette maison ! J'espère que vous comprenez ce que je suis en train de vous dire ! Tirez un trait sur le Jack que vous connaissiez ! Tout cela appartient à un passé qu'il ne faudra en aucun cas déterrer.

Pour Jackie, cet avertissement signifie peut-être la fin des aventures extraconjugales de son mari. Combien de fois a-t-elle surpris les colères de Joseph à l'encontre de son fils ? Il exigeait de lui une plus grande discrétion :

— Hoover va finir par te coincer et ta carrière sera bonne à mettre au panier ! Comporte-toi dignement, occupe-toi de Jackie et de ton travail ! Toutes ces histoires de femmes finiront par te nuire !

John a sans doute fini par comprendre que son destin méritait un peu plus d'élégance à l'égard de sa propre famille. Jackie préserve ce dernier espoir. Le bonheur est encore possible.

Au cours de l'été, Jackie est informée par sa sœur des problèmes de santé de leur père.

Black Jack est rentré dernièrement de La Havane. Il souffre de complications intestinales et se soigne au Jack Daniels. À soixante-six ans, il vit reclus dans son appartement de New York. Ses maîtresses l'ont quitté, il n'a plus un dollar en poche. Jackie ne l'a pas vu depuis des mois en raison des exigences de la vie politique. Il a décliné toutes ses invitations à déjeuner.

Le 27 juillet, la sonnerie du téléphone retentit plusieurs fois dans la maison. Jackie abandonne le dernier livre d'André Malraux sur la petite table de la véranda. Le vent est monté depuis quelques heures. Il caresse le drapeau des Kennedy, trois heaumes d'or sur fond noir. Rose est dans la cuisine avec les domestiques pour préparer des cailles au raisin, un mets que Jack apprécie particulièrement. Joseph est au golf avec sa nièce depuis le début de l'après-midi. La sonnerie s'interrompt, puis reprend de plus belle.

— Allô ?

— Madame Kennedy ?

— Oui… ?

— C'est la clinique Lennox Hill.

Jackie sent ses jambes défaillir.

— Votre père est ici depuis quelques jours. Il est très faible. Je vous conseille de venir au plus vite. Il souffre d'une insuffisance respiratoire et son cœur peut lâcher d'un moment à l'autre.

Jackie et Jack s'envolent immédiatement pour New York. Le 3 août, Black Jack sombre dans le coma. Il meurt quelques heures plus tard.

Son décès est un choc terrible pour Jackie. Black Jack est enterré le 6 août. La cérémonie funéraire a lieu dans la cathédrale Saint Patrick de New York. Les journalistes sont venus, non pour saluer sa mémoire, mais pour suivre le chagrin de sa fille.

Dans le cercueil, Jackie dépose le bracelet en diamant que son père lui avait offert pour ses vingt ans. Des larmes coulent sur ses joues. Elle se souvient du joli poème que Black Jack lui lisait lorsqu'elle était enfant :

> *Les dernières lueurs du jour flottent sur la terre. Une terre longue et basse, une terre ensoleillée de flèches. Les fantômes du soir accordent leur lyre et errent en chantant. Dans les longues allées bordées d'arbres, des feux pâles, du sommet d'une tour à l'autre, font écho à la nuit. Ô sommeil de rêve, et rêve qui jamais ne s'épuise, exprime des pétales de la fleur du lotus. La rémanence de ce moment, essence de l'heure ! Ne plus jamais attendre le crépuscule lunaire dans la réclusion de cette vallée de l'étoile et de la flèche... L'éternel matin du désir devient désormais pour moi durée, après-midi d'argile.*
>
> (Matthew J. Brucoli, *Fitzgerald, sa vie, sa gloire, sa chute,* trad. Solange Schnall et Christian Mégret, Vertige, 1985.)

Joseph Kennedy fait en sorte que le *New York Times* et le *Times* rédigent un éloge funèbre digne de ce nom.

En septembre, John est de nouveau hospitalisé en urgence, mais cette fois secrètement. Une infection s'est propagée autour des disques vertébraux. La douleur est insupportable. Jackie se demande quand ce cauchemar s'arrêtera.

— La moitié des jours qu'il a passés sur cette terre n'a été que souffrance. L'ombre de la mort pèse toujours sur ses pas. Quand va-t-elle le lâcher pour le laisser exprimer ce pour quoi il est venu ici ?

Après une intervention chirurgicale, ses jours ne sont plus en danger.

Le 27 novembre, après une césarienne, Jackie met au monde une petite fille au Cornell Medical Center de New

York. Le bébé est en excellente santé. Il pèse 3,8 kg. Jack est si ému qu'il ne peut retenir ses larmes. Jackie savoure enfin les premiers instants d'un bonheur commun.

— C'est le plus beau jour de ma vie, Jack. Mon Dieu, comme je t'aime !

Le 13 décembre, dans les bras de Lee, Caroline Kennedy est baptisée par le cardinal Cushing à l'église Saint Patrick de New York. Jackie confie à sa sœur :

— John est très attentionné avec notre fille. Elle le rend si heureux. Un homme sans enfant est un homme incomplet.

Au 3 307 N Street, l'ambiance n'est pas la même qu'à Hyannis Port ou Hickory Hill. Les chiens ne traversent pas le salon en courant, les enfants ne hurlent pas dans les chambres et l'on ne joue pas au *touch football*.

Jackie y préserve une sérénité indispensable à la réflexion et à la carrière de son mari. Elle n'a jamais été impressionnée par le tintamarre rituel des Kennedy.

— Je ne serai jamais une espèce de garçon manqué qui monte aux arbres et qui hurle à tue-tête : « Nous allons gagner ! » Ils peuvent bien se moquer de mes jupes et de mes escarpins, mon cerveau fonctionne aussi bien que le leur !

Jackie accepte de participer à une nouvelle émission de télévision. L'équipe de tournage s'installe dans la matinée, avec son attirail de câbles électriques. Jackie reste cloîtrée dans sa chambre avec son enfant, en attendant le signal de l'enregistrement. Bobby a préparé l'intervention avec son frère ; Jackie a choisi le costume de son mari : foncé avec une cravate bleu marine à pois.

John commente les idées motrices de son futur programme électoral pendant une vingtaine de minutes et critique la politique étrangère d'Eisenhower. Puis il se lève :

— Maintenant, j'aimerais vous présenter celle qui sera, je l'espère, notre meilleure militante, notre fille Caroline.

Jackie et Caroline, assises sur le canapé du salon, l'ont écouté attentivement. John les rejoint et dépose sur ses genoux l'enfant.

L'audience est excellente. Joseph est ravi et félicite Jackie au téléphone :

— Vous étiez toutes les deux magnifiques ! Comme je suis fier de vous, Jackie.

En février 1958, Lee présente à sa sœur et à Jack le prince Stanislas Radziwill. Son mariage avec Michael Canfield ne fonctionne plus. Le prince, de son côté, divorce pour la seconde fois. Tous deux ont l'intention de se marier à Merrywood l'année suivante. Le prince Radziwill est issu de la monarchie polonaise. Son originalité, son élégance et son humour plaisent beaucoup à Jackie.

John et Jackie reçoivent chez eux les membres de l'équipe électorale. La plupart sont des experts dans des domaines aussi variés que l'économie, le droit, la géopolitique, la défense, le système bancaire et l'histoire. À deux ans des prochaines primaires, il est impératif de travailler sur le programme de la campagne. John doit sélectionner avec eux une dizaine de points forts qui assoiront le modernisme de ses idées.

Arthur Schlesinger Jr, en tant que spécialiste des présidences d'Andrew Jackson et de Franklin Roosevelt, lui présente les clés essentielles de la réussite électorale de ces deux grands personnages. Il lui démontre l'importance de la participation des ouvriers, des agriculteurs et des Noirs pour le scrutin de 1960.

Jackie avait déjà sensibilisé Jack sur le problème racial aux États-Unis. Elle avait suivi avec intérêt les événements dramatiques de Montgomery en 1955. Rosa Parks, une couturière noire de quarante-deux ans, avait courageusement refusé de céder sa place réservée aux Blancs dans l'un des bus publics de la ville. Son arrestation avait provoqué un séisme au sein de la classe politique. Plus de 50 000 Noirs, soutenus par le pasteur Martin Luther King, avaient organisé le boycott des bus de Montgomery. Pendant 382 jours, les Noirs résistèrent à la violence des hommes politiques locaux, du gouverneur et des forces de police. La situation provoqua une vive émotion dans le monde entier. La Cour suprême condamna toute forme de ségrégation dans les transports publics. Un an plus tôt, la Cour suprême avait décrété contraire à la Constitution la ségrégation raciale dans les écoles. La première victoire des Noirs dans le domaine des droits civiques émut Jackie.

De son côté, Joseph recherche un professionnel qui saura valoriser le côté glamour des Kennedy. Les premiers résultats sont un échec.

En 1952, Jacques Lowe reçoit le prix décerné par *Life Magazine* pour son second reportage sur les minorités raciales. Ses photographies sont publiées dans le magazine *Jubilee* et confortent sa notoriété. En 1956, il assiste pour le compte de plusieurs journaux aux audiences publiques de la commission John McClellan et fait la connaissance de Bobby et de Pierre Salinger. Ils deviennent rapidement des amis. Au cours d'un week-end à Hickory Hill, Bobby propose à Jacques Lowe de photographier sa famille :

— J'offrirai ces photos à papa pour son soixante-dixième anniversaire.

Armé de son 35 mm, Lowe impressionne une vingtaine de pellicules. Ses tirages témoignent d'un charivari incroyable entre les enfants, les poneys, les chiens, les chats, les ânes et les tortues ! Bobby et Ethel se roulent volontiers dans l'herbe avec eux. Les batailles d'eau sont spectaculaires et les repas titanesques.

Trois mois plus tard, le 6 septembre 1958, vers minuit, Jacques Lowe répond à la sonnerie de son téléphone.

— Joseph Kennedy à l'appareil...

— Oui, et moi, je suis le Père Noël.

Le jeune New-Yorkais est persuadé qu'il s'agit d'une farce. Joseph Kennedy est l'un des dix personnages les plus influents aux États-Unis.

— Je suis Joseph Kennedy. Je voulais juste vous dire que vos photographies sont magnifiques. Bobby me les a offertes ce matin.

— Merci, monsieur Kennedy. Je suis désolé, je pensais que...

— Aucune importance... Pourriez-vous faire une chose pour moi ?

— Oui, certainement.

— Pourriez-vous venir le week-end prochain à la maison ? Nous serons à Hyannis Port. Mon autre fils, John, sera présent avec sa femme Jackie, j'aimerais que vous les photographiiez.

À quelques semaines de la fin de sa seconde campagne sénatoriale, John n'est pas d'excellente humeur. Lorsque

Jacques Lowe gare sa voiture le long de la palissade blanche, Jack rentre d'une partie de golf et son mal de dos lui a fait manquer un par sur le 18e trou. Jackie s'avance vers lui pour lui expliquer la présence de Lowe.

— Bon sang! Papa a encore fait venir un de ces foutus photographes! J'en ai plus qu'assez de tout ce cirque! Qu'on me fiche la paix, je monte dans ma chambre pour me reposer.

Jackie n'a rien pu ajouter et a simplement souri au jeune photographe. John est passé par la cuisine pour prendre une glace à la pistache et aux pépites de chocolat.

— Ne vous inquiétez pas, monsieur Lowe, son père va lui parler.

Quelques minutes plus tard, Caroline s'avance vers John en tenant fièrement son album de photos des Kennedy : *I Can Fly*. John la soulève et l'embrasse tendrement. Jackie, accompagnée de Lowe, entre dans la cuisine pour lui servir une bière.

— OK, faisons ces photos. Je serai prêt dans une demi-heure. Profitez-en pour faire connaissance avec ma famille. Je crois comprendre que vous connaissez mon père.

— Non, pas vraiment.

— Eh bien, je crois que lui vous connaît pour vous faire descendre ici. Je reviens.

Avant midi, John sort de sa salle de bains et descend. Il porte un costume rayé bleu marine et une cravate sombre à pois blancs. Joseph sourit et emmène Caroline sous la véranda pour les laisser travailler.

Jackie a revêtu une robe somptueuse et porte autour du cou un simple collier. Tandis que Lowe appuie sur son 35 mm, Caroline s'amuse avec les perles blanches. John éclate de rire.

Lowe photographie également Joseph avec sa petite-fille. À soixante-dix ans, l'ex-ambassadeur dégage une aura et une force incroyables. Il la cajole, l'embrasse… Caroline est aux anges. Elle tente de lui arracher ses lunettes sous les rires de ses parents.

Quatre jours plus tard, Jacques Lowe envoie les tirages à Hyannis Port. Pendant plusieurs semaines, il n'a aucune nouvelle. Un dimanche après-midi, la sonnerie du téléphone retentit dans son appartement de Tribecca.

— Jacques?

— Oui?

— C'est John Kennedy, je voudrais que vous passiez nous voir. Nous sommes à New York avec Jackie, et j'aimerais vous parler de vos photographies.

— Entendu.

Il les retrouve dans leur suite à l'hôtel Marguery, au 270 Park Avenue. C'est John qui ouvre la porte. Il est simplement vêtu d'une serviette de bain.

— Comment allez-vous? Entrez, je vous en prie.

Jackie entend la porte se refermer et hurle de la salle de bains :

— Jacques est arrivé?

— Oui, Jackie.

— Vos photos sont superbes! Nous avons été si heureux de les recevoir! Nous voudrions en choisir une pour les prochaines cartes de vœux. Cela vous semble possible?

Jacques Lowe comprend que Jackie est nue dans son bain. John se peigne en toute décontraction devant le miroir de leur chambre.

— Oh! bien sûr, il n'y a aucun problème.

— Alors choisissons-en une, mon vieux! fait Jack en souriant.

Jacques Lowe ne quittera plus les Kennedy et sera nommé photographe officiel de la campagne présidentielle.

John est réélu sans difficulté pour un second mandat en tant que sénateur du Massachusetts.

Quelques jours plus tard, Teddy épouse une des plus jolies Américaines du pays : Joan Bennett. Jackie se plaît beaucoup en sa compagnie, elle partage avec elle son goût pour les vêtements, la musique classique et le cheval.

Cette ravissante blonde d'un mètre soixante-quinze a terminé ses études avec succès à l'université Manhattanville, dans l'État de New York. Timide, Joan se réfugie dans l'affection de Jackie. Son époux va rejoindre bientôt ses deux frères pour les primaires et elle va se retrouver seule une nouvelle fois. Durant leurs fiançailles, ils ne se sont quasiment pas vus.

Pour la plus grande joie de Jackie, Joan interprète des morceaux de Chopin, de Schubert et de Brahms. Elles se baladent à New York pour des journées entières de shopping et des déjeuners interminables au Club 21.

Teddy et Joan achètent une jolie maison près de la résidence de Jack et Jackie, dans le quartier de Squaw Island. La villa jouit d'une vue imprenable sur l'Atlantique et les kilomètres de plage. Jackie y est régulièrement invitée avec Caroline.

Dans cette longue course vers les présidentielles, rien n'est laissé au hasard. Bobby avait remarqué le manque d'organisation dans certaines villes du Massachusetts pour la première élection sénatoriale :

— Il n'est pas question de recommencer les mêmes erreurs. Ensemble, nous allons bâtir une véritable machine de guerre.

Les visuels des affiches sont choisis : deux visages éclairent la signature KENNEDY POUR PRÉSIDENT : John et Jackie de profil.

Les réunions se déroulent pour la plupart dans les deux résidences familiales des Kennedy : à Palm Beach et à Hyannis Port, mais également au 3 307 N Street. Jackie est généralement présente. Elle écoute avec attention les remarques des conseillers et donne à John, à la fin des débats, ses propres avis sur telle ou telle question. John reste ouvert à ses conseils pertinents tout en savourant un verre de bloody mary.

Profitant de ses vacances parlementaires, le sénateur parcourt en compagnie de Ted Sorensen le Wisconsin, l'Oklahoma, l'Oregon, l'Illinois, la Louisiane, l'Ohio, le Kansas et le Texas. Ils voyagent exclusivement en avion pour gagner du temps. Les allocutions de John ont lieu dans les endroits les plus divers : des cantines, des salles de cinéma, des universités, des hôpitaux, des mairies, des chambres de commerce, des aérogares, des foires-expositions, des théâtres, des loges maçonniques, des salles de billard et… sur certaines plages, à l'occasion d'une baignade ! John signe même avec son propre sang, comme le veut la tradition, le registre des visites d'un groupement civique. La presse locale et nationale suit fidèlement son parcours.

Ses premiers déplacements lui permettent de reconsidérer les problèmes intérieurs de son pays. Le bilan des deux présidences républicaines est assez catastrophique. L'écart entre les différentes classes sociales se creuse, les budgets de l'éducation et de la santé ont souffert des dépenses militaires, le système des retraites et l'aide aux personnes âgées sont insuffisants, la montée du Ku Klux Klan est inquiétante...

En attendant son retour, Jackie veille, à Georgetown, sur les premiers pas de Caroline.

— Jackie, j'aimerais pouvoir compter sur toi demain.

— Entendu, mais je ne passerai pas la nuit dans ce motel minable. Caroline a besoin de moi.

— Maud Shaw s'en occupe très bien.

— Une mère doit être aux côtés de son enfant. Je reviendrai demain.

— Entendu, j'appelle Pierre Salinger pour le prévenir.

Les apparitions de Jackie sont toujours très appréciées par la foule. Elle ouvre certains débats en espagnol, en français ou en italien pour impressionner les groupes ethniques de certains États. Ce qui amuse beaucoup John et ses conseillers.

Jackie et John fêtent leur cinquième anniversaire de mariage parmi les ouvriers d'Omaha, dans le Nebraska. Les futures électrices sont ravies de découvrir l'élégance et la décontraction de Jackie. Son expérience en matière de relations publiques est impressionnante. Elle n'est plus la jeune fille timide de 1952, mais une jeune mère américaine décidée à contribuer au bien-être de ses concitoyens et à la carrière prometteuse de son époux. Le couple fait la une des journaux locaux chaque semaine.

Ils dorment dans des hôtels et motels. John garde l'habitude de prendre des bains chauds pour soulager son dos et profite de ces moments pour terminer les journaux qu'il a commencé à lire le matin. Jackie, en règle générale, dîne seule dans sa chambre pour se reposer. Elle téléphone plusieurs fois par jour à Maud Shaw pour lui demander des nouvelles de Caroline.

En janvier 1959, Fidel Castro prend possession de Cuba. Manuel Urrutia, proaméricain, est choisi par le révolutionnaire pour présider aux affaires cubaines afin de rassurer le bureau ovale sur ses intentions. Eisenhower, au cours d'une déclaration au Congrès, légitime la présidence d'Urrutia. La stratégie du dictateur a payé : les engagements internationaux entre l'île et les États-Unis ne sont pas rompus.

En septembre 1958, la visite officielle de Nikita Khrouchtchev sur le sol américain avait prouvé que le gouvernement républicain entendait établir de meilleures relations avec l'Union soviétique. Eisenhower avait accepté une rencontre au sommet pour parlementer sur l'avenir de Berlin.

Le parti démocrate lance ses premières offensives à l'égard de la Maison Blanche, critiquant sa politique étrangère. En août 1958, John avait déploré le retard américain dans le domaine des missiles. Il avait cependant accepté de rencontrer Khrouchtchev pour un entretien de courtoisie.

Jackie a organisé sa vie en fonction des habitudes et des nombreux rendez-vous de John.

— Je fais en sorte qu'il ne manque de rien à la maison.

Jackie décore les pièces de leur maison dans un style XVIIIe qui lui rappelle les grands salons parisiens qu'elle fréquentait pendant ses études dans la capitale française. Elle parvient à trouver des objets uniques : une lampe bouillotte Louis XVI, un guéridon XVIIIe en bois fruitier, un vase en porcelaine dorée de l'époque romantique, des dessins signés Bernard Buffet, représentant par exemple une tête de hibou – son oiseau fétiche.

Le montant des aménagements est colossal. Ces factures sont adressées pour paiement directement au bureau 362 du Sénat. En dehors des frais d'achats de meubles, de tapisseries, de lampes, de tableaux de maîtres, de rideaux, de vaisselle, Jackie envoie également les factures de ses couturiers... Sur une seule année, elle est capable de dépenser plus de 15 000 dollars !

— Jackie va vider mes comptes en banque !

Evelyn Lincoln assiste plus d'une fois aux colères de John, mais les règlements finissent toujours par parvenir aux fournisseurs dans la semaine. John ne veut surtout pas envenimer leur relation.

107

Pour se faire pardonner une récente facture de linge de maison, Jackie offre au sénateur un coupé Jaguar. Elle sait que John adore cette voiture.

— Jackie, c'est un cadeau fantastique, mais je ne peux pas l'accepter. Si la presse me photographie dans cette voiture, mon père me tuera et ma carrière politique sera finie.

Bobby élabore la stratégie de communication de John avec Pierre Salinger. Ce dernier a refusé en mai le poste de directeur des relations publiques du Conseil consultatif démocrate, proposé par un de ses plus proches amis : Paul Butler. Salinger ne pouvait accepter cette requête, dans la mesure où il aurait eu à défendre l'ensemble des candidats démocrates pour les présidentielles.

— Je vous remercie, mais j'ai choisi mon propre candidat, le sénateur John Fitzgerald Kennedy, et je veux l'aider à remporter ces élections !

Les rapports entre les deux hommes sont désormais très amicaux. Pierre est régulièrement invité en week-end à Hickory Hill. Sous l'ombre des noyers blancs, il se transforme en cuisinier pour d'excellents barbecues autour de la piscine. Pierre adore s'amuser avec les enfants. Son cigare cubain est devenu l'un des symboles de l'équipe Kennedy.

Bobby apporte de la rigueur à son travail. Car ses dossiers traînent partout et il dort un peu n'importe où. Bobby lui apprend à mieux gérer ses émotions et apporte une réflexion objective à ses recherches.

Dix étudiantes, réparties dans les cinquante États du pays, prêtent main-forte à la machine électorale des deux frères. Chacune d'elles est responsable d'un fichier comportant une liste précise des délégués qui joueront un rôle en 1960. Elles y notent soigneusement leur nom, leur âge, leur parcours politique, leur hobby, un portrait de leur épouse et de leurs enfants... John n'a plus qu'à apprendre les fiches par cœur avant de rencontrer ces hommes. Ce système de renseignements permet aux Kennedy d'être accueillis chez eux dans chaque État et de sensibiliser les délégués à leur cause. Les premiers résultats sont époustouflants ; les politiques locaux trouvent John particulièrement ouvert et sympathique.

Les trois arguments de la campagne sont : le pouvoir militaire des États-Unis s'effondre derrière celui de l'Union soviétique ; l'économie américaine stagne face à l'Europe et l'Union soviétique ; la modernisation de l'Amérique tarde à venir.

Le slogan des Kennedy résume les mots clés des discours :

« IL FAUT REMETTRE LE PAYS EN MARCHE. »

Le 1er janvier 1960, Jackie accompagne nerveusement son mari au Sénat. Elle prend conscience que leur existence – quoi qu'il puisse arriver en novembre prochain – sera irrémédiablement changée. Leur intimité sera bouleversée par les milliers de kilomètres à parcourir, la presse s'emparera des moindres détails de leur quotidien. Aura-t-elle la force de supporter des rumeurs sur l'infidélité de John ? Les rédactions iraient jusqu'à évoquer le déclin de son propre père... La puissance du charisme de John laissera sans nul doute des traces profondes dans la vie politique du pays, et John ne sera plus vraiment à elle. Il appartiendra à ces millions d'Américains et Américaines qui auront cru en lui.

Mais Jackie ne veut pas être un obstacle au but qu'il s'est fixé depuis si longtemps. John est convaincu que la jeune génération, lasse des guerres et des injustices sociales, a le droit d'aspirer à une nouvelle Amérique.

— Le programme que je vous propose n'est pas fait de promesses mais d'exigences. Il ne comprend pas seulement ce que j'ai à offrir au peuple américain, mais aussi ce que je me propose de lui demander. Il ne s'adresse pas à son portefeuille mais à sa fierté nationale ! Il ne lui promet pas plus de sécurité mais réclame de lui des sacrifices plus grands.

Ses apparitions publiques provoquent l'hystérie chez de jeunes Américains. John incarne leurs rêves. Suscitant la jalousie des cercles conservateurs du pays, il a su garder un enthousiasme intact.

À trente et un ans, Jackie est de plus en plus amoureuse. John a mûri et sa vision politique est une vraie opportunité pour les États-Unis. Jack a la rage de vaincre, et sa devise est devenue celle de Jackie : « Être toujours et partout le premier, car c'est être vaincu que de demeurer au second rang ! »

Ted Sorensen a rédigé la circulaire qui sera distribuée cette après-midi aux centaines de milliers de fonctionnaires de la capitale. John y annonce son intention de présenter officiellement sa candidature à la fonction de président des États-Unis. Le grand jour est arrivé ! À quarante-deux ans, Jack est radieux ; ses injections de novocaïne lui permettent de tenir bon. Il arrive d'un pas décidé devant les journalistes de la presse politique :

— J'annonce aujourd'hui ma candidature à la présidence des États-Unis. Au cours des quarante mois passés, j'ai visité tous les États de l'Union et j'ai parlé à des démocrates de tous les milieux. Ma candidature est par conséquent fondée sur la conviction que je puis être investi et élu.

La presse reste prudente sur l'éventualité d'une victoire de John aux prochaines primaires – étape déterminante pour l'investiture présidentielle des deux partis. Le Texan Lyndon Johnson est en tête des sondages depuis l'année dernière, grâce à l'appui des principaux leaders démocrates de la Chambre des représentants et du Sénat. Johnson décide alors de laisser de côté les primaires pour se concentrer sur les affaires sénatoriales ; il sera toujours temps d'intervenir le moment venu. Pour John, son attitude est suicidaire :

— Johnson pense qu'il gagnera en restant à Washington ? Eh bien, nous allons voir ça ! Les primaires sont l'occasion offerte au simple électeur de s'exprimer selon son cœur, de mettre son propre bulletin de vote dans l'urne, quelles que soient les consignes données par un porte-parole.

Bobby propose à John de travailler sur le terrain et d'ignorer les attaques de Johnson, les sous-entendus de Stevenson et les sournoiseries d'Hubert Humphrey.

— Nous n'avons pas un jour à perdre ! Il est temps de tous se mettre au travail.

John et Jackie s'envolent pour leur première étape : le New Hampshire. La cote de John ne cesse d'y grimper ; les résultats dans cet État sont très encourageants. L'opposition est quasiment absente. John remporte 85 % des suffrages. Richard Nixon, qui s'est lancé dans la course présidentielle, remporte également haut la main les suffrages de l'État.

Le couple s'envole ensuite vers le Wisconsin, le fief d'Hubert Humphrey. Le temps est épouvantable, les tempêtes de neige gênent la progression des allocutions. John est présent aux entrées des usines, dans les rues commerçantes... Jackie n'est pas très à l'aise et s'exhibe dans des tenues trop sophistiquées. Elle ne supporte pas l'odeur de graisse et de cigare de ces grandes salles, ni ces orchestres minables jouant atrocement les hymnes nationaux, ni ces grosses femmes qui lui écrasent les mains en souriant bêtement. Rester debout plusieurs heures durant sur une scène lui est insupportable. La plupart des femmes n'apprécient pas son élégance et la trouvent hautaine. Jackie menace John de quitter cette campagne si elle n'a plus le droit de gérer sa vie comme elle l'entend. Les conseillers de John sont agacés par ces comportements lunatiques :

— Elle peut vous faire un grand sourire le matin et ne plus vous adresser la parole l'après-midi.

John commence à se demander si la présence de Jackie à ses côtés est une bonne idée. Jackie, décidée à ne pas subir ces attaques verbales et le blizzard, reste enfermée à l'hôtel pour lire des magazines de mode. Spalding est régulièrement envoyé par son mari pour la faire descendre.

— Dois-je vraiment y aller, Chuck ?

— Je pense que oui, Jack a besoin de vous.

Dave Powers est chargé de réveiller le couple chaque matin et sa tâche devient de plus en plus délicate. John ne se couche en général pas avant 2 heures du matin et le réveil est prévu vers 5 heures pour participer aux petits déjeuners avec la presse et les représentants politiques locaux. Jackie a horreur de ces démonstrations où Jack appelle tout le monde par son prénom et demande des nouvelles à un père de famille qu'il n'a jamais vu.

— Comment peut-il être aussi hypocrite ?

Hubert Humphrey est en tête dans les premiers sondages du Wisconsin, ce qui met John hors de lui :

— Bon sang ! Que fait ce salopard que nous ne faisons pas ? Nous leur avons présenté notre programme sur l'environnement et sur une nouvelle fiscalité pour les coopératives !

La population du Wisconsin, protestante, est essentiellement issue d'immigrés scandinaves et allemands. Elle soutient depuis longtemps la candidature d'Humphrey. Pourtant les sondages de l'Institut Louis Harris – commandés par Joseph Kennedy – sont formels : John sortira vainqueur. Le clan met les bouchées doubles : Ted et Bobby sont envoyés dans le Wisconsin pour partager avec John la liste des allocutions.

— Nous allons finir par nous faire élire à sa place !

À quarante-neuf ans, Hubert Humphrey est l'une des personnalités les plus redoutables du parti démocrate. Les principaux arguments de son programme ressemblent à s'y méprendre à ceux de John. Son épouse, moins charmante que Jackie, apparaît plus accessible pour la majorité des électeurs. Elle est parfaitement à l'aise dans le milieu ouvrier et ne vient jamais aux goûters organisés par son mari en gants et souliers vernis. Jour après jour, Humphrey gagne la confiance des fermiers et des principaux dirigeants syndicaux. Il ironise sur la campagne de son adversaire en lançant à son public :

— Je suis un épicier face à une grande surface ! Bobby Kennedy a déclaré que, s'il leur fallait dépenser un demi-million de dollars pour gagner ici, ils le feraient sans hésiter ! Kennedy est un enfant gâté !

Il nourrit les rumeurs courant sur la fortune illicite du patriarche et sur les méthodes douteuses du clan pour parvenir à ses fins :

— Les Kennedy sont prêts à tout pour prendre le pouvoir aux États-Unis. Allons-nous laisser ce gosse de riche devenir le Président ? Allons-nous laisser un catholique aux commandes de notre nation ? Répondra-t-il aux souhaits de ses électeurs ou à ceux de son Église ? Méfions-nous de leurs campagnes bien huilées, elles sont achetées et payées ! Kennedy est le candidat rêvé des gros bonnets politiques et financiers. Il soutient les millionnaires du pétrole.

Au cours d'une de ses dernières allocutions, John électrise les foules et ses propos sont repris dans la presse locale :

« J'aimerais savoir si nous sommes capables de faire régner la paix et la liberté dans le monde au lieu d'une course aux armements fantastiquement dangereuse et coûteuse. Si nous sommes capables de stimuler le développement économique de la nation pour apporter une plus grande sécurité à tous les Américains, indépendamment de leur race, de leur croyance ou de leur origine nationale. Si nos surplus alimentaires peuvent nous aider à édifier une paix plus durable à l'étranger et à nourrir ceux qui ont faim chez nous au lieu de s'abîmer dans les entrepôts ! Si les enfants de cet État et de cette nation peuvent bénéficier de moyens scolaires sérieux, décents et adéquats ! »

Le 5 avril, John remporte six des dix districts du Wisconsin. Aucun candidat démocrate n'y a jamais reçu autant de voix. Les femmes ont joué un grand rôle dans cette victoire, elles n'ont jamais trouvé un candidat politique « aussi excitant sexuellement » ! Son allure, son comportement, son éducation, sa beauté et son humour ont eu raison du cynisme et de la mine patibulaire d'Humphrey. Kennedy attire les femmes.

Jackie ne supporte plus ces groupies hystériques qui passent la nuit à camper en bas de leurs hôtels :

— John a autant de fans qu'un chanteur de cabaret ! Il va finir par rendre jaloux Frank Sinatra.

Sinatra soutient sa candidature et organise avec le clan des soirées de gala pour récolter des fonds. Avec Dean Martin, Joey Bishop, Sammy Davis Jr, il produit des shows par dizaines au Sand's. Jack est souvent présent dans la salle, aux côtés de Bobby et de jolies hôtesses. Sinatra, dont les relations avec le crime organisé sont connues par les services du FBI, admire le charisme de Jack. Ils savent tous deux séduire les femmes et... les médias. Sinatra transforme un de ses succès afin qu'il devienne le slogan musical de la campagne : « That Old Jack Magic. »

Jack cassera la baraque
Plein d'espoir.
Il est l'homme de tous les espoirs.
Allez voter pour Kennedy,

Et nous serons tous au sommet !
Jack c'est toi que l'on veut !
Car tu es plein d'espoir.
1960, l'année de tous les espoirs !
Rendons l'Amérique plus forte.
Kennedy – K E N N E D Y !
Nos cœurs t'ouvrent leur porte
Car tu es plein d'espoir !

La chanson est diffusée par les haut-parleurs des voitures du cortège tandis que le véhicule de Humphrey entonne : « Give Me that Old Time Religion ! »

En février, au cours d'une soirée arrosée, Sinatra avait présenté à John une jolie brune du nom de Judith Campbell. Ils avaient passé la nuit ensemble. Quelques semaines plus tard, Sinatra la présentait au chef de la mafia de l'Illinois, Sam Giancana, dont elle devient également la maîtresse. Les agents du FBI suivent ces aventures sexuelles de près, mais n'en disent mot aux républicains. Hoover garde ce dossier au chaud :

— Nous verrons bien si ce Kennedy arrive à la Maison Blanche, on pourra toujours lui balancer ça à la figure !

Jackie enrage lorsque John s'envole pour un week-end avec Sinatra. Le chanteur invite régulièrement le beau-frère de John, Peter Lawford, pour s'informer des résultats de la campagne. Il sensibilise toutes ses relations, y compris les plus douteuses, pour soutenir sa candidature :

— Nixon ne gagnera pas ces élections, Peter, je te le promets. Quoi qu'en disent ces cons de journalistes ! J'aimerais bien voir leur tête le jour où j'entrerai à la Maison Blanche pour boire un verre avec Jack ! Pour rien au monde, je ne voudrais rater cela. Jack a la classe et il mérite de gagner ce fauteuil. Je veille sur lui, Peter, fais-le-lui comprendre.

— Bobby te reproche de travailler avec un scénariste communiste.

— Ce mec travaille pour moi depuis des mois, il est payé pour faire ce boulot et il ira jusqu'au bout !

— Joseph veut te voir à ce propos. Il m'a demandé de te fixer un rendez-vous.

— Qu'est-ce qui me vaut soudainement l'intérêt du vieux ?

— C'est justement à propos de ton scénariste.

Quelques semaines plus tard, Sinatra annonce à la presse qu'il a licencié son scénariste pour des raisons personnelles. Dean Martin ironise dans la presse le lendemain :

— Je suis toujours copain avec Frankie pour trois raisons, nous ne parlons que de femmes, de golf et de... femmes.

La prochaine étape est la Virginie-Occidentale. Les attaques d'Hubert Humphrey sont encore plus virulentes, il s'en prend maintenant à la religion de John. Dans cet État, plus de 95 % de la population est protestante. Les pasteurs soutiennent Humphrey dans les petites villes et prêchent sa bonne parole. Humphrey avait promis de se retirer s'il perdait dans le Wisconsin, mais il revient plus agressif que jamais.

John enrage et déclare au cours d'une de ses allocutions :

— Lorsque je me suis engagé dans la Navy, m'a-t-on demandé si j'étais catholique ? Quand mon frère Joe Jr est monté dans son bombardier qui l'a conduit à la mort, le lui a-t-on demandé ? Lui a-t-on demandé s'il était catholique ? Je suis un Américain avant d'être un catholique !

Bobby fait savoir à son frère qu'une association en Suisse est en train de récolter des fonds pour empêcher sa candidature. Elle est composée de personnalités protestantes et dirigée par le célèbre évangéliste Billy Graham.

John est profondément touché par la misère régnant sur une bonne partie de la Virginie. Des familles se nourrissent avec un seul repas composé de bouillie de maïs, des enfants au ventre gonflé s'amusent avec des couvercles de poubelles où pullulent des rats, leurs vêtements en lambeaux sont crasseux et une odeur pestilentielle couvre les rues chargées de détritus et de cadavres de chiens errants.

— Une partie de ce pays crève de faim et nous ne le savons même pas ! Que feront les républicains si nous ne gagnons pas ces élections ?

Un mineur demande à Bobby :

— Est-ce vrai que votre père est l'un des hommes les plus riches de notre pays ?

— Oui.

— Est-ce vrai que vous n'avez jamais manqué de rien ?

— Oui.

— Est-ce vrai que vous n'avez jamais eu à travailler avec vos mains pour manger ?

— Oui.

— Eh bien, monsieur Kennedy, je peux vous assurer que vous n'avez rien raté !

Les deux hommes se serrent la main.

— Je m'appelle John F. Kennedy, je suis candidat à la présidence des États-Unis. Je vous présente ma femme, Jackie, nous avons une adorable petite fille qui se nomme Caroline. Nous avons besoin de votre soutien.

Jackie a fini par prendre goût à ces tournées électorales et par admirer le courage de son époux. John s'arrête deux ou trois fois par jour pendant vingt minutes pour retirer son corset et prendre des bains chauds. Son dos le fait atrocement souffrir et pourtant, lors de ses discours, personne ne se doute de quoi que ce soit.

— John range sa vie dans des tiroirs, que ce soit sa vie privée ou sa vie publique. Ces tiroirs contiennent quantité de gens qui ne se rencontrent jamais, il est capable de dissimuler ses sentiments à un point inimaginable.

Au cours d'une conférence de presse, John est incapable de répondre aux questions des journalistes. Il a une extinction de voix. Pierre Salinger doit lire ses réponses sur un bout de papier ! Une autre fois, c'est au tour de Bobby ; Jack murmure au micro :

— Faites attention avec Bobby, il n'a pas l'âge constitutionnel pour briguer la présidence !

Un débat télévisé est proposé aux deux candidats. Kennedy et Humphrey acceptent. Le lendemain de l'émission, la presse nationale salue la détermination de John et sa clairvoyance dans le développement économique de la Virginie. Il remporte les primaires avec 61 % des suffrages. Humphrey, au côté de sa femme Muriel, annonce qu'il se retire de la course présidentielle. En sortant de sa conférence de presse, le malheureux candidat avoue à sa femme :

116

— Sous les belles apparences de leur campagne, il y a un élément de brutalité et de dureté qu'il m'est difficile d'accepter ou d'oublier !

Les cinquante principaux journalistes redoutés par le cercle politique de Washington sympathisent de jour en jour avec les Kennedy. Il leur arrive même de chanter des chansons ironiques sur Nixon durant des voyages en avion. Eisenhower, apprenant l'information au cours d'une de ses innombrables parties de golf, maudit ces Irlandais sans scrupules :

— Nixon aura du fil à retordre avec ces gars-là. Ils vont lui marcher dessus sans sourciller.

Afin de lui éviter les aléas et l'inconfort de certaines compagnies aériennes, Joseph offre à son fils un Convair. Jackie propose de le baptiser du nom de leur fille.

— C'est une excellente idée, le *Caroline* nous portera chance !

Le bimoteur à turbopropulseur possède un bureau, une cuisine, une salle de bains, une chambre à coucher, de larges fauteuils en cuir pour ses soixante-dix passagers et un matériel de navigation sophistiqué. Une hôtesse, Janet des Rosiers, s'occupe du service de restauration et de l'abonnement aux magazines, pour le bonheur de Jackie.

Durant les vols, John s'entretient avec ses conseillers tandis que Pierre Salinger, le cigare aux lèvres, joue au poker avec les journalistes.

— Pierre, si vous continuez à prendre les dollars de nos invités, ils finiront par ne plus écrire une seule ligne sur nous !

Bobby participe peu à ces distractions, il est en général dans la cabine de pilotage du commandant Howard Baer pour passer des appels téléphoniques.

Dès l'atterrissage, Jackie observe du hublot de sa cabine la foule qui s'impatiente sur le tarmac.

— Jack, viens voir, ils sont si nombreux !

L'excitation des primaires a fini par avoir raison de sa timidité. Jackie prend un malin plaisir à jouer avec le photographe Jacques Lowe ou à plaisanter avec Kenny O'Donnel.

— Alors, Kenny, ce sera vous, notre prochain vice-président ?

— Ça dépend si j'arrive à bien porter la cravate ! Jack m'a dit que j'étais déjà un piètre arrière au football à Harvard et qu'il me voyait très mal face à Khrouchtchev. Moi, je dis que j'arriverai à lui botter les fesses !

Après l'abandon d'Hubert Humphrey, le leader de la majorité au Sénat, Lyndon Johnson attaque directement John lors de ses discours dans le Dakota-du-Nord, le Montana, l'Iowa et le Colorado. Au Capitole, il évoque ses problèmes de santé et la position de son père durant la Seconde Guerre mondiale :

« Je n'ai jamais été un pronazi !... Allez-vous faire élire un malade à la Maison Blanche ? »

Malgré cela, John gagne facilement le Nebraska, l'Indiana, l'Illinois et la Pennsylvanie. Il multiplie ses allocutions au cours de la dernière étape des primaires : l'Oregon. Pendant les cocktails, Jackie s'entretient en toute décontraction avec les dockers et leurs épouses. Steve Smith, beau-frère de John, est subjugué par sa transformation. À Pendleton, elle s'amuse avec ses voisines de table, qui ne sont ni des journalistes ni des personnalités locales, mais de simples ménagères. Elle a toujours un mot agréable pour ouvrir la discussion. John est admiratif de ce changement radical.

— Jackie a maintenant tout d'une Première Dame !

Elle ne s'enferme plus dans sa chambre et participe aux débats menés tard dans la nuit auprès de Sorensen, Salinger, Teddy et Bobby. Sa présence les empêche d'être parfois grossiers.

— Les hommes ne changeront jamais, de toute façon !

À la télévision, le 2 juillet, quelques jours avant la Convention nationale des démocrates, Harry Truman sort de son silence pour soutenir officiellement le sénateur du Missouri William Stuart Symington. Il en profite pour reprocher à John sa religion, son âge et son lieu de naissance :

— Sénateur Kennedy, êtes-vous certain d'être tout à fait prêt pour le pays ou que le pays soit prêt à vous avoir comme Président ? Nous avons besoin d'un grand homme ayant une grande maturité et une expérience confirmée. Puis-je vous exhorter à la patience, monsieur le sénateur ?

Après ce coup de théâtre, Symington est propulsé dans les sondages et réduit l'avance de John.

Le 4 juillet, à l'hôtel Roosevelt de New York, John déclare aux journalistes et à la télévision :

— Le critère n'est pas l'âge d'un homme. Si le critère était l'âge et non l'expérience, si par conséquent l'on ne devait pas confier les commandes à un homme de moins de quarante-quatre ans, alors Thomas Jefferson n'aurait jamais rédigé la déclaration d'Indépendance... George Washington n'aurait pas été le commandant suprême de l'armée continentale... James Madison n'aurait pas été le père de la Constitution et l'on aurait sans doute empêché Christophe Colomb de découvrir l'Amérique !... Faites savoir à M. Truman que le sénateur du Missouri est né, lui aussi, dans le Massachusetts !... M. Truman me demande si je suis prêt ? Il y a un siècle, Abraham Lincoln, qui n'était pas encore président des États-Unis, attaqué par les vétérans de la politique, déclarait : « Je vois venir la tempête et je sais qu'elle est la volonté du Seigneur. S'il a une place pour moi et du travail pour moi, je crois que je suis prêt. » Aujourd'hui, je vous dis que, si cette nation me choisit comme Président, je crois être prêt !

Jackie l'embrasse à la fin de l'allocution :

— Tu as été merveilleux. L'Amérique a besoin d'un grand Président, Jack. Nous croyons tous en toi !

Le 9 juillet, les derniers rapports présentés par son équipe sont excellents. De nombreuses personnalités politiques ont fini par rejoindre son camp. John a demandé également à Stevenson son soutien :

— Je ne peux pas faire cela.

— Vous devriez examiner les derniers votes pour la nomination... Si vous ne m'apportez pas votre soutien, je me passerai de vous. Je ne veux pas en arriver là, mais je n'aurais pas le choix.

Bobby est aux anges. Pourtant la bataille ne fait que commencer. Après l'investiture, John devra se battre contre Richard Nixon. John, au côté de Jackie, déclare à la presse enthousiaste :

— Je crois que je vais gagner cette investiture mais rien n'est terminé, le chemin est encore long pour Washington.

Jackie est arrivée à Los Angeles, accompagnée de sa sœur Lee Radziwill et de leur mère. Caroline est restée à George-town avec Maud Shaw. Enceinte de plusieurs mois, Jackie est épuisée. La Convention nationale démocrate s'ouvrira demain. Elle se souvient de celle de 1956. Elle sait combien il lui sera difficile de tenir debout toute la journée dans cette atmosphère hystérique. Ethel, Pat, Eunice, Jean, Rose sont déjà sur place pour préparer les dernières banderoles avec les centaines de volontaires.

— Comment font-elles pour avoir autant d'énergie ?

Les injections de novocaïne et de cortisone ont gonflé les joues creuses de John, qui ressemble à s'y méprendre à un acteur hollywoodien. Il n'a rien perdu de son charisme, bien au contraire. Les foules sont de plus en plus nombreuses à crier son nom, à vouloir le toucher.

Depuis deux jours, John et Bobby sont à prendre avec des pincettes. La question du choix du candidat à la vice-présidence n'a fait qu'accroître leur irritabilité, plus particulièrement celle de Bobby. Il ne faut surtout pas lui parler de Johnson.

La presse évoque souvent la relation entre John et Sinatra. Le *New York Times* a publié un article important à ce sujet. Sinatra serait le témoin du mariage du chanteur Sammy Davis Jr avec une actrice blanche. Cette union interraciale pourrait porter préjudice à John. Il a besoin des voix des États du Sud, qui sont pour la majorité racistes et conservateurs. Des manifestations violentes contre le crooner noir ont lieu devant le Lotus Club. Des mannequins en toile sont brûlés sous les fenêtres de l'hôtel.

— Sale Noir, hors d'ici !

Peter Lawford sensibilise Sinatra à ce problème. Après quelques jours de négociation, Sammy Davis Jr annonce à la presse qu'il reporte la cérémonie après les élections.

John reçoit l'investiture du parti démocrate le 13 juillet. Il monte à la tribune sous les yeux de sa famille, excepté Joseph qui n'a pu s'y rendre. Il est resté dans son luxueux appartement de New York et assiste en direct à la télévision, en compagnie du président-directeur général de *Time* et de *Life*, à la victoire de son fils.

— Laissez-moi vous dire que j'accepte la nomination de notre parti. Nous continuerons le combat jusqu'à l'automne et nous gagnerons ! Nous nous trouvons aujourd'hui au bord d'une nouvelle frontière, la frontière des années 60, une frontière de possibilités et de périls inconnus, une frontière d'espoirs et de menaces.

La foule scande son nom dans l'immense salle du Memorial Sport Arena. Des milliers de banderoles proclament :

LE RETOUR DE JACK !
LES VÉTÉRANS POUR KENNEDY !
KENNEDY PRÉSIDENT !

John l'a emporté facilement avec 806 voix de délégués contre 409 pour Johnson et 86 pour William Stuart Symington. Les sœurs de Jack ne peuvent plus dissimuler leur émotion, elles pleurent de joie. Ethel, debout sur son siège, hurle : « Vive Kennedy ! » Plus de 45 000 personnes célèbrent l'événement dans une cohue indescriptible. Des ballons bleus, blancs, rouges les survolent. Eleanor Roosevelt, présente dans les tribunes, est émerveillée par cette foule en délire. Malgré son âge, elle se lève pour applaudir énergiquement la réussite de cette journée.

Jackie est assise au côté de sa belle-mère. John ne lui appartient plus. L'Amérique vient d'embrasser son visage. Émue, elle regagne le salon des personnalités, derrière les larges rideaux bleu marine, pour recevoir la presse internationale. Elle est épuisée et fait savoir à John qu'elle veut regagner au plus vite leur hôtel.

— Ted va te raccompagner, je te rejoindrai tout à l'heure.

Bobby et John ont une discussion animée dans la suite n° 8315 de l'hôtel Baltimore. John a décidé de choisir Johnson pour rallier les voix du Sud :

— Il est le chef de la majorité au Sénat, Bobby. Nous aurons besoin de lui pour gagner ces fichues élections.

— Ce serait une véritable trahison pour la plupart de nos supporters. Avons-nous déjà oublié ce que ce type a raconté sur nous et sur papa ?

— Johnson sera humilié si nous ne faisons rien. Proposons-lui et il refusera de toute manière.

— Et, s'il disait oui, que ferions-nous, Jack?

— Nous aviserons.

— Mais il sera trop tard, nous serons tous coincés!

— Écoute, Bobby, je sais les différends qui vous opposent tous les deux mais, en politique, il faut savoir composer pour limiter la casse... Après tout, ce sera moi le Président. L'histoire nous a montré que le vice-Président n'a aucun rôle dans un gouvernement. Mieux vaut l'avoir à nos côtés que contre nous après l'élection. Il faudra garder les mains libres au Sénat pour appliquer notre programme, Bobby.

Au milieu de la nuit, John réveille le Texan pour une entrevue au plus vite. Il accepte la proposition au grand désarroi des deux frères.

Le 15 juillet, John et Lyndon Johnson apparaissent souriants en haut de la tribune officielle du Coliseum. Plus de 100 000 supporters, délégués et journalistes scandent leurs noms : « Kennedy, Johnson! Kennedy, Johnson! »

Sous leurs applaudissements, John déclare :

— La Nouvelle Frontière résume, non point ce que je me propose d'offrir au peuple américain, mais ce que je propose de lui demander. Elle fait appel à sa fierté, pas à son porte-monnaie! Elle est promesse de plus de sacrifices, non de plus de confort. Mais je vous dis que la Nouvelle Frontière est là, que nous la cherchions ou non. Provinces vierges de la science et de l'espace, problèmes non résolus de la paix et de la guerre, îlots non réduits d'ignorance et de préjugés, questions sans réponse touchant à la pauvreté et à la surabondance. Le peuple américain est à un tournant de son histoire, il a le choix non simplement entre deux hommes ou deux partis, mais entre l'intérêt public et le déclin national, entre l'air pur du progrès et l'atmosphère renfermée et étouffante de la norme. L'humanité tout entière attend notre décision. Le monde entier nous observe pour voir ce que nous allons faire. Nous ne pouvons pas décevoir sa confiance. Nous ne pouvons pas renoncer à essayer... Donnez-moi votre aide, votre main, votre voix et votre vote.

Jackie est repartie tôt ce matin à bord du *Caroline* pour Hyannis Port, en compagnie d'Abraham Chayes, professeur de droit à Harvard, et de Walt Rostow, éminent économiste de l'Institut du Massachusetts.

Peter Lawford et Frank Sinatra organisent une soirée pour fêter la victoire. John y retrouve son idole et l'une de ses anciennes aventures : Marilyn Monroe. La soirée se termine aux aurores.

Dans la matinée du 16 juillet, les Kennedy retournent vers Hyannis Port à bord d'un second appareil baptisé le *Special Kennedy*. Bobby et John n'ont pas dormi, ils savourent l'effervescence des derniers jours. John est en pleine forme et plaisante avec les membres de l'équipage et les enfants de Bobby. Il dévore un de ses plats favoris : une épaisse soupe de palourdes, suivie d'une glace au chocolat.

À l'atterrissage à Boston, des milliers de supporters attendent sur le tarmac pour le féliciter. Des pom-pom girls l'accueillent sur l'hymne du Massachusetts. John et Bobby sont très émus et descendent la passerelle pour serrer des centaines de mains.

Les Kennedy se retrouvent à Hyannis Port. Jackie est radieuse et ne cesse de plaisanter avec son mari. La chaleur de cet été ouvre les portes de la résidence. Les domestiques, en particulier le valet personnel de John, George Thomas, sont aux petits soins pour le candidat démocrate. John a abandonné son costume et ses cravates pour se promener en polo, bermuda et mocassins. Les premiers jours de vacances ont débuté par de longs entretiens avec Joseph et, depuis le début du week-end, les tournois de tennis ont provoqué les rires moqueurs de Pat et d'Eunice.

Bobby est l'un des rares à ne pas se délasser sur l'immense pelouse de la propriété. Il regarde l'océan, des feuillets posés sur les genoux. Ce sont les dossiers que John devra défendre à la rentrée et la stratégie de communication.

Jackie, Caroline, John et Ted embarquent sur le yacht familial, le *Marlin*, pour échapper aux regards indiscrets de la presse et des curieux qui campent depuis leur arrivée. John s'amuse, sous l'œil attendri de son épouse, à lire les lignes de la main des jeunes femmes présentes à bord. Jackie peut fumer quelques cigarettes sans prendre le risque de se faire photographier. Seul un des membres du personnel navigant est autorisé à filmer leur excursion pour Rose Kennedy. À la fin du déjeuner, Jackie s'essaie au ski nautique sous les applaudissements et les rires de Jack. Du bateau, la radio diffuse la voix de Sinatra qui traverse les cabines luxueuses.

Le rôle de la télévision est devenu essentiel pour ces nouvelles élections présidentielles. Neuf foyers sur dix possèdent un téléviseur dans le pays.

Le 28 juillet dernier, à Chicago, Richard Nixon, quarante-sept ans, a obtenu l'investiture du parti républicain. La lutte entre les deux hommes promet d'être sans merci.

La loi qui permettait l'égalité du droit d'expression à deux candidats politiques est suspendue pour permettre d'organiser des débats entre Nixon et Kennedy.

Malgré les nombreux reportages dans la presse sur la famille et la carrière de John, son visage et ses convictions ne sont pas encore connus de tous les Américains. Le vice-Président, quant à lui, a déjà retenu l'attention de ses concitoyens au cours de ses divers mandats et de ses voyages à l'étranger. Nixon sait utiliser la télévision à son avantage et répondre aux attaques des journalistes. C'est un brillant orateur, un gladiateur dans l'arène.

Le patron de la National Broadcasting Company, filiale de la RCA, une des plus grandes chaînes privées des États-Unis, contacte John à Hyannis Port. Il lui propose plusieurs face-à-face avec le républicain. John a tout à gagner, au contraire de Nixon qui doit défendre non seulement les idées de son programme mais aussi les actions du gouvernement d'Eisenhower. John accepte sans hésiter. Jackie le soutient dans son choix :

— Nixon sera ridicule à tes côtés. Tu vas l'écraser.

Nixon relève le défi, malgré la colère de ses collaborateurs, y compris son directeur de campagne :

— Faisons ces fichus débats ! Nixon n'a pas peur d'affronter cet Irlandais catholique ! Qu'il aille au diable !

John décide de se préparer à ce match télévisé. Ses princi-paux conseillers, Ted Sorensen, Richard Goodwin et Feldman, s'enferment avec lui dans la suite d'un hôtel de Chicago. Jackie est horrifiée par la teneur de leurs propos :

— Eh bien, j'espère que Nixon sera plus correct avec Jack !

Les quatre débats télévisés sont retransmis à la radio.

À Chicago, le 26 septembre, les deux hommes font leur entrée dans le studio. John a une mine splendide, ses médica-ments ont atténué ses douleurs. Nixon est de retour d'une tournée épuisante et vient de subir une opération du genou droit. Ses traits sont tirés sous une barbe naissante. Il a perdu cinq kilos en moins de trois semaines. Son costume gris est mal taillé, son allure épouvantable. Sur le plateau, il fait très chaud. Son maquillage coule jusqu'au col de sa chemise. Le premier sujet porte sur la politique intérieure.

Bobby est au côté de Jackie ; Lee Radziwill et Kenny O'Donnel suivent l'émission depuis Hickory Hill. Jackie est un peu nerveuse, elle n'a pas cessé de fumer de la journée.

John ouvre le débat :

— Je crois que la question posée au peuple américain est celle-ci : faisons-nous tout ce que nous pouvons faire ? Notre échec, c'est l'échec de la liberté ! En tant qu'Améri-cain, je ne suis pas satisfait de nos progrès. Ce pays est un grand pays, mais je crois qu'il peut être plus grand encore... Si Franklin Roosevelt fut un bon voisin pour l'Amérique latine, c'est parce qu'il était un bon voisin aux États-Unis. Je veux que l'Amérique latine, l'Afrique, l'Asie tournent leurs regards vers l'Amérique et s'intéressent à ce que fait le pré-sident des États-Unis, et non à ce que font les communistes chinois et Khrouchtchev ! Peut-on sauvegarder la liberté, alors qu'elle est soumise à l'assaut le plus violent qu'elle ait jamais connu ? Je crois que oui et je crois, en dernière ana-lyse, que sa sauvegarde dépend de ce que nous faisons ici. Je crois qu'il est temps pour l'Amérique de se remettre en marche !

Malgré ses huit années à la Maison Blanche, Nixon se montre incapable de tirer son épingle du jeu. Pire encore, il appuie les convictions de son adversaire :

— Beaucoup d'entre nous sont d'accord avec ce que dit le sénateur Kennedy. Je souscris totalement à l'esprit de ce que le sénateur Kennedy a exprimé ce soir…

Nixon est battu.

Vieux guerrier de la politique, le républicain tente de s'en sortir en manipulant les photographes à la sortie du plateau. Il lance un doigt agressif vers son interlocuteur. La photographie fait la une le lendemain. Mais cela ne suffit pas pour amoindrir la puissance électorale et le charme de John F. Kennedy.

Jackie téléphone plusieurs fois dans la soirée pour féliciter son mari et lui passe Caroline.

— Je t'aime, papa.

— Moi aussi, ma chérie. Sois sage avec maman, papa va revenir bientôt.

Les trois autres débats sur la chaîne NBC sont suivis par plus de 70 millions de téléspectateurs. Le visage de John est dorénavant connu et aimé du peuple américain. Le stratège du parti démocrate en matière de communication, figure nationale, Leonard Reinsch, le félicite chaleureusement. L'issue de la course est proche.

Le 27 octobre, le pasteur Martin Luther King est libéré de prison après une semaine d'emprisonnement et d'humiliation. Son arrestation à Atlanta avait ému l'Amérique. Son épouse, Coretta King, avait tenté de joindre Richard Nixon pour le faire libérer, craignant que les forces de police locales ne dissimulent un assassinat en suicide. Nixon n'avait pas daigné répondre au téléphone. Le dernier débat, le 21 octobre, ne l'avait pas mis de bonne humeur et il ne voulait en aucun cas prendre le moindre risque électoral avec les États du Sud.

John se trouve dans l'Illinois avec Jackie et Caroline. Jackie a toujours insisté auprès de son mari sur l'importance des droits civiques des Noirs ; elle apprécie personnellement le courage des King. John appelle Coretta et s'entretient avec elle sur cette dramatique affaire.

— Nous allons sortir votre mari de là. Vous pouvez compter sur mon frère, il saura parler au juge.

Bobby parle à Coretta, puis contacte le juge Mitchell. Le pasteur est libéré. En sortant de prison, il déclare aux journalistes : « L'habileté politique est souvent du côté de la sagesse morale. »

Deux jours avant le scrutin final, John et Jackie sont dans le Connecticut, à Waterbury. Depuis la victoire des débats télévisés, la foule des supporters est encore plus nombreuse et surexcitée. Plus de 50 000 personnes patientent autour de leur hôtel, arrivées par petit nombre depuis 21 heures. Se cachant derrière les rideaux beiges de leur suite, Jackie boit une infusion en les observant :

— Je n'ai jamais vu une chose pareille depuis le début de ces élections. Jack, viens voir, ils sont venus pour toi. C'est fantastique.

Pierre Salinger et Larry O'Brien sourient en terminant une bière. Il est près de 5 heures du matin :

— Cela ne vaut plus la peine de se coucher, dans une heure nous devons tous partir pour Boston pour voter à la Public Library. Je vais aller me doucher et lire le journal.

Pierre se lève et jette un coup d'œil sur le visage de John. Il n'a jamais été aussi détendu que cette nuit-là. Les 37 000 kilomètres parcourus ensemble ont été une sacrée aventure qu'il n'est pas près d'oublier.

— Je crois que je vais leur parler.

John se dirige vers le large balcon de leur suite, située au deuxième étage, et s'adresse à ses supporters avec beaucoup d'émotion. La foule, dans le froid et le vent, hurle de joie. La campagne se termine sur ces derniers mots. Dans deux jours, ils auront enfin regagné la résidence de Hyannis Port.

Le 8 novembre, Joseph, Rose, Bobby et Ethel votent à Hyannis Port dans un silence inhabituel. Les habitants sont arrivés tôt ce matin pour déposer leur bulletin ; certains d'entre eux font un clin d'œil au frère de Jack, resté pour converser avec les élus locaux. Quelques-uns l'ont connu en culotte courte, courant après ses chiens ; le petit garçon a bien changé. Il est devenu l'une des personnalités les plus en vue des États-Unis.

La nuit la plus longue de son existence est sans doute celle du 9 novembre. Jackie n'a pas cessé de demander des cigarettes aux conseillers de Jack, après avoir fait disparaître ses propres paquets vides dans la cheminée de ses beaux-parents. Le suspense est insoutenable. Les calculs de l'Institut Louis Harris ont prédit une victoire éclatante, mais peu après minuit la tendance s'est inversée. Joseph s'entretient depuis une heure avec l'expert des sondages :

— Qu'est-ce qui se passe, Louis, où en sommes-nous maintenant ?

— Il semble que Nixon ait repris de l'avance, il faut encore attendre quelques heures. L'écart sera plus serré que je ne le pensais.

Bobby recalcule calmement avec lui l'ensemble des paramètres. La sueur coule sur son front. Sa chemise blanche est trempée. Il n'a jamais été aussi inquiet. Les sonneries de téléphone, appels de tout le pays, traversent la maison.

— Nous voudrions féliciter John.

— Je crois qu'il faut encore attendre un peu.

Ted raccroche amicalement et sourit à sa mère.

Richard Nixon arrive en tête des premiers résultats. Jackie ne peut pratiquement pas parler avec ses beaux-frères, collés au téléphone. Elle converse avec deux amis : le journaliste Theodore White et l'écrivain Bill Walton, qui évoquent un projet de livre racontant l'épopée de cette campagne :

— Ne mentionnez surtout pas que j'ai passé cette nuit à me ronger les ongles et à fumer. Jack ne serait pas ravi !

Pierre Salinger cherche désespérément à parler, lui aussi, à Jack. Mais ils ne font que se croiser jusqu'à 1 heure du matin. Jack se promène avec des verres de lait et fredonne à tue-tête quelques airs de Frank Sinatra. L'ambiance est électrique, mais sa décontraction allège les tensions. Les enfants de Bobby, ainsi que Caroline, se sont endormis après le dîner.

— Ils ont une sacrée veine !

Les Nixon sont au quartier général de Los Angeles. Pat Nixon, dans le même état que Jackie, fume cigarette sur cigarette, tandis que son mari en est à son cinquième bourbon.

Everett Dirsken, au téléphone avec Nixon, est persuadé que les Kennedy ont triché avec les bulletins de vote :

— Je suis persuadé que ces fils de pute ont fait ce qu'il fallait au Texas et à Chicago. Il faudra recompter les voix, Richard. Surtout, je vous demande de ne pas valider ce fichu scrutin, sinon les bulletins seront détruits et nous ne pourrons rien faire.

À 8 heures du matin, les enfants sont dans l'immense cuisine. Ils se préparent au match de football qui aura lieu vers 10 heures devant la véranda. Jack, vêtu d'un costume sombre, vient les embrasser :

— Alors les garçons, allez-vous gagner contre les filles ?

— Oui, oncle Jack, elles n'ont aucune chance !

— Attendons de voir cela, c'est à la fin que l'on compte les points, pas avant.

Les filles de Bobby, suivies par le rire de Caroline, applaudissent sa réponse.

Jack jette un œil dehors. La police retient la foule derrière les palissades de la propriété. Jackie se trouve dans sa chambre, elle s'est endormie après 6 heures du matin. Patricia, Eunice, Steve Smith, Rose, Lem Billings sont partis faire une longue promenade sous le vent glacial. Peter Lawford répond encore aux appels de ses amis : Frank Sinatra, Dean Martin et Joey Bishop. Sinatra n'a pas dormi depuis la nuit dernière, il ne décolère pas sur l'attitude de Nixon :

— Si ce type ne dit pas qu'il a perdu, j'irai jusqu'à Los Angeles pour le faire avouer ! Bon Dieu, Peter, Jack a gagné !

— Il faut attendre, Frankie. L'avance annoncée de 2 millions est passée à moins de 110 000 voix. Jack est en ligne avec Richard Dailey, qui lui a répondu qu'avec un peu de chance et quelques bons amis il emporterait l'Illinois.

— Dailey est un gars bien, il fera les choses comme il se doit pour Jack. Crois-moi.

John s'assoit devant le poste de télévision aux côtés d'Ethel, Bobby, Pierre Salinger, Angie Novello, la secrétaire de Bobby, et Bill Haddad.

L'Illinois, grâce au maire de Chicago Richard Dailey, apporte son soutien à Jack. Son avance est maintenant de 120 000 voix. Nixon n'a toujours rien déclaré à la télévision. Bobby et Ethel enragent :

— Quel salopard !

— À sa place, je ferais exactement la même chose, rétorque John.

Jackie est partie sur la plage avec Joan. Elle doit accoucher bientôt et la tension dans la maison est difficile à supporter. Elle s'entend à merveille avec l'épouse de Ted, dont elle apprécie la sincérité et la grande gentillesse. Joan n'est pas une femme forte – comme les sœurs Kennedy ou Ethel – mais elle a su, tout au long de la campagne, se rendre utile dans les *tea times* organisés par sa belle-mère. Elle est plus réservée que les autres, plus vulnérable aussi. Jackie a remarqué sa tendance à prendre quelques verres de whisky lorsque les choses tournent mal dans son couple. La naissance de leur fille, Kara Anne, et de leur fils, William, en septembre dernier, lui ont apporté plus de sérénité devant les événements, mais elle reste encore vulnérable.

Joan avait participé à la campagne en Californie, puis en Floride, aux côtés de son mari. Elle était toujours mal à l'aise avec les reporters et les photographes qui admiraient sa grande beauté. Elle avait eu vent des infidélités de Ted lorsqu'il était en compagnie de Lawford et Sinatra. Elle redoutait leurs questions à ce sujet.

Vers 11 h 30, Jack est élu président des États-Unis d'Amérique. Il a obtenu en définitive 34 226 731 voix contre 34 108 157 pour Nixon, remportant au collège électoral la majorité à 303 voix contre 219.

Le républicain, persuadé qu'il y a eu fraude électorale au Texas et dans l'Illinois, ne peut se permettre de bloquer les résultats présidentiels pendant six mois, le temps d'un recomptage en présence d'huissiers. L'effet serait désastreux pour l'image du pays. Et puis, qu'adviendrait-il de sa carrière si l'on apprenait finalement qu'il avait vraiment perdu ? Il serait discrédité à jamais aux yeux des Américains.

Nixon avoue sa défaite non pas à la télévision, comme il se doit, mais à la radio. Quelques instants plus tard, le président Eisenhower félicite, sur toutes les chaînes de télévision, John Fitzgerald Kennedy.

Bobby ne peut s'empêcher de lâcher :

— Ce Nixon est encore plus minable que je le pensais. Heureusement que tu as gagné pour le bien de ce pays !

Le clan entier l'embrasse et le félicite. Rose ne peut s'empêcher de pleurer :

— Oh ! mon garçon, tu es le Président.

Sur un petit bout de papier, John écrit : 118 574 votes. Il gardera jusqu'à la fin de sa vie celui-ci dans les poches de ses vestes.

Joseph, après avoir longuement félicité son fils, se retire avec Jackie sous la véranda.

Le service de protection est arrivé depuis quelques minutes. Un dénommé Clint Hill a demandé à rencontrer Jackie ; il sera son garde du corps durant le mandat de son mari.

Joseph embrasse Jackie, les larmes aux yeux :

— Jackie, tu as été formidable pour Jack, jamais je n'oublierai tout ce que tu as fait pour lui.

Jackie se réfugie dans ses bras :

— La vie sera tellement différente maintenant.

— Elle sera merveilleuse, Jackie, l'Amérique vous a offert le plus beau des présents. À vous d'en tirer le meilleur.

8

Premiers jours de la présidence

« Et, si je prie, la seule prière que pour moi forment mes lèvres est : laissez l'esprit que maintenant je porte et donnez-moi la Liberté. »

Émilie Brontë

« Il y eut un bruit de réjouissances dans la nuit. La capitale belle avait alors assemblé ses belles et ses chevaliers. Et les lumières faisaient étinceler leur courage et leur beauté. »

Byron

Dans la fraîcheur de la fin d'après-midi, John savoure silencieusement un cigare. Il songe à ces millions d'Américains auxquels il a promis une nouvelle politique. Il a désormais un mois et demi pour composer son gouvernement et rédiger son discours sur l'état de l'Union.

Il se souvient de ses longues promenades à Cambridge, lorsqu'il était étudiant à Harvard. Seul, il marchait des heures durant, le long des berges ensoleillées. Son esprit était absorbé par le parcours des grands personnages historiques de son pays : Thomas Jefferson, Abraham Lincoln, George Washington... Il levait les yeux au ciel et se demandait si Dieu lui accorderait l'opportunité de suivre leurs traces.

À quarante-trois ans, ses vœux ont été exaucés.

Cette victoire, il la doit avant tout à son père et à Bobby. Ils y ont consacré douze mois de leur vie sans jamais se plaindre, essuyant des attaques parfois blessantes.

Il regarde, admiratif, Jackie et Caroline. Elles sont interviewées par la presse depuis une vingtaine de minutes. Sa femme n'a jamais été aussi belle.

— Madame Kennedy, allez-vous accoucher avant l'inauguration ?

Jackie sourit :

— Quelle est la date de l'inauguration ?

John entend leurs rires, il n'aurait jamais imaginé qu'elle soit un jour aussi à l'aise avec les journalistes. Jackie avait cédé la place à Jacqueline Kennedy, Première Dame des États-Unis d'Amérique.

Sous le vent glacial de novembre, Bobby et le reste du clan font une démonstration de *touch football* pour le bonheur des photographes et des cameramen. John les a rejoints pour applaudir chaque point. Caroline, vêtue d'un gilet de laine et d'un bonnet sur lequel sont brodés des élans, s'accroche à son pantalon.

Vers 19 heures, John et Jackie rejoignent l'armurerie de Hyannis Port pour remercier les électeurs, les élus et les journalistes locaux. Les plus grandes chaînes de télévision sont en train de préparer la diffusion nationale de son premier discours présidentiel. Joseph n'a pas l'intention d'y assister. Jackie a décidé de lui parler dans son vaste bureau.

— Vous avez fait beaucoup pour John et pour nous tous. Vous ne pouvez plus rester dans l'ombre jusqu'à la fin des temps. John serait tellement fier que vous veniez écouter son discours. Hyannis n'est pas Washington, mais cet endroit est cher à son cœur.

— Je viendrai, Jackie, laissez-moi revêtir un costume et je vous rejoins en bas.

Dans le hall de l'armurerie, John s'avance vers les micros. Les membres de sa famille sont assis derrière lui ; Jackie se tient à ses côtés. Les policiers locaux sont bousculés par les quatre cents photographes reporters.

— Le scrutin a peut-être été serré, mais je crois qu'il existe un consensus sur la nécessité d'un effort national total au cours des prochaines années, afin d'aider notre pays à vivre les années 60 sans qu'il coure de risques. J'aurai besoin de votre aide et je vous promets que toute mon énergie sera utilisée pour servir les intérêts des États-Unis à long terme et la cause de la liberté dans le monde. Mon épouse et moi-même nous préparons à une nouvelle administration et à un nouveau bébé !

John s'engage à passer deux coups de téléphone dès son arrivée à la Maison Blanche :

— M. John Edgar Hoover, directeur du FBI, et M. Allen Dulles, directeur de la CIA, resteront à nos côtés.

Un journaliste s'avance vers lui, malgré les quatre agents de sécurité :

— Monsieur le Président, êtes-vous vraiment atteint par la maladie d'Addison ?

— Non, monsieur, je n'ai jamais été atteint par la maladie d'Addison. Ma santé est excellente !

Le reporter veut encore poser quelques questions, mais Bobby s'interpose :

— Comment allez-vous ? Avez-vous fait un bon voyage jusqu'ici ?

John poursuit sous les flashes des appareils :

— Je remercie mon frère Bobby, qui a dirigé pendant les primaires l'organisation de toutes nos campagnes, comme il l'avait fait en 1952, lorsque j'étais candidat à la fonction de sénateur. Il en a été l'architecte.

En regagnant la maison principale des Kennedy, Jacques Lowe se prépare à prendre la photographie officielle de toute la famille. Rose s'approche de lui :

— Le mieux est de nous installer entre la bibliothèque et le miroir.

— Oui, excellente idée.

Rose s'installe dans l'une des bergères Louis XV du salon. Joseph et Jean sont assis sur les accoudoirs.

— Dépêchez-vous, nous avons ce dîner à préparer !

Ethel et Jackie sont en grande conversation :

135

— Je me demande quand nous allons passer la première nuit à la Maison Blanche.

— Si j'étais à ta place, je ne serais pas pressée... Bobby m'a expliqué hier que le Président dormait dans une chambre et son épouse dans celle d'à côté !

— Un peu comme à Versailles...

— Oui, Jackie, et John confiera sa longue perruque à George Thomas !

— Oh ! Ethel.

Rose hausse le ton :

— Je pense qu'il est temps de faire cette photographie maintenant. Jacques attend depuis plus d'une heure que vous ayez fini vos sottises !

Jackie s'installe sur le canapé auprès de Teddy. John ne peut s'empêcher de mettre les mains dans ses poches.

— Écoutez, monsieur le Président, eu égard à vos fonctions, il vous faudra avoir plus d'allure. On ne met pas les mains dans ses poches... Est-ce votre mère qui vous a appris autant de mauvaises manières ? C'est du moins ce que les journalistes du monde entier vont écrire...

— Oh, maman ! Jack est fatigué. Laisse-le se détendre.

— Il aura tout son temps dans quelques années, pas avant.

Le flash du 35 mm fait sourire le clan.

John, Jackie et Caroline ont rejoint leur maison de Georgetown. Des milliers de lettres sont triées par les deux secrétaires de John, Evelyn Lincoln et Mary Gallagher, aidées par une dizaine de jeunes volontaires.

— Bobby, je n'ai jamais vu un tel désordre dans cette maison !

— Encore quelques semaines de patience, Jackie, et tout s'arrangera. Sais-tu où est John ?

— Dans sa salle de bains. Il y est enfermé depuis une heure sous une eau à 50 °C au moins ! Je ne sais pas quelle mouche l'a piqué, il est d'une humeur massacrante.

— Nous avons peu de temps pour choisir les ministres.

1 200 postes doivent être pourvus avant la fin de l'année. Joseph et Bobby étudient attentivement les listes proposées par les conseillers de John.

— John a maintenant plus d'amis qu'il ne le pensait !

Clark Clifford, ancien assistant de son adversaire, Stuart Symington, est chargé de gérer la période difficile du passage du pouvoir.

— Nous avons besoin de la volonté de chacun pour mener à bien le programme du Président. Je compte sur vous, Clark.

Depuis le 9 novembre dernier, Bobby n'appelle plus son frère « John » ou « Jack » devant leurs collaborateurs, mais « monsieur le Président ». Tous appliquent la même conduite, excepté Jackie.

John Edgar Hoover est maintenu à la direction du FBI. Pour John, il n'est pas question de se séparer de lui. Bobby est plus réservé ; il se souvient des différentes enquêtes sur le syndicat des camionneurs et sur le crime organisé. Hoover n'avait pas été très coopératif.

— Hoover est un salopard, mais il fait du bon boulot. Nous aurons besoin de ses talents. Si nous nous débarrassons de lui, son limogeage nous coûtera cher. Je n'ai pas besoin d'une tempête au sein du département de la Justice. Nos fonctionnaires croient en lui et il fait partie des personnalités respectées par le peuple.

— Qu'en sera-t-il d'Allen Dulles ?

— Nous le garderons à la tête de la CIA. Nous allons avoir du pain sur la planche avec ces gens-là, Bobby. Je viens de lire leurs derniers rapports, et la rentrée promet d'être inquiétante ! Dulles est un homme brillant, intelligent et compétent dans son domaine. Nous le maintiendrons à son poste. Je pense qu'il faudra le leur dire assez rapidement pour éviter les secousses.

— Je m'en chargerai.

Les choix de John et de Robert pour la composition du gouvernement se portent sur des personnalités reconnues pour leur intelligence, leur intégrité et leurs résultats. La présidence de John doit répondre aux exigences de ses promesses électorales : du sang neuf et une volonté ferme de ne jamais céder ni aux pressions internationales ni à celles du pays.

— Nous mettrons en place l'élite de notre pays pour travailler ensemble au bien-être de nos concitoyens. Nous allons dépoussiérer cette administration !

Chaque convocation a lieu à Georgetown. Les nominations sont lues par John à la presse sur le perron de la maison.

Jackie reste en général à l'étage et ne descend que pour le dîner.

— La maison ressemble à un cabinet médical ! John reçoit un « patient » toutes les trente minutes.

Provi, la domestique, se charge d'apporter aux invités du café et des gâteaux. Elle alimente également la cheminée du grand salon.

Robert McNamara, président-directeur général de Ford depuis un mois, est nommé ministre de la Défense. Le fait qu'il soit républicain ne dérange pas John outre mesure. Lors de leur première rencontre, le futur ministre, les cheveux parfaitement gominés, avait demandé en souriant :

— Êtes-vous vraiment l'auteur de *Profil in Courage*?

Dean Rusk, ancien président de la Fondation Rockefeller, est nommé ministre d'État.

— Allez-vous nommer Adlai Stevenson ministre ?

— Non, il oublierait en très peu de temps qu'il y a un Président au bureau ovale et un ministre de la Défense !

Stewart L. Udall, député d'Arizona, est nommé ministre de l'Environnement ; C. Douglas Dillon, républicain, ministre du Trésor ; Arthur Goldberg, ministre du Travail. David Bell, ancien collaborateur d'Harry Truman, est choisi pour le Budget. Abraham Ribicoff, gouverneur du Connecticut, a la responsabilité du ministère de la Santé, de l'Éducation et du Bien-Être. Luther Lodges, gouverneur de Californie, est ministre du Commerce.

Kenny O'Donnel, David Bell, Arthur Schlesinger Jr, Richard Goodwin, Ted Sorensen, Myer Feldman, Ralph Dungan et Lawrence O'Brien sont nommés conseillers particuliers. Pierre Salinger est chargé des relations avec la presse.

— Que faisons-nous d'Adlai Stevenson ?

— Je ne veux pas le voir traîner dans le bureau ovale !

John ne supporte plus Stevenson, en raison de son comportement en 1956 et de ses accusations calomnieuses en 1960.

— Proposons-lui le poste d'ambassadeur des États-Unis aux Nations unies. Le parti nous laissera tranquilles et Stevenson ne se prendra pas pour le nouveau Président. Son sens inné de la roublardise pourra nous être utile.

Quelques postes importants demeurent en suspens, y compris celui de la Justice.

John passe beaucoup de temps à Georgetown en compagnie de ses conseillers. Robert Sargent Shriver et Larry O'Brien lui présentent deux fois par jour une nouvelle liste de candidats potentiels. Tout en répondant aux appels téléphoniques et en grignotant des sandwichs aux crevettes, John barre la plupart des noms.

— Trop vieux... Pas assez d'expérience... Il nous mettra des bâtons dans les roues... Le Congrès refusera toutes ses démarches... Mon père serait fou à l'idée qu'il puisse travailler à nos côtés !

Jackie se prépare à la naissance de leur enfant. Les contractions sont de plus en plus fréquentes. Elle aménage avec Maud Shaw la chambre du futur bébé. Caroline est impatiente et interroge sans cesse son père sur sa venue au monde :

— Papa, quand mon petit frère va arriver ?

— Tu es sûre que ce sera un petit frère, Caroline ?

— Oui, comme maman !

De temps en temps, John se promène en compagnie de sa fille autour de leur maison, pour le plus grand plaisir des journalistes et des curieux. Les Kennedy se sont habitués à apercevoir de leurs fenêtres des dizaines de personnes en bas de chez eux, dans le froid de novembre. Jackie se montre réservée et se contente de faire de petits signes derrière les grands rideaux du salon.

Depuis qu'elle est Première Dame des États-Unis, elle cherche une secrétaire particulière qui tiendra son agenda, gérera ses visites, ses interviews et son courrier. Elle contacte

Letitia Baldrige, chez Tiffany. La jeune femme accepte immédiatement sa proposition. Jackie adresse une lettre à Eleanor Roosevelt :

— J'ai peur de ne pas être à la hauteur des espérances de notre peuple. Je suis inquiète.

L'ancien Président, Harry Truman, accepte l'invitation à déjeuner de John. Jackie n'a pas été prévenue ; elle se trouve en robe de chambre, à l'étage, lorsque l'hôte se présente.

— Bonjour, monsieur le Président. John ne m'a pas avertie de votre arrivée. Je descendrai vous rejoindre avant midi.

Truman sourit et comprend que la présidence menée par les Kennedy ne sera pas ordinaire. Il apprécie de plus en plus ce jeune couple sympathique et médiatisé. George Thomas, le valet noir de John, le fait asseoir dans le salon principal.

À sa grande surprise, Truman voit apparaître Caroline, les pieds nus dans les escarpins de sa mère, titubant jusqu'à lui :

— Ma maman n'est pas contente car elle ne savait pas que vous alliez venir… Je crois que papa est en train d'arranger cela avec elle !

La majeure partie de ses conseillers sont arrivés ce matin pour finaliser durant quatre heures la liste des membres du cabinet et des postes sensibles de l'administration. Allen Dulles, directeur de la CIA, et son adjoint Richard Bissel sont présents.

— Pour mon cabinet, je veux les meilleurs hommes que vous puissiez trouver ! Cela m'est complètement égal qu'ils soient républicains ou démocrates, pourvu qu'ils soient bons et courageux. Ils peuvent être iroquois, s'il le faut !

Le 25 novembre, John s'envole à bord du *Caroline* pour rejoindre son père à Palm Beach. Il adore cette maison au bord de l'océan. Ses parents en sont devenus propriétaires en 1933 pour 100 000 dollars.

Son père lui a proposé une partie de golf au Seminole Club.

— Dean Martin et Sammy Davis Jr y jouent depuis lundi. Peut-être pourrions-nous les retrouver pour un match-play ?

— OK, papa.

— Je dois te parler de Bobby… Je veux que tu choisisses Bobby ! Il est le seul sur lequel tu pourras compter. Bobby a fait beaucoup pour ton élection, il faut maintenant penser à sa carrière. Je ne t'ai jamais rien demandé, mais je veux Bobby au gouvernement.

— Il faut que nous en discutions, papa.

— En briguant ce poste, tu t'apercevras que les problèmes actuels sont les plus difficiles que l'Amérique ait jamais connus !

— Depuis deux mille ans, toutes les générations ont dû faire face aux mêmes difficultés ! Elles ont été résolues par des hommes avec l'aide de Dieu, alors pourquoi en serait-il différemment avec nous ?

Vers 10 h 30, on prévient John que Jackie a été conduite aux urgences de l'hôpital Georgetown University.

— Je ne suis jamais là quand elle a besoin de moi. Nous décollons tout de suite !

Le Convair met immédiatement le cap sur Washington.

John Jr naît après une césarienne. Jackie demande le bilan de santé de son enfant :

— Croyez-vous, docteur, que je vais perdre mon bébé ?

— Pour ne rien vous cacher, madame Kennedy, votre fils a des problèmes respiratoires. Nous l'avons placé en couveuse.

Des larmes coulent sur ses joues, tandis que Bobby accompagne le médecin, John W. Walsh, à son bureau.

John arrive en début d'après-midi. La presse ceinture les entrées de l'hôpital. Il fait un signe amical à l'intention des photographes et s'engage rapidement dans le long couloir menant à la chambre de sa femme.

En découvrant le bébé dans une couveuse, il plonge son regard dans celui de Jackie :

— Le médecin m'a confirmé des complications respiratoires, mais dans quelque temps il ira mieux.

John embrasse longuement Jackie et la serre contre lui.

— Nous avons de beaux enfants, ma chérie. Je t'aime.

Pierre Salinger est chargé de rédiger le communiqué de presse annonçant la naissance de John Fitzgerald Kennedy Jr.

— Nous venons d'apprendre à l'instant que Mme Kennedy a donné naissance à un garçon. La mère et le fils se portent bien.

La presse et le peuple américain fêtent joyeusement cet événement. C'est la première fois dans l'histoire des États-Unis qu'un Président élu devient père en même temps. La naissance de John Jr suscite la sympathie de tous les Américains. L'ambassadeur irlandais, Thomas Kiernan, adresse aux parents un poème de son pays :

> *Nous souhaitons à l'enfant nouveau-né*
> *Un cœur sensible à l'amour d'une fleur*
> *Que soulève la brise en passant*
> *Sur l'herbe, après une ondée estivale,*
> *Un cœur capable de reconnaître*
> *Sans l'aide des yeux*
> *Les dons que la vie garde pour les sages.*
> *Quand la tempête se lève,*
> *Que se soit pour une pluie de pétales,*
> *Quand la nuit l'angoisse,*
> *Qu'un ami veille sur lui,*
> *Afin que son temps soit doublé*
> *Et à la fin de tous les amours*
> *Puisse-t-il recevoir d'En Haut*
> *Une couronne.*

Ils sont très émus en le lisant. John décide d'en garder une copie sur lui.

Le soir, Joe téléphone à Jackie pour la féliciter et pour lui faire part de son souhait :

— Il doit prendre Bobby…

— Je crois qu'il en a l'intention.

— En tant que nation, nous sommes devenus trop mous ! Il faut nous remettre au travail, Jack a raison ! Si l'Amérique laisse passer cette occasion, elle n'en aura peut-être plus ! John est l'homme de la situation… même s'il continue à me voler mes chaussettes neuves et à correspondre tous les jours avec sa mère ! Il a de plus en plus l'air d'un Président.

— John a décidé de vendre notre maison de George-town...

— Vous allez vivre dans la plus belle et la plus historique qui soit !

La maison sera vendue quelques semaines plus tard à un jeune couple de milliardaires pour 110 000 dollars.

De sa chambre d'hôpital, Jackie prépare méticuleusement sa prochaine garde-robe. Son emploi du temps pour les prochains mois est déjà rempli. Elle contacte plusieurs de ses amies en Europe pour s'informer des tendances de 1961.

Les murs sont couverts de pages de magazines qu'elle a elle-même découpées. Elle apprécie les couturiers américains, tels Andreas de Bergdorf Goodman ou Norell, mais elle veut surtout créer la surprise au sein de la communauté de la mode :

— Je ne veux pas porter les mêmes robes que Mme Eisenhower ou Mme Nixon. Je veux autre chose.

En 1953, elle avait fait la connaissance d'un des amis de Joseph Kennedy : le couturier Oleg Cassini. Ils s'étaient rencontrés au El Morocco, le night-club le plus chic de New York. Cassini avait été troublé par sa beauté originale, sa taille fine et son élocution « murmurante ». Ils s'étaient revus régulièrement à Palm Beach durant la convalescence de John.

Les soirées chez Charles et Jayne Wrightsman étaient toujours très amusantes. Cassini avait beaucoup d'estime pour la réussite sociale du clan et entretenait des rapports amicaux avec l'ex-ambassadeur. Ils déjeunaient souvent au restaurant français La Caravelle. Il avait confectionné plusieurs modèles pour Rose et ses collections avaient enchanté les sœurs de John.

Bien avant l'élection de John à la Chambre des représentants, le lieutenant Oleg Cassini s'était marié à la très sensuelle Gene Tierney. L'actrice hollywoodienne est l'une des vedettes les mieux payées de la Fox. Ses films connaissent un grand succès auprès du public. Oleg Cassini avait présenté son épouse à John lors d'une soirée au Mogambo. Ils étaient tombés amoureux. Oleg et Gene avaient divorcé.

Gene Tierney était persuadée que John la demanderait en mariage, malgré l'avis de son ex-mari :

— Je ne crois pas qu'il t'épousera, il est catholique et les catholiques n'épousent pas les femmes divorcées.

Leur relation s'était achevée avant l'élection de John dans le Massachusetts. Cassini ne tient pas rigueur à John de son divorce et continue de le recevoir chez lui. Cassini est en vacances à Nassau, lorsque Evelyn Lincoln prend contact avec lui :

— Nous avons reçu votre proposition concernant la création de plusieurs modèles pour Mme Kennedy. Elle m'a chargée de vous proposer un rendez-vous à l'hôpital Georgetown.

— Entendu, je viendrai la féliciter pour la naissance de son enfant.

Cassini se met immédiatement au travail. Sa réputation n'est pas aussi affirmée que celle de la plupart des grandes signatures américaines. Il se concentre sur des modèles sur lesquels il avait travaillé à Hollywood. Jackie, à ses yeux, est une véritable princesse égyptienne : ses yeux noirs, son long cou, sa poitrine timide… sa parfaite silhouette. Il choisit un concept nouveau, fondé sur le minimalisme, pour ne gêner en rien son élégance naturelle. Sa première collection est intitulée : « Une ligne. »

Cassini prend le premier vol pour rejoindre Jackie à Washington. La chambre est emplie de bouquets multicolores. Le parfum des roses embaume l'atmosphère. Jackie est allongée dans son lit et regarde attentivement de nouveaux modèles italiens proposés par sa secrétaire particulière.

— Comment se sont passées vos vacances à Nassau, cher Oleg ?

— J'ai travaillé pour vous, mais je ne sais pas si c'est une excellente idée. Si vous me choisissez, vous allez devoir faire face à une montée de boucliers des plus grands couturiers de ce pays !

— Oleg, voudriez-vous travailler pour moi ? Je serais folle de joie de porter vos créations… Jack et moi-même apprécions beaucoup votre travail.

— Je continue de penser que ce n'est pas raisonnable.

— Puisque vous êtes ici, parlez-moi de vos idées !

Cassini lui présente sa collection, qui n'a aucun point commun avec les photographies accrochées aux murs de la chambre. Il lui propose un nouveau look, un nouveau concept.

— C'est mon interprétation personnelle de vous-même... Vous êtes à mes yeux une véritable star de cinéma. Je veux que vous deveniez la femme la plus élégante de cette planète. Votre rôle au sein de la Maison Blanche sera tiré du meilleur scénario.

— Vous avez compris ce que je désirais.

Cassini ouvre son portfolio et étale une cinquantaine de dessins. Les premiers proposent une tenue pour l'investiture de John.

— Je vous suggère de porter une petite veste beige élégante, afin que vous paraissiez jeune, jolie et gracieuse.

— Oh ! c'est ravissant, Oleg.

Une infirmière leur apporte du café et quelques gâteaux. Durant le reste de l'après-midi, Cassini et Jackie s'entretiennent sur le rôle d'une Première Dame et la conséquence historique de ses choix en matière de vêtements...

— Jackie, vous avez l'opportunité de vivre un Versailles américain !

— J'ai la ferme intention de créer une atmosphère nouvelle à la Maison Blanche. Nous allons ouvrir ses portes aux artistes du monde entier. La présidence de John doit être éclatante ! Nous pouvons ensemble créer une mode américaine qui servira de tremplin aux industries de notre pays.

— Un Jackie Look !

Le 9 décembre, John, Jackie et leurs enfants s'envolent à bord du *Caroline* pour quelques jours de repos à Palm Beach. Durant le vol, les services secrets étudient minutieusement le programme de leur week-end. Jackie s'en amuse avec Kenny O'Donnel :

— Seront-ils derrière la porte de notre salle de bains pour vérifier que John ne s'y noie pas ?

— Je n'en sais rien, mais ils savent tout de ma vie privée, c'est impressionnant !

Le matin même, Jackie a été reçue à la Maison Blanche par Mme Eisenhower, qui n'a pas manqué de la féliciter.

— Je me souviens très bien de votre élégance le soir du bal d'investiture de mon mari. Les Américaines sont folles de votre style, madame Kennedy…

Jackie a été rebutée par la couleur choisie pour les appartements privés : rose bonbon. Tout en se promenant dans les longs couloirs sans vie, elle se rappelait sa première visite, ici même, en compagnie de sa mère. Elle n'avait que onze ans.

À son retour, elle confie à John :

— Mon Dieu ! C'est le lieu le plus triste au monde. Froid et lugubre. La Maison Blanche ressemble à un donjon médiéval. Le mobilier a été acheté dans des magasins discount ! Je n'ai jamais vu une chose pareille. Je ne supporte pas l'idée d'y vivre, je déteste cet endroit. On dirait un hôtel ! Partout où je regarde, il y a une personne debout à attendre je ne sais quoi ! Les fenêtres n'ont pas été ouvertes depuis des années, les portes grincent et l'odeur d'humidité est insoutenable, John !

— C'est à toi de changer tout cela !

Dans sa cabine, John lit attentivement le *New York Times.* Un article résume son entretien avec le président Eisenhower à la Maison Blanche, le 6 décembre dernier. Leur entrevue a duré une heure. Eisenhower lui a dressé un portrait précis de chaque dirigeant du monde : Castro, Mao Zedong, Hô Chi Minh, Nikita Khrouchtchev, Rafael Trujillo, le général de Gaulle… John a demandé au Président où il rangeait ses documents :

— Je n'en ai jamais sur mon bureau, je déteste cela, monsieur le sénateur. J'ai horreur de la paperasse et préfère m'entretenir directement avec mes interlocuteurs.

John a remarqué que le plancher était marqué par les clous de ses chaussures de golf. Quant à Eisenhower, il mesure rapidement l'état d'esprit du prochain occupant de cette maison. John F. Kennedy a l'intention de s'attaquer à la bureaucratie, trop lente à ses yeux.

— Si j'étais vous, monsieur le sénateur, j'attendrais de bien comprendre nos problèmes avant toute réorganisation. Croyez-en mon humble expérience !

Des murmures circulent sur la nomination de Bobby à la tête du ministère de la Justice. Jackie interroge son mari :

— Qu'en est-il de Bobby ?

— Il n'a pas donné sa réponse. Je crois qu'il a l'intention de briguer le poste de gouverneur du Massachusetts.

— Tu dois convaincre Bobby, il sera toujours à tes côtés en cas de coup dur. Je partage l'avis de ton père.

— J'attends sa réponse.

Joseph reçoit John dans son bureau pour en discuter de nouveau :

— Bobby a appris à combattre le crime organisé, à s'accommoder de la lenteur de notre administration… Tu peux avoir confiance en lui, Jack ! Il a sacrifié une partie de sa vie pour toi.

Bobby ne souhaite pas mettre son frère dans l'embarras. La presse parlerait immédiatement de la dynastie des Kennedy… Et puis, les puissants directoires démocrates ne supportent pas ses manières et son vocabulaire. Il prend tout de même rendez-vous avec Bill Rogers, ministre de la Justice d'Eisenhower, et John Edgar Hoover pour en discuter.

— Notre pays a besoin de votre jeunesse, monsieur Kennedy.

Quelques jours plus tard, il déjeune avec le juge William O'Douglas. L'entretien est très amical, ils se remémorent leur voyage en Russie cinq ans plus tôt.

— Gouverneur serait une excellente opportunité, Bobby. J'imagine la réaction de la presse si votre frère vous faisait entrer dans un des ministères. Je ne pense pas que ce serait une bonne idée. Pourquoi ne pas tenter votre chance au Sénat ?

— John me veut à ses côtés, c'est difficile pour moi de refuser, d'autant plus que le poste est excitant. Je connais la plupart des dossiers rangés dans les tiroirs de Hoover.

Le 12 décembre, John s'apprête à remettre sa démission au Sénat. Il sort de sa maison en compagnie de Jackie et de leurs deux enfants.

Un déséquilibré, Richard Pavlick, armé de cinq bâtons de dynamite, se prépare à jeter sa voiture sur la limousine présidentielle. Ému par les enfants du nouveau Président, il renonce à son projet. Les services secrets repèrent sa nervosité et l'arrêtent immédiatement.

Jackie est choquée. Elle prend conscience des dangers auxquels ses enfants et son mari risquent d'être confrontés.

— Je veux mettre les enfants à l'écart du public.

Le 15 décembre, John invite Bobby à prendre le petit déjeuner chez lui. Avec son aisance coutumière, il défend habilement ses arguments :

— Neuf inconnus ont accepté les postes que je leur proposais. Je ne les connaissais pas, Bobby ! Tu es mon frère, tu ne peux tout de même pas me refuser cela ! J'ai besoin de toi à mes côtés.

À la fin de l'entrevue, Bobby accepte.

— Quand tu feras cette annonce, Jack, n'oublie pas de dire : je sais que c'est mon frère, mais j'ai besoin de lui !

En sortant de la maison, Bobby annonce aux journalistes présents sa décision. Une douzaine de micros ont été installés depuis la veille sur le perron. John, à sa gauche, baisse la tête. Il sait ce que cela signifie. Son frère sera sans aucun doute la cible des pires personnalités mafieuses du pays et celle de la presse d'opposition. Une fois de plus, leur père a fini par avoir ce qu'il voulait. Les mains derrière le dos, les cheveux parfaitement coiffés pour une fois, Bobby parle lentement mais fermement :

— Je prends toute la mesure des graves difficultés que je rencontrerai à ce poste. Mais je suis habitué à ce genre de défis depuis mes fonctions au ministère de la Justice et à la Commission sur les trafics. Je connais les problèmes que tous les Américains affrontent. On peut faire beaucoup dans ce domaine comme dans d'autres.

Le lendemain, John le convoque chez lui, ainsi que Clark Clifford, son conseiller personnel :

— Je veux savoir où nous mettons les pieds en janvier. Je ne veux pas me réveiller le 21 janvier prochain pour me demander ce que je vais faire. Nous devons nous faire comprendre des 34 millions d'Américains qui ont voté contre nous.

Le 31 décembre, Jackie, John et leurs deux enfants réveillonnent à Palm Beach. Parmi leurs invités : les Bartlett et les Bradlee. Ben Bradlee est le rédacteur en chef de *Newsweek* et le voisin des Kennedy à Georgetown. John l'a rencontré au cours d'une promenade avec Caroline. Ils s'étaient assis sous les eucalyptus du parc et ne s'étaient plus quittés.

Près d'une fenêtre qui donne sur l'océan, Jackie et Mary Gallagher observent les diverses propositions d'Oleg Cassini.

Au rez-de-chaussée, John et Bobby travaillent avec Pierre Salinger sur les prochains communiqués de presse. Les deux assistantes du porte-parole, Sue Mortensen et Chris Camp, trient les milliers d'enveloppes reçues depuis le 10 novembre dernier. Une grande partie de ce courrier est à l'attention de la Première Dame.

Steve Smith et Peter Lawford demandent à John des détails sur sa rencontre avec le président Eisenhower :

— Comment t'a-t-il accueilli ?

— Bonjour, monsieur KEEEENNEDY !

John mime un chapeau posé sur sa tête et le soulève avec un large sourire :

— Bonjour, monsieur EEEEEEisenhower !

Dans une autre pièce, Pat, Ethel, Eunice et Jean sélectionnent plusieurs photographies pour les vœux présidentiels :

— De toute façon, c'est Jackie qui aura le dernier mot…

Caroline, en peignoir, recoiffe les quelques premiers cheveux de son petit frère sous les rires de leurs deux nurses : Maud Shaw et Mme Philipps.

Dehors, des hurlements montent jusqu'aux baies vitrées du premier étage. Jackie se penche pour en apercevoir l'auteur :

— Mon Dieu ! C'est Lyndon Johnson. Il joue dans l'eau avec les enfants !

— Bobby ne peut pas lui parler sans faire une grimace. Je le trouve amusant.

Johnson porte sur ses larges épaules les enfants de Bobby sous les applaudissement de Rose en maillot de bain. Il est arrivé hier à bord de son propre Convair, le *Lucy B.*

— Qui pourrait penser que nous serons à la Maison Blanche dans quelques jours... On a frappé à la porte, non ?

— Je vais voir, madame Kennedy.

Un domestique porte un plateau couvert d'assiettes de salade et de saumon.

— Notre déjeuner ? Excellente idée. Je n'ai pas envie d'entendre pour la énième fois le récit de la victoire de Jack à table ! Pas question. Demain, nous recevons le *Times* et je dois être prête à leur dire comment et par qui je serai habillée le 20 janvier prochain...

Malgré ses préférences pour Oleg Cassini, Jackie doit aussi choisir des vêtements chez Bergdorf Goodman.

— Je mettrai la tenue d'Oleg pour la soirée de Sinatra, l'autre sera destinée à l'investiture. Adressez une lettre à Cassini pour le lui expliquer. Rappelez-lui que je compte beaucoup sur mes chaussures de Chez Mario. Florence est à quelques heures d'avion de Washington, non ?

— Oui, madame.

— Faites un courrier également à Mme Colette, afin qu'elle puisse donner des leçons d'esthétique à la masseuse de mon mari, Mlle O'Malley. Il faut contacter aussi George Thomas de sorte qu'il prépare dès la semaine prochaine les alcools préférés de Jack. Nous allons installer un bar dans son bureau. Jack ne veut pas que j'emprunte des bijoux chez Tiffany, soit... nous n'en tiendrons pas compte. Dois-je lui demander de renoncer à sa nouvelle montre Hamilton ? Demandez à Mlle Baldrige de s'en charger.

Le 9 janvier, Jackie et John quittent leur suite au Carlyle de New York pour s'envoler vers Boston. Jackie adore passer quelques jours dans cet hôtel où elle peut observer

Madison Avenue des baies vitrées de la chambre. Dans le *Caroline*, John s'entretient avec Larry O'Brien et Pierre Salinger sur leurs fonctions respectives.

Ils retrouvent une foule surexcitée au Parlement. John s'avance jusqu'à la tribune, le visage radieux :

— Je tiens à profiter de cette occasion pour m'adresser à cette assemblée historique et aux habitants du Massachusetts, envers qui je me sens profondément redevable pour ces longues années d'amitié et de confiance... Dans deux semaines, je vais accéder à une fonction où je devrai assumer de grandes responsabilités. Mais je ne suis pas ici pour faire mes adieux au Massachusetts ! Depuis quarante-trois ans que je me trouve à Londres, à Washington, dans le Pacifique Sud ou ailleurs, je n'ai cessé de garder ici mon foyer. Si Dieu le veut, où que je sois appelé à servir, il en sera toujours ainsi. C'est ici que sont nés mes grands-parents, c'est ici, je l'espère, que naîtront mes petits-enfants.

Le 19 janvier, John s'entretient une dernière fois avec Eisenhower durant quarante-cinq minutes. Quatre sujets sont abordés : les incidents internationaux survenus en Chine communiste, les actions du Pentagone pour résoudre le comportement rebelle de Cuba, l'organisation de la Maison Blanche et quelques commentaires confidentiels sur Harold Macmillan, le général de Gaulle et Adenauer.

— Si le Laos tombe aux mains des communistes, ce ne sera plus qu'une question de temps pour le Sud-Vietnam, le Cambodge, la Thaïlande et la Birmanie.

— Combien de temps pour envoyer une division au Laos ?

— Entre douze et dix-sept jours ! Nous avons des bases au Japon qui peuvent réagir rapidement.

— Si la situation était si critique, pourquoi n'avez-vous pas envoyé des troupes ?

— Je ne voulais pas le faire avec une administration sortante. C'est un problème que je vous laisse. Je n'en suis pas heureux. Mais nous devons nous battre là-bas, sinon nous perdrons l'Asie en un clin d'œil.

Le Président sortant fait plusieurs démonstrations de l'équipement du bureau ovale qui laissent John pantois.

— Si vous appuyez sur ce bouton rouge, l'hélicoptère présidentiel vient se poser sur cette pelouse et vous emmène dans n'importe quel aéroport... En utilisant cette carte magnétique et votre code confidentiel, vous validez l'envoi des missiles nucléaires moyenne ou longue portée... Ils sont tirés à partir de sous-marins en mission continue et de nos appareils navals.

Le soir, une tempête de neige venue de Caroline du Nord, une des pires que la capitale ait jamais connues, s'abat sur la Virginie. La température descend rapidement en dessous de 15 °C. Le clan est réuni à Hickory Hill pour fêter l'investiture imminente de John : il doit quitter la maison après le champagne pour assister à la soirée de gala organisée par Frank Sinatra et les Lawford. John et Jackie sont invités à dîner par Philip Graham, du *Washington Post*, avant de rejoindre la fête.

Jackie est resplendissante. Elle porte la première robe de gala signée Oleg Cassini.

— Dois-tu vraiment porter ces émeraudes ?

— Oui, une touche de couleur est indispensable pour rompre avec tout ce blanc !

Sinatra ne veut parler à personne. Depuis deux semaines, il n'a pas quitté la capitale pour travailler sur les moindres détails de la soirée.

— Elle doit être inoubliable, revoyons l'entrée d'Ella.

Parmi les célébrités conviées en l'honneur de la présidence de John : Bette Davis, Roger Edens, Anthony Quinn, Laurence Olivier, Leonard Bernstein, Tony Curtis, Gene Kelly, la chanteuse noire Marian Anderson, qui entonnera demain l'hymne américain au Capitole, Janet Leigh, Helen Traubel, Harry Belafonte, Frederic March, Sydney Poitier, Ethel Herman...

Pour parvenir à l'armurerie de Washington, les Kennedy doivent traverser péniblement les artères enneigées. Quelques voitures des services secrets, suivies par celles de la presse, font des zigzags... ce qui amuse beaucoup Ethel et Joan :

— Nous allons finir par les semer !

Le chauffeur de Joseph et Rose est obligé de descendre du véhicule pour déblayer la neige avec une pelle, sous les rires de Patricia et de Jean. Le patriarche hurle à Teddy de sa fenêtre ouverte :

— Pousse, Teddy, pousse !

Sinatra accompagne Jackie et John jusqu'aux tribunes officielles. La salle entière se lève pour applaudir le couple si glamour. John, en smoking, est resplendissant. Mahalia Jackson chante, pour le plaisir de Rose et Joseph, « The Star Spangled Banner ». Sinatra reprend « That Old Jack Magic », la chanson de la campagne, sous les applaudissements de Bobby et Teddy. Eleanor Roosevelt rejoint ensuite Helen Traubel et Frederic March pour lire un passage de *Un moment avec Abraham Lincoln*. La lecture soulève beaucoup d'émotion. John serre la main de son épouse.

Les artistes se réunissent sur la scène autour de Frank Sinatra pour entamer la chanson de clôture. Jackie a déjà regagné leur maison de Georgetown. Elle s'est éclipsée une demi-heure avant le final.

Joseph, Bobby, Teddy et John vont dîner, quant à eux, au restaurant de Paul Young. La discussion se concentre sur le discours d'investiture :

— Je me demande si tu n'aurais pas dû réserver le texte lu au parlement du Massachusetts pour demain... Tu nous as tous tellement émus il y a quinze jours.

— Ne t'inquiète pas, papa, je sais ce que je dois dire demain à la tribune.

Auprès de John, la jeune actrice de vingt-neuf ans Angie Dickinson plaisante avec Paul Fay. Son interprétation sensuelle comme entraîneuse de salon dans *Rio Bravo* a fait d'elle une star. Ses longues jambes ont attiré l'attention de tous les Américains, y compris celle du futur 35e président des États-Unis.

Vers 4 heures du matin, ils quittent la salle à manger sous les applaudissements du personnel.

La tempête de neige s'arrête peu avant 6 heures du matin.

Le 20 janvier 1961, John sort de chez l'un de ses meilleurs amis, le peintre William Walton. Ils ont révisé ensemble, avec Ted Sorensen, le texte de son allocution. En compagnie de Pierre Salinger, il rejoint à pied l'église de la Trinité de Washington. Il est à peine 8 heures. Sous son manteau bleu marine, il porte la fameuse veste à deux boutons, le modèle Sack Suit de chez Brooks Brothers.

John est entouré par un service de sécurité renforcé. La neige recouvre toutes les voitures garées :

— Sommes-nous à Washington ou dans le Montana ?

Ce matin, les journaux ont confirmé que ce temps est le plus glacial jamais connu depuis l'investiture, il y a cinquante ans, de William Howard Taft. Le thème de cette prestigieuse journée est « la Nouvelle Frontière ».

Rose est déjà en train de prier lorsque John s'agenouille devant l'autel :

— Que Dieu puisse me venir en aide pour cette tâche et me donne la force d'accomplir ce en quoi je crois pour le bien-être de tous les Américains.

Elle regagne discrètement la foule amassée autour de la chapelle et confie à un policier le soin d'appeler une voiture pour qu'elle puisse se changer :

— Je suis madame Rose Kennedy, la maman du Président… Pourriez-vous appeler une voiture pour moi ?

Le policier, persuadé d'avoir affaire à une illuminée, ne lui répond pas et reprend son service pour libérer la circulation.

Plus de 3 000 soldats déblaient les avenues bloquées par la neige. Les arbres de Pennsylviana Avenue ont été traités afin de faire fuir les milliers d'étourneaux. Les abords en gazon du Capitole ont été peints… en vert vif. Depuis quelques jours, des centaines de milliers d'Américains sont arrivés pour assister à l'investiture et admirer les parades militaires.

À 11 heures, la Lincoln noire présidentielle, où se tiennent John et Jackie, traverse Pennsylvania Avenue. Les petits drapeaux américains à l'avant frémissent sous le vent. Larry O'Brien et Ted Sorensen, face à eux, relisent son discours à haute voix. Jackie sourit et caresse les cheveux de son mari.

Le portail sud-est ouvre ses portes. Le président Eisenhower et son épouse les reçoivent pour un café. La conversation est agréable.

— Le livre préféré de mon mari est *Le Jour le plus long*, l'avez-vous lu ?

— Non, madame Kennedy. Je sais que ce livre existe, mais non, je ne l'ai pas lu. En revanche, j'ai commandé l'opération en Normandie.

À midi, John et Jackie invitent le couple Eisenhower à rejoindre la voiture présidentielle. Entourée par douze motards, elle se dirige vers le Capitole, cerné par les journalistes, les hauts fonctionnaires, les personnalités politiques, les généraux, les célébrités du cinéma... ainsi que les autres membres du clan Kennedy et les Auchincloss en haut-de-forme.

Sam Rayburn, qui dirige les débats du Congrès, les accueille. John reste un moment avec lui dans son bureau et revoit quelques lignes de son discours. Jackie et les Eisenhower s'entretiennent, prenant debout un café, avec les membres du Congrès. Le vent fouette le tourniquet des portes.

À 12 h 51, John, la tête nue, prête serment sur la Bible de son grand-père Fitzgerald. Il a remis son pardessus et son haut-de-forme à George Thomas et se dirige vers les micros en simple queue-de-pie. Les personnalités sont abritées du vent glacé par des bâches tendues.

— Qu'il soit dit à partir d'aujourd'hui à nos amis comme à nos ennemis que le flambeau a été transmis à une nouvelle génération d'Américains nés en ce siècle, fortifiés à l'épreuve de la guerre, formés à l'école d'une paix difficile et âpre, fiers de l'héritage du passé et déterminés à ne pas assister sans rien faire à l'érosion insidieuse des droits de l'homme, auxquels cette nation a toujours montré son attachement et auxquels nous sommes aujourd'hui attachés, chez nous et dans le monde entier.

« Que chaque nation, qu'elle nous veuille du bien ou du mal, sache que nous supporterons n'importe quelle épreuve, appuierons n'importe quel ami et nous opposerons à n'importe quel adversaire pour assurer la survie et la victoire de la liberté... Ensemble, conquérons les étoiles, conquérons les déserts, supprimons les maladies, faisons appel aux profondeurs des océans et encourageons les arts et le commerce...

Maintenant le clairon nous appelle de nouveau. Ce n'est pas un appel aux armes, bien que, des armes, nous en ayons besoin, ce n'est pas un appel au combat, bien que nous soyons en pleine lutte, mais un appel à porter le fardeau d'une longue lutte crépusculaire, une année après l'autre, nous réjouissant dans l'espoir, faisant preuve de patience dans l'épreuve, une lutte contre les ennemis communs de l'homme : la tyrannie, la pauvreté, la maladie et la guerre elle-même ! Voulez-vous participer à cet effort historique ? Ainsi, mes chers compatriotes américains, ne demandez pas ce que votre pays peut faire pour vous. Demandez-vous ce que vous pouvez faire pour votre pays ! Mes amis, citoyens du monde, ne demandez pas ce que les Américains feront pour vous, mais ce qu'ensemble nous pouvons faire pour la liberté de l'homme !... Avec notre bonne conscience comme seule récompense assurée et l'histoire comme dernier juge de nos actes, préparons-nous à conduire notre pays que nous aimons en lui demandant sa bénédiction et son aide, mais en sachant que, sur cette terre, l'œuvre de Dieu passe par nos mains ! »

Les acclamations montent jusqu'à la tribune officielle installée en bas du dôme. Jackie est émue aux larmes. John serre énergiquement la main d'Earl Warren. Nixon, au côté du vice-président Lyndon Johnson, est le premier à se lever pour féliciter le 35e président des États-Unis.

Le cardinal Cushing vient bénir l'assemblée et la nouvelle présidence. Jackie est très émue en entendant sa voix tremblante. Quelques minutes plus tard, Marian Anderson, la chanteuse noire, entonne « The Star Spangled Banner », l'hymne national américain. Joseph regarde son fils, il ne s'est jamais senti aussi fier. À quarante-trois ans, John est le plus jeune Président jamais élu aux États-Unis, le premier catholique.

Robert Frost, quatre-vingt-six ans, se dirige vers John en remettant une mèche de cheveux chahutée par le vent glacial. L'éminent poète américain, auteur d'*Un arbre témoin*, avait accepté de lire un de ses textes. Sa réponse avait beaucoup amusé John :

— Si vous êtes digne à votre âge de l'honneur d'être président des États-Unis, je devrais être digne à mon âge de l'honneur qui m'est fait de prendre part à la cérémonie d'investiture. Peut-être ne serai-je pas à la hauteur, mais j'accepte pour ma cause : les arts et la poésie sont maintenant considérés pour la première fois comme une affaire de gouvernement !

Le soleil inonde de ses rayons toute la tribune. Il est pratiquement impossible pour Frost de lire le poème qu'il a composé pour l'occasion... Sans se démonter, il récite par cœur un texte qu'il a écrit en 1942 : « The Gift Outright. » « La terre était à nous avant que nous ne soyons à elle... »

Les six cents personnalités assises à la tribune se lèvent pour l'applaudir. Parmi elles, l'écrivain John Steinbeck, le journaliste romancier John Hersey, le philosophe français et adepte du thomisme[1] Jacques Maritain, le théologien protestant Paul Tillich, le poète Wystan Hugh Auden...

Bobby est très ému. Il a toujours été un amateur des poésies de Frost. Ted Sorensen serre la main du maire de Chicago, Richard Dailey :

— Quelle merveilleuse journée !

Angie Dickinson, assise discrètement aux côtés de Paul Fay et du docteur Max Jacobson, admire la sérénité et l'élégance de Jackie. Le médecin, surnommé « Feel Good », est entré dans l'équipe des Kennedy après le débat télévisé contre Nixon. Ses injections d'amphétamines et ses cocktails de vitamines ont remplacé les traitements classiques de Janet Travell.

Durant quatre heures, les animations et les parades militaires, dirigées par le lieutenant-général James Gavin, font le bonheur du public et des tribunes malgré le froid engourdissant. John, entouré de Bobby et Ted, reste sans pardessus pour applaudir les 32 000 soldats. Quelques dizaines de ses invités se protègent sous des couvertures en laine : Harry Truman, Bess Truman, Eleanor Roosevelt, Mme Eisenhower.

---

1. Thomisme : doctrine théologique et philosophique de saint Thomas d'Aquin, surnommé « le docteur angélique ». Sa métaphysique repose sur une distinction : chez tous les êtres créés, l'essence se distingue de l'existence. Seul Dieu existe par lui-même. Le thomisme a permis de concilier la pensée d'Aristote avec le dogme chrétien.

La limousine présidentielle conduit ensuite John et Jackie à la Maison Blanche. Le 35ᵉ président des États-Unis se lève de son siège et salue avec son haut-de-forme son père debout devant les tribunes. Le vieil homme sourit.

— Je te remercie pour tout, papa, murmure-t-il.

Jackie pleure doucement. Jamais elle n'aurait cru un jour vivre un tel moment. Lorsqu'il se rassoit, elle lui caresse la joue :

— Jack, tu es merveilleux.

John, Jackie et les Johnson sont reçus au Parlement pour un déjeuner à base de côtes de bœuf texan et de langoustes de la Côte Est. René Verdon, le chef français étoilé, a été chargé de cette mission. Le président Harry Truman se dirige vers John :

— Monsieur le Président, pourriez-vous dédicacer mon menu ?

John, cigare à la main, le regarde droit dans les yeux et sourit :

— Bien sûr, monsieur le Président. Pourriez-vous en faire autant avec le mien ?

— Très volontiers !

Les deux hommes se serrent la main chaleureusement.

Rose, Joseph et le reste du clan déjeunent à la Maison Blanche.

Le soir, plusieurs réceptions sont données. Le grand bal d'investiture s'ouvre à l'Arsenal. John et Jackie sont assis à la tribune présidentielle aux côtés des Johnson.

— Vous nous regardez et nous vous regardons !

Jackie participe à trois des cinq bals avant de regagner sa chambre à la Maison Blanche. John la rejoint peu après 4 heures du matin. Mais, avant de profiter de sa première nuit dans la chambre d'Abraham Lincoln, il passe un excellent moment chez son ami Joseph Alsop, entouré de Frank Sinatra, Dean Martin, Peter Lawford et Angie Dickinson.

Vers 6 h 30 du matin, John ouvre les yeux. Les lourds rideaux bordeaux ne laissent aucune chance aux premiers rayons du soleil. Il se lève doucement et avance pieds nus jusqu'à sa salle de bains. Les cheveux ébouriffés, il avance ses mains sous l'eau fraîche du robinet. Depuis trois semaines, il souffre des articulations des doigts.

— J'ai dû serrer au moins deux millions de mains…

Une heure plus tard, George Thomas apporte un costume bleu marine, une chemise bleu ciel, une cravate sombre et une paire de chaussures noires.

— Monsieur le Président, je vous souhaite une agréable journée à la Maison Blanche.

John lui adresse un clin d'œil.

— Jackie dort-elle encore ?

— Oui, monsieur.

— Alors, ça vous a plu, cette cérémonie, hier ?

— Je n'oublierai jamais la voix de Mme Anderson…

— Je crois que tout le monde était content, même maman !

En dévorant des toasts, deux œufs au plat et du bacon, John lit le *New York Times* et sourit : « Kennedy a prêté serment, il a demandé une alliance globale contre la tyrannie, la pauvreté et la guerre… Les docteurs Janet Travell et Eugene Cohen ont examiné le Président, ils ont déclaré qu'il était en parfaite santé. »

John termine son café très sucré et avale deux comprimés de 25 mg de cortisone. Hier, il n'a pas souffert de son dos. « Un répit pour mieux me détruire ensuite… » Jackie avait gardé sur elle les médicaments. Les docteurs Travell et Jacobson ne pouvaient pas entrer partout sans attirer l'attention. John se souvient de la prémonition, en 1939, du docteur Daniel Davis, qui avait annoncé à Pamela Churchill, la belle-sœur du Premier ministre :

— Votre ami n'a pas un an à vivre…

Grâce aux efforts des médecins et de Jackie, John s'en est sorti. Les trois dernières opérations – dont celle confidentielle – ont bien failli lui ôter la vie. Il avait confié à Lem Billings :

— Je ne sais pas si c'est Dieu qui est intervenu là-dedans, mais je me suis accroché. Le seul réconfort avec cette fichue Addison, c'est que je ne perdrai pas mes cheveux !

159

John a rendez-vous à 9 heures avec les membres de son cabinet et les chefs d'état-major, dont l'amiral Burke Arleigh, le général Andy Goodpaster et le général Lemnitzer.

Jackie est restée au lit avec John Jr et Caroline, tard après le petit déjeuner. Un feu de cheminée crépite dans le petit salon. Caroline lui pose quantité de questions sur les cérémonies d'hier.

— Papa est-il président pour toujours ?

Jackie sourit, la prend dans ses bras :

— Juste assez longtemps pour nous montrer les étoiles dans le ciel...

— Toutes les étoiles, maman ?

— Chacune d'entre elles.

Après son entretien avec l'état-major, John reçoit dans le bureau ovale Robert Drew, l'un des plus célèbres producteurs de la télévision américaine. Celui-ci lui propose de suivre ses premiers pas à la Maison Blanche, entouré par sa famille.

— Pourquoi pas ? L'idée est amusante.

— Croyez-vous, monsieur le Président, que Mme Kennedy accepterait qu'une de mes équipes la filme pendant plusieurs jours ?

— Demandons-lui maintenant !

Evelyn Lincoln compose le numéro de la chambre de Jackie.

— Madame Kennedy, je vous passe le Président.

Jackie sourit et fait signe aux enfants de se taire.

— Jackie, j'ai un journaliste en face de moi, Robert Drew... Il me demande l'autorisation de filmer les enfants avec toi à la Maison Blanche. Le reportage sera diffusé le week-end prochain après les journaux. Qu'en penses-tu ?

— Il n'en est pas question. Personne ne me filmera à la Maison Blanche !

— Si tu contrôles ce qu'ils font, accepterais-tu ?

— Entendu, mais tu me laisses faire.

Jackie descend une heure plus tard et présente un plan de tournage impressionnant :

— Mais quand as-tu eu le temps de faire cela ?

— Je me suis débrouillée !

Le reportage connaîtra un grand succès à la télévision six jours plus tard.

Dans l'après-midi, John reçoit le maire de Chicago, Richard Dailey, et ses six enfants pour leur faire visiter la Maison Blanche. Le président Harry Truman est venu également le saluer.

Le 28 janvier, John s'entretient avec Evelyn Lincoln :

— Il faudrait donner quelque chose à Jackie pour l'occuper !

— La Maison Blanche est dans un état épouvantable, pourquoi ne pas lui proposer de s'en charger ?

Jackie, en pantalon gris et pull-over de jersey à col roulé, traverse les longs couloirs glacials qui mènent au bureau ovale. Les agents des services secrets la saluent.

— Bonjour, messieurs, je viens voir le Président.

John rédige une note à l'attention de Pierre Salinger.

— Entre.

— Il fait un temps magnifique, dommage que nous ne puissions pas en profiter, la lumière n'entre même plus ici tellement les carreaux sont couverts de poussière.

— C'est à ce sujet que je voulais te voir. Accepterais-tu de t'occuper de la rénovation de cette maison ?

— J'aurai carte blanche ?

— Oui. Mais attention aux dépenses ! On m'a déjà reproché le coût de tes toilettes ! Et garde à l'esprit que je déteste la moquette verte, le papier peint et les choses trop voyantes !

Jackie prend rendez-vous avec l'une de ses meilleures amies : la célèbre décoratrice new-yorkaise Helen Parish.

— John me donne son feu vert pour décorer cette horrible chose. Si nous déjeunions chez nous, je veux dire à la Maison Blanche, pour en discuter ?

Ensemble, elles étudient les plans de chaque pièce et lisent attentivement l'inventaire des meubles, des tableaux et objets anciens détenus depuis la construction de l'édifice : des bustes des présidents Andrew Jackson (1767-1845), George Washington (1732-1799), Thomas Jefferson (1743-1826), du mobilier datant de James Monroe et de James Madison, une sculpture

161

représentant Christophe Colomb, des couverts en argent, des tables présidentielles de John Tyler, des chaises ayant appartenu au 19ᵉ président des États-Unis, Rutherford Hayes, des assiettes à gâteau du service Lincoln...

— La plupart sont sous des tonnes de poussière dans les caves, c'est effrayant ! C'est un véritable fourbi !

William Walton, le directeur de la National Gallery et le président de la Commission des beaux-arts les conseillent dans leur tâche. Tous les objets sélectionnés sont soigneusement nettoyés, poncés et teintés, avant d'être examinés et authentifiés.

— Ce que je voudrais, c'est donner un style français à la plupart de ces pièces. Leur redonner vie !

Jackie fait appel à de riches mécènes pour soutenir les premières dépenses. Avec son tact, elle parvient en très peu de temps à obtenir les accords de plusieurs d'entre eux. Ils sont invités à déjeuner avec le Président et les journalistes sont conviés à publier leur nom.

Le salon bleu est entièrement revu :

— Teddy Roosevelt a supervisé tout l'aménagement de cette pièce. On y a ajouté un dessin de vannerie qui ne cadre pas du tout. Telle qu'elle est, cette pièce est conventionnelle et parfaitement inutilisable. Il y faudrait une table ronde. Elle pourrait devenir un des meilleurs salons de la Maison Blanche. C'est une pièce si difficile à meubler... car elle présente quatre portes, toutes différentes. On ne peut pas y disposer n'importe quels meubles !

Elle réhabilite les porcelaines anciennes du salon chinois :

— Elles ont leur place ici, quel dommage de les laisser enfermées dans ces sinistres armoires.

À l'angle sud-est, dans la chambre de Jackie, un paravent français datant du XIXᵉ siècle est installé dans le boudoir ; une gouache du XIXᵉ représentant une chouette, signée Peter Paillon, est accrochée au-dessus d'une cheminée ; les meubles de Georgetown sont cirés et disposés avec goût. Au pied du lit, un banc capitonné de vert pâle assorti aux rideaux est recouvert de ses revues françaises favorites : *L'Officiel*, *Elle*, *Le Figaro littéraire*, *Paris-Match*.

Une porte donne sur la chambre de John. Les murs sont peints en beige et le mobilier est essentiellement en acajou. De chaque côté de la cheminée, deux canapés en cuir se font face. Quelques tableaux du XIXᵉ représentant des chevaux de course appartenant à Sir Charles Bunbury, le cofondateur du Derby à Epsom, sont accrochés autour de la porte d'entrée. Une bibliothèque contient les livres favoris de John et des centaines de disques. Parmi les ouvrages, le personnel de maison est étonné de découvrir les collections complètes des aventures de James Bond 007, à côté de *La Nécessité du choix*, d'Henry Kissinger !

Jackie aménage leur salon privé, mélange de style français et américain. La lumière pénètre toute la journée dans la pièce. Les murs sont recouverts d'un léger tissu crème. Le soir, une ambiance chaleureuse et intime est obtenue grâce à la douceur des éclairages. Une paire de guéridons en merisier, une lampe de chevet en porcelaine, deux lampes bouillottes Louis XV, une bibliothèque en pin blanc contenant les ouvrages préférés de John, un canapé deux places beige posé sur un tapis d'Orient. C'est ici que le couple reçoit la plupart de ses amis et les membres de la famille.

— C'est notre Georgetown à nous deux.

Une chaîne hifi stéréo diffuse de la musique classique, des opéras, du jazz et les derniers succès de Sinatra.

Dans la chambre de Caroline, un cheval à bascule, une chaise victorienne, des rideaux fleuris... Les murs sont peints en rose, encadrés de lambris blancs. Celle de John est bleue et blanche, meublée de grandes armoires françaises en pin blanc.

À la place du solarium, dans l'aile est de la Maison Blanche, Jackie fait aménager une salle de classe :

— Nos enfants et ceux du personnel pourront en profiter.

Le second étage est conçu pour recevoir des amis et des hôtes prestigieux.

— Ce sont des pièces magnifiques qui donnent pour la plupart sur les monuments de Washington. Harry Truman aimait cet endroit, paraît-il ! La vue est superbe... Nous ajouterons quelques peintures, dont six œuvres de John Singer

Sargent, l'un des portraitistes préférés de la haute société anglaise.

Jackie égaie le style 1902 de la salle à manger de gala avec un tapis arabe d'après le dessin de Stéphane Boudin ; un tableau d'Abraham Lincoln surplombe la cheminée de marbre italien. Au second étage, on décore un salon de plusieurs dessins de Louis Dupré et Stefano Della Bella.

Jackie installe, à la place des cabinets de toilette, une petite cuisine familiale qui communique directement avec leur salle à manger privée. L'équipement est du dernier cri : un four moderne, une cafetière avec programmateur, un grille-pain et un rangement conçu pour recevoir les œufs, les tranches de pain de mie et les pots de confitures. Le minicongélateur est empli de glaces vanille aux pépites de chocolat, l'une des fameuses gourmandises de son mari.

— Je ne veux pas que nos plats arrivent froids. Il faut toujours attendre une heure pour avoir un morceau de beurre, du sel... ou je ne sais quoi ! Le fait que John descende les escaliers ou prenne l'ascenseur pour aller chercher du pain au sous-sol est ridicule !

Le chef français René Verdon, de La Caravelle, est embauché à la Maison Blanche. Joseph Kennedy, client fidèle de son restaurant new-yorkais, lui a demandé d'accepter l'offre de sa belle-fille :

— C'est une occasion unique de servir votre pays, René !

Jackie l'accueille avec joie.

— Finis les hamburgers, le ketchup et les frites. John adore les cailles au raisin, les gibiers, les salades vertes, les fromages français et le consommé de julienne au beurre blanc. Ne le privons pas d'un peu de réconfort !

Jackie contrôle les menus de la semaine auprès du maître d'hôtel, Bernard West, et donne son avis sur chacun d'entre eux. Certains sont communiqués à la presse pour calmer sa curiosité.

John veille sur les factures des fournisseurs :

— Comment se fait-il que je doive payer cet achat de fruits de mer ? Nous avons un budget alloué par le Congrès, même pour nos repas ! Si celui-ci est dépassé, ce sont mes propres dollars qui paieront la note ! Dites à Jackie et à Verdon de faire attention !

L'équipe présidentielle voit défiler chaque jour dans les couloirs du rez-de-chaussée des équipes de déménageurs, d'ébénistes, de peintres, de plombiers, d'électriciens... Excepté le bureau ovale, la Maison Blanche est traversée par une véritable armée de techniciens. On livre chaque mois des dizaines de stères de bois afin d'alimenter toutes les cheminées du rez-de-chaussée et du premier étage.

Dans le bureau ovale, Jackie fait rapatrier les objets personnels de son mari de son bureau du Sénat. Le vert des murs est remplacé par un tissu beige ; deux canapés en lin se font face ; des tableaux représentant les combats navals des États-Unis dominent la cheminée centrale : le navire américain l'*USS Constitution* et la frégate anglaise *La Guerrière* s'affrontent. Le fauteuil à bascule, préconisé par le docteur Janet Travell, est installé pour permettre à John de se relaxer. Des sabres et des mousquets sont accrochés autour d'une porte menant à une petite pièce d'eau. Jackie fait décaper et cirer un magnifique bureau en chêne, dont l'histoire amuse beaucoup son mari. Les baleiniers américains l'ont déniché dans les glaces de l'Arctique au siècle dernier !

La presse commence peu à peu à s'inquiéter des dépenses. Les 50 000 dollars alloués ont disparu en quelques semaines. Pierre Salinger est dépêché auprès des journalistes :

— Mme Kennedy cherche à rendre la vie du Président agréable.

Jackie est horrifiée en découvrant les centaines de curieux accrochés aux immenses grilles du parc. Elle ne peut se promener avec ses enfants dans les sept hectares des jardins sans les entendre hurler leurs prénoms :

— Caroline ! John !

Les téléobjectifs des photographes ne cessent de les épier. Les meilleures clichés paraissent le lendemain dans la presse. La célèbre journaliste *people* Betty Beale ne rate aucune occasion d'écrire les moindres faits et gestes des Kennedy dans ses colonnes du *Star*.

— Comment peut-on écrire des stupidités et des mensonges pareils ? Qui a donné le nom du poney de Caroline aux journalistes ? Faut-il demander aux services secrets de donner un nom de code à Macaroni ?

Jackie convoque Pierre Salinger dans son bureau :

— Pierre, vous devez agir ! Il faut faire quelque chose pour protéger notre vie privée ! Je compte sur vous, sinon expliquez-moi à quoi vous servez ici ?

Le chat de Caroline, Tom Kitten, devient une véritable star. Salinger se voit obligé de répondre aux questions stupides des journalistes :

— Monsieur Salinger, pouvez-vous nous dire si Tom Kitten a su trouver un endroit à lui à la Maison Blanche ?

— Écoutez, il dort chaque jour au troisième étage et tout se passe très bien pour lui !

Quelques jours plus tard, c'est au tour du chien de John Jr, Charlie.

Plusieurs fois dans la semaine, Jackie adresse des notes au porte-parole :

— Je vous demande de faire taire ces gens !

Chaque week-end passé avec son mari et leurs enfants fait l'objet d'un compte rendu dans la presse.

— Nous ne pouvons tout de même pas rester cachés dans la résidence de Camp David jusqu'à la fin de nos jours ! Il faut trouver une solution.

Au bout de quelques semaines, Jackie doit se rendre à l'évidence : seule cette maison installée dans l'ancienne retraite montagnarde du président Roosevelt offre une intimité à l'abri de tout. D'autant que John affectionne cet endroit historique. Il y a la possibilité de joindre ses collaborateurs et ses ministres à tout moment grâce à un système de communication très perfectionné.

Le 15 mars, Jackie organise une soirée en l'honneur de sa sœur et de son mari, le prince Stanislas Radziwill : plus de quatre-vingts invités découvrent avec joie les premiers travaux de leur hôte. Avec l'aide de René Verdon, Jackie a composé le menu du dîner : mousse de saumon au concombre, poulet à l'estragon, tomates grillées, champignons aux herbes et charlotte aux fraises.

Le 5 avril, le Premier ministre anglais, Harold Macmillan, et son épouse sont accueillis sur le perron de la Maison Blanche par le jeune couple présidentiel. Macmillan ne sait pas ce qu'il peut espérer d'un Président aussi jeune. Les informations des services secrets britanniques sur les Kennedy ne sont pas excellentes : trop d'argent et pas assez d'expérience en politique étrangère. JFK pourrait être son fils.

Pendant les entretiens entre son mari et le Premier ministre sur l'OTAN et sur la situation à Berlin, Jackie partage le thé avec lady Dorothy Macmillan. Cette dernière est ravie de cette visite de la Maison Blanche orchestrée par Jackie.

En rentrant en Angleterre, Macmillan déclare à la presse :
— Les Kennedy ont acquis quelque chose que nous avons perdu : une grandeur désinvolte durant leurs soirées, de jolies femmes, une musique agréable, des vêtements magnifiques et du champagne !

Le 11 avril, la télévision NBC diffuse après le journal du soir un reportage d'une heure sur la vie de leur Président et de sa famille à la Maison Blanche. Les images d'un bonheur idyllique présentent Jackie entourée de ses deux enfants, de leur chat et de leur fox-terrier. John prend la main de son fils pour l'emmener personnellement à la crèche située à quelques pas de la roseraie. L'Amérique et le monde entier sont admiratifs devant la décontraction et la gentillesse du jeune couple présidentiel.

Le matin du 12 avril, John et Jackie regardent à la télévision l'exploit soviétique : le cosmonaute soviétique Youri Gagarine a été envoyé dans l'espace à bord de sa capsule, le *Vostok*, vers 3 heures du matin, la nuit précédente. La nouvelle a surpris le monde entier. Tous les journaux en ont fait leur une.

Il y a trois jours, John a appris la nouvelle lors du match de base-ball opposant Washington à Chicago. Il n'avait rien laissé paraître de sa loge présidentielle. Plus de 30 000 personnes assistaient à la première rencontre de la saison.

Les derniers rapports de la CIA l'avaient déjà prévenu il y a plus d'un mois.

Vers 8 h 30, tandis que George Thomas lui sert un verre de lait frais, le téléphone retentit. Jackie est retournée dans sa chambre avec les enfants.

— Allô ?

— Monsieur le Président...

— Pierre, quelles bonnes nouvelles ?

— Comme vous le savez, je suis totalement submergé par les journalistes depuis quelques heures. Que devons-nous leur dire ? Dean Rusk et Kenny proposent de minimiser l'exploit...

— Non, il n'en est pas question. Nous devons saluer le courage des Soviétiques. Je viens d'avoir un long entretien avec notre conseiller scientifique, Jerome Wiesner, et je vais féliciter M. Khrouchtchev.

Un communiqué est adressé à toutes les agences de presse du pays : « L'envoi sur orbite d'un homme et son retour, réalisés par l'Union soviétique, représentent une réussite technique éminente. Nous félicitons les scientifiques et les ingénieurs soviétiques qui ont permis de rendre possible cet exploit magnifique. »

Quelques jours plus tard, John rejoint par hélicoptère la ferme de Glen Ora, que le couple vient de louer pour 2 000 dollars par mois. John a toujours préféré Hyannis Port pour ses plages et le parfum de l'Atlantique, mais ses enfants sont fous de joie à l'idée de passer le week-end dans cette ferme rustique.

Le lieu est la capitale équestre de la Virginie. Les enfants suivent un cours d'équitation donné par leur mère. John, en tenue de sport, cigare aux lèvres, applaudit le courage de John Jr. Les agents des services secrets font de même. Le cocker américain noir et blanc aboie aux ruades des deux poneys. John s'appuie sur le haut de la barrière en bois. Depuis quelques jours, son dos le fait horriblement souffrir. Le docteur Jacobson est passé ce matin pour plusieurs injections avant le décollage de l'hélicoptère. Jackie le sait, elle reconnaît rapidement les symptômes de la douleur.

John s'éloigne du manège pour retrouver les Bartlett, les Bradlee et son meilleur ami Lem Billings. Il ne peut pas rester longtemps près des chevaux sans que son allergie le couvre de petits boutons rouges. Il marche tranquillement vers le sentier qui mène sous l'immense véranda recouverte de chèvrefeuille et de jasmin. Les premiers bourgeons sont déjà prêts à sortir. La lumière fraîche de ce mois d'avril couvre la toiture d'un halo lumineux. John remet ses lunettes Ray Ban.

— Quelles sont les nouvelles de la capitale ?

— Rien de changé depuis hier, la presse m'enquiquine avec Cuba ! Ils vont finir par donner les plans de la CIA à Castro ! C'est incroyable.

— Si nous allions boire un bon daiquiri ?

— Excellente idée, même si ce fichu estomac me fait souffrir !

Lem lui adresse un clin d'œil.

Une heure plus tard, tandis que Jackie et les enfants brossent les poneys et huilent leurs sabots, John entame une partie de son jeu préféré avec ses amis : le backgammon. Ben et Lem ne veulent plus jouer contre lui aux échecs, ils n'ont pu remporter une partie depuis des mois. Et si jamais ils parvenaient à le battre, Jack leur demandait immédiatement une revanche... qu'ils ne pouvaient pas refuser ! Jackie était la première à en rire.

— Avec les dés, nous aurons peut-être plus de chance ?

— Je parie 20 dollars la partie, OK ? rétorquait John.

— OK !

Le samedi, John organise un match-play avec ses amis. Leurs épouses les rejoindront au club-house pour déjeuner. Jackie a pris des cours de golf depuis quelques mois pour suivre son mari, mais cette fois elle veut profiter de la compagnie de ses amies. Les enfants sont confiés à Maud Shaw.

Pendant les parties de golf, John distrait ses adversaires en blaguant ou en proposant de nouvelles règles totalement incompréhensibles. Cela fait beaucoup rire Jackie et Charlie Bartlett. Seul Peter Lawford arrive à décontenancer John par sa tenue : il ne joue que pieds nus.

— Mets au moins tes chaussures sur le tee one !

Le match au Fauquier Spring Country s'annonce plutôt bien pour John. Au neuvième trou, son équipe en est à trois up. Depuis les voiturettes, les hommes entendent leurs femmes parler des dernières créations d'Oleg Cassini.

— Il va finir par me ruiner !

Après le dîner, tous se retrouvent au coin du feu pour regarder l'une des émissions télévisées préférées de John, « Rencontre avec la presse ». Les derniers résultats de matchs de base-ball l'ont mis de bonne humeur. Jackie est auprès de lui, portant un châle en laine.

Les nouvelles de la Maison Blanche sont plutôt inquiétantes. L'invasion de Cuba est imminente. Les B 26 américains ont survolé aujourd'hui l'île pour préparer le débarquement de 1 400 anticastristes. Ils ont été formés par la CIA au Nicaragua sous la présidence de son prédécesseur.

Malgré les réticences d'Arthur Schlesinger Jr et du sénateur de l'Arkansas, John a autorisé l'opération après avoir consulté le directeur de la CIA Allen Dulles, le général Lyman Lemnitzer, l'amiral Arleigh Burke et le général Thomas White.

— Cette unité est aussi efficace par sa puissance de feu que par sa technique et sa compétence !

En mars dernier, le *New York Times* avait contacté John au bureau ovale :

— Monsieur le Président, nous sortons demain un papier signé de notre meilleur reporter, Tad Szulc. Il annonce qu'une invasion d'anticastristes est proche…

— Je vous demande de ne pas publier ce papier dans l'intérêt de notre pays ! Ce serait une trahison de votre part, vous m'entendez ?

John avait raccroché violemment le combiné et avait hurlé à Evelyn Lincoln :

— Bon sang, comment font-ils pour savoir autant de choses ? La presse de ce pays est un véritable bazar !

Le dimanche, John participe à un nouveau tournoi de golf en compagnie de sa sœur Jean et de son mari. Il est descendu très tôt ce matin prendre un petit déjeuner à base de céréales et d'œufs brouillés. Jackie est restée au lit pour jouer avec les enfants. De la cuisine, John entend en souriant les cris de Caroline et de John Jr. Dehors, il fait un temps magnifique. Les cerisiers sont en fleurs. John regagne sa décapotable pour ranger soigneusement son sac de golf noir, où est inscrit : « J.F.K. Washington D.C. » Hier soir, il a nettoyé lui-même ses fers Ben Hogan et ses bois MacGregor. À son poignet, il porte le récent cadeau de Jackie : une jolie montre suisse rectangulaire qui enregistre les scores de golf.

Jean et Steve Smith sont déjà au practice.

— Hello, Jack !

— Qui veut parier avec moi la partie à 20 dollars ?

— Ça nous convient !

Jean embrasse chaleureusement son frère tout en lui murmurant :

— Tu as une mine splendide.

Après le déjeuner à Glen Ora, John contacte Pierre Salinger à son domicile :

— Je veux que vous restiez à la maison, la presse ne va pas tarder à vous tomber dessus pour Cuba... Si l'on vous pose des questions, dites que tout ce que vous savez, vous le tenez du journal et rien de plus.

— Entendu.

Le reste de la soirée se déroule autour du manège équestre, puis d'une partie de cartes avant l'apéritif. À 5 h 15 du matin, John et Jackie sont réveillés par le téléphone de leur chambre.

— Allô ?

— Monsieur le Président, je vous passe M. Dean Rusk.

— Oui, merci.

— Monsieur, le débarquement a commencé depuis trente minutes...

— Qu'est-ce que cela donne ?

— Allen Dulles vient de me réclamer une couverture aérienne pour ceux qui sont déjà en train de se battre sur les plages. Il a demandé le décollage immédiat de nos jets du porte-avion *Essex*. Nos B 26 mettraient trois heures pour parvenir au-dessus des côtes cubaines. Que dois-je lui répondre ?

John coiffe ses cheveux et bouge nerveusement sa jambe gauche. Jackie a regagné la salle de bains.

— Bon Dieu ! Il n'en est pas question ! Ce n'est plus possible. Dites à la CIA qu'ils n'auront pas nos jets ! Ni de B 26 !

À 9 heures, l'hélicoptère présidentiel emporte John, Jackie et leurs enfants à Washington. Durant le vol d'une vingtaine de minutes, Jackie tient la main de son mari, dont le regard n'a pas quitté l'horizon.

En ouvrant la porte de son bureau, John découvre le visage d'Evelyn Lincoln. Les dernières nouvelles sont mauvaises. Dean Rusk et Kenny O'Donnel font les cent pas autour du salon. Le débarquement des anticastristes sur l'île des Pins à Cuba est un vrai désastre. Le fiasco de la baie des Cochons plonge le gouvernement dans les eaux troubles du golfe du Mexique, à quelque 170 kilomètres de la Floride.

Les troupes du dictateur n'ont fait qu'une bouchée des malheureux anticastristes. Aucun navire américain ou avion de combat n'a reçu l'autorisation de les soutenir. Cent quatorze hommes sont tués, les autres sont faits prisonniers.

John n'a pas quitté son bureau, ses meilleurs conseillers sont à ses côtés, le regard abattu.

— Il est évident que je suis responsable du gouvernement ! Comment ai-je pu faire une erreur pareille ? Comment avons-nous pu croire au succès de cette invasion ? Je ne connais pas la réponse et je ne connais personne qui la connaisse !

Evelyn Lincoln annonce au Président que son père souhaite lui parler :

— Cet échec te servira ! Prends cela comme une expérience.

Le 21 avril, John contacte Richard Nixon :

— Dick, pourriez-vous passer me voir ?

Après son échec aux élections présidentielles, Nixon avait retrouvé un emploi en tant qu'avocat dans le cabinet juridique Adams, Duque et Hazeltine à Los Angeles. Comme tous les Américains, il a suivi dans la presse l'échec du débarquement. Il avait rencontré deux jours auparavant le directeur de la CIA, Allen Dulles, pour s'entretenir avec lui des raisons de cet échec.

En pénétrant dans le bureau ovale, Nixon découvre John debout, le regard porté vers la roseraie. Lyndon Johnson est assis confortablement dans l'un des deux canapés beiges. Lorsque son ancien adversaire se retourne, il constate que les rides de son visage se sont creusées, des cernes entourent ses yeux gris et des cheveux blancs marquent ses tempes.

— Bonjour, monsieur le Président ; bonjour, monsieur le vice-Président.

— Je suis très heureux que vous soyez venu me voir... Lyndon va nous laisser seuls.

Johnson se lève et salue amicalement les deux hommes avant de se retirer. John et Nixon s'assoient face à face, près des flammes de la cheminée. Ils ne se sont pas vus depuis l'investiture en janvier dernier. Installé dans son rocking-chair, John entame la conversation en serrant ses poings de rage :

— J'ai reçu hier les membres du Conseil révolutionnaire cubain, dont leur président, José Miro Cardona. Ils sont arrivés à New York il y a quatre jours. Plusieurs de ceux qui étaient présents ont perdu un fils, un frère, un parent proche ou un ami... Leur parler et voir la tragique expression de leurs visages, ça a été la pire expérience de ma vie !

— Comment vont les Cubains réfugiés ?

— Hier ils étaient fous de rage contre nous, aujourd'hui ils sont beaucoup plus calmes... Et, croyez-moi ou ne me croyez pas, ils sont prêts à repartir et à lutter de nouveau si nous leur donnons le mot et le soutien ! Putain de merde ! La CIA nous a mis dedans ! Chaque fils de putain avec lequel j'ai examiné la chose, c'est-à-dire tous les experts militaires et la CIA, m'a donné l'assurance que l'opération fonctionnerait !

Nixon baisse les yeux. Il connaît si bien ces moments de solitude qui ôtent toute envie de se battre. Avec Eisenhower, il les a vécus. Sa nouvelle vie à Los Angeles lui avait fait quelque peu oublier les aspects détestables de la vie à la Maison Blanche.

John se lève en secouant la tête :

— Que feriez-vous maintenant, à Cuba... si vous étiez à ma place...?

— Je trouverais un prétexte légal convenable et j'envahirais l'île! Il y a plusieurs justifications que l'on pourrait utiliser, comme la protection des citoyens américains vivant à Cuba... et la défense de notre base à Guantanamo. Je crois que ce qui importe le plus pour l'instant, c'est de tout faire pour chasser Castro et le communisme hors de Cuba!

— On nous a fait savoir que Khrouchtchev est actuellement d'une humeur outrecuidante! Ce qui signifie qu'il y a de bonnes chances que, si nous bougeons à Cuba, il bouge à Berlin! Je ne pense pas que nous puissions prendre ce risque.

— Il ne faut pas considérer Cuba uniquement par rapport à l'ensemble des ambitions communistes qui existent dans le monde... Khrouchtchev fera des sondages et des tentatives en plusieurs endroits de la planète dès que nous montrerons le moindre signe de faiblesse! Il provoquera une crise pour en prendre avantage. Je pense que nous devrions intervenir autant à Cuba qu'au Laos, y compris par un engagement de nos forces aériennes.

— Je ne pense pas que nous devrions nous laisser engager au Laos. Surtout à un endroit où nous pourrions avoir à nous battre contre des millions de Chinois dans la jungle. Je ne vois pas comment nous pouvons agir au Laos, à des milliers de kilomètres de nos côtes, si nous ne pouvons pas le faire à Cuba qui est à moins de 150 kilomètres!

— Je vous appuierai totalement si vous prenez une décision de ce genre, soit à Cuba, soit au Laos, et j'inciterai tous les républicains à faire de même. Certains observateurs politiques prétendent, je le sais, que vous pourriez risquer une défaite politique si une crise à Cuba ou en Extrême-Orient entraînait un engagement des forces américaines. Je veux que vous sachiez que je ne suis pas un homme à exploiter sur le plan politique une initiative de ce type si elle devenait nécessaire.

— De la façon dont vont les choses et avec tous les problèmes que nous avons, si je fais le travail comme il faut, je ne sais pas si je serai encore ici dans quatre ans!

John propose à Bobby de prendre la direction de la CIA :

— Allen Dulles va partir, je le lui ai demandé.

— Je suis ton frère et j'appartiens au parti démocrate, je ne pense pas que ce soit une excellente idée !

Leur choix se portera sur John McCone.

Durant une intervention télévisée de quatre heures, Castro ridiculise le nouveau gouvernement américain.

Pierre Salinger doit faire face à l'agressivité des journalistes. Depuis les premiers jours de la présidence de John, les conférences de presse sont transmises en direct. Elles se déroulent, non plus dans l'étroite « salle du Traité avec les Indiens », mais dans un nouvel espace lumineux et agréable, dont le sol est recouvert d'une épaisse moquette rouge. Des cabines téléphoniques sont aménagées de chaque côté des entrées principales.

John intervient en direct à la télévision :

— Ce n'est pas la première fois dans l'histoire, ancienne et récente, qu'un groupe de combattants de la liberté s'attaqué à la cuirasse du totalitarisme ! Ce n'est pas la première fois que les chars communistes écrasent les braves qui combattent pour l'indépendance de leur pays. Et ce n'est pas non plus le dernier épisode de la lutte éternelle entre la liberté et la tyrannie, sur toute la planète... et notamment à Cuba. À entendre Castro, il s'agirait de mercenaires, mais, selon nos informations et le dernier message qui nous soit parvenu des forces de débarquement, cette opération émanait du commandement des insurgés. On leur a demandé s'ils voulaient être évacués ; ils nous ont répondu : nous ne quitterons jamais notre pays ! Ce n'est pas là la réponse de mercenaires !

« Nous allons tirer la leçon de cet épisode. Nous allons revoir et réorienter nos forces dans tous les domaines, nos stratégies et nos propres institutions, au sein de notre communauté. Nous allons intensifier notre lutte. Nos espoirs seront souvent déçus, mais je suis convaincu que nous avons, dans ce pays et dans le monde libre en général, les ressources nécessaires, les capacités et l'énergie que nous confère notre foi en la liberté. Je suis également convaincu que l'histoire retiendra que cette lutte acharnée aura connu son apogée à la fin des années 50 et au début des années 60... L'un des problèmes de notre société, un problème inconnu des dictatures, est celui que pose le droit à l'information. La presse a écrit beaucoup de choses ; je ne serais pas surpris qu'en tant que journalistes vous receviez un certain nombre d'instructions de la part de personnes ou d'organismes intéressés. Un vieux proverbe dit que la victoire est chérie, la défaite orpheline ! »

Dans le salon ovale, Jackie et Bobby écoutent John devant le poste de télévision. Bobby est très nerveux et, dans la fumée des cigarettes de sa belle-sœur, il murmure :

— Il faut que nous fassions quelque chose pour ces pauvres gars. Il faut que nous les aidions.

Caroline et John Jr jouent sur la moquette avec Charlie ; le fox-terrier leur rapporte en remuant la queue la balle de tennis. Dehors, la roseraie blanche est balayée par un vent glacial. Les rayons de soleil illuminent la cime des arbres feuillus. Après l'intervention de son frère, Bobby se lève du canapé. Il retire sa veste et enfile un pull en cachemire bleu marine. Il se dirige vers les boiseries blanches de la fenêtre :

— Nous allons souffrir, cette année sera très dure. Jack aura besoin de nous tous.

L'atmosphère à la Maison Blanche perd quelque peu de sa chaleur. John et Bobby ne se sont pas quittés depuis plus d'une semaine. La lumière des lampes de chevet du bureau ovale ne s'éteint qu'au milieu de la nuit. Jackie passe la plupart de ses soirées seule ou en compagnie des Radziwill.

— Je n'ai jamais vu Jack aussi triste. Sa confiance a été touchée en plein cœur. Il voudrait faire tellement pour ces soldats mais ce n'est pas possible. Cette situation lui est insoutenable.

John a demandé à son vieil ami, le général Maxwell Taylor, de diriger une enquête aux côtés de son frère pour déterminer les raisons de l'échec de la baie des Cochons.

— Je veux savoir qui s'est payé notre tête !

Le 16 mai, John et Jackie entament leur premier voyage officiel à l'étranger : le Canada.

Dans sa cabine présidentielle d'*Air Force One*, John se plaint de fortes douleurs. Les injections d'amphétamines et de cortisone n'ont pas réussi à les apaiser. Il reste allongé pendant la majeure partie du vol.

Le Premier ministre canadien, John Diefenbaker, les accueille sous les acclamations des milliers de curieux et des journalistes. Durant la cérémonie, le président des États-Unis est invité à planter symboliquement un arbre ; quelques coups de pelle de trop, et John ressent une très vive douleur en bas de la colonne vertébrale. Devant les photographes, il s'éponge le front couvert de sueur. Le Premier ministre canadien a compris, il conduit habilement John vers la voiture officielle. En rentrant dans l'habitable, John serre les dents.

À Ottawa, Jackie, accompagnée de l'ambassadeur américain Livingston Merchant, rend visite aux chevaux de la police montée canadienne. Elle pose parmi les cavaliers avec beaucoup de gentillesse. Les journalistes canadiens la couvrent de compliments.

Oleg Cassini a créé pour elle un ensemble rouge, couleur officielle des uniformes canadiens. La mission de Jackie est de montrer l'amitié sincère entre les deux pays : succès garanti. La presse internationale salue sa décontraction et son élégance. Le français de Jackie est très apprécié par les officiers présents à la cérémonie. L'attachée de presse de Jackie, Pam Turnure, fait un excellent travail. Jackie fera la une de tous les magazines canadiens après sa venue.

Jackie est présentée au Parlement par le président de l'Assemblée, Mark Drouin, sous les applaudissements de son mari.

— Avant votre élection, monsieur le Président, beaucoup de Canadiens ont cherché dans le registre d'état civil pour savoir si votre épouse, Mme Jacqueline Kennedy, n'était pas canadienne ! Ils n'ont rien trouvé cependant. Mais nous savons que ses racines sont françaises. Son charme, sa beauté, son énergie et la grandeur de son esprit ont touché nos cœurs...

Après ce voyage au Canada, John est le premier à reconnaître l'intérêt de la présence de sa femme à ses côtés :

— Je veux que Jackie soit présente à Paris en juin prochain. Elle est formidable !

Quelques jours plus tard, le prince et la princesse Rainier de Monaco viennent leur rendre visite à la Maison Blanche. Jackie est admirative devant l'élégance de la jeune mariée. Elles parlent longuement d'Oleg Cassini. L'actrice, avant d'épouser le prince, avait eu une relation amoureuse avec celui-ci.

Le 25 mai, John, Jackie, Arthur Schlesinger Jr et le vice-président Lyndon Johnson assistent en direct à la télévision au vol du commandant Shepard dans sa capsule spatiale, *Mercury III*. Le premier voyage spatial américain dure plus de quinze minutes. John tapote les épaules de l'historien :

— Bon sang, nous les avons rattrapés ! Nous enverrons un jour nos hommes sur la Lune !

Jackie se serre contre son mari :

— Continue, Jack. L'Amérique sera fière de toi.

John et Jackie fêtent l'événement dans leur ferme à Glen Ora.

Jackie est en charge de la plupart des grandes réceptions. La Maison Blanche devient vite un lieu privilégiant l'esprit et l'art. Des musiciens, des peintres, des photographes de renom, des écrivains, des poètes, des cinéastes, des philosophes sont reçus. Chaque semaine, la presse rend compte de ces soirées en félicitant son talent.

Parmi les proches de Jackie souvent à ses côtés : sa sœur Lee et son époux, le prince Radziwill, dont les enfants passent beaucoup de temps avec Caroline et John Jr. Les domestiques de la Maison Blanche sont à la fois étonnés et amusés par le vacarme des enfants Kennedy qui traversent les couloirs et les allées enneigées des jardins en riant et en courant.

Les créations d'Oleg Cassini font la une des magazines, ainsi que les changements de coiffure de Jackie. Chaque sortie à cheval est suivie par une horde de photographes reporters.

Personne dans la presse n'ose parler des relations extra-conjugales de son mari. Quelques-uns le soupçonnent d'entretenir une relation avec l'une des maîtresses du gangster Sam Giancana : Judith Campbell. Frank Sinatra et Peter Lawford seraient à l'origine de leur rencontre.

Pierre Salinger, Robert Kennedy et Kenny O'Donnel préparent le voyage présidentiel en Europe. John y rencontrera le général de Gaulle, le président de la République autrichienne Adolf Schärf, le premier Soviétique Nikita Khrouchtchev, le Premier ministre anglais Harold Macmillan, les lointains cousins irlandais de la famille Kennedy (lors d'une visite privée en Irlande), le ministre des Affaires étrangères italien Piccioni, le pape Paul VI, le chancelier Adenauer et le vice-chancelier Ludwig Erhard.

Jackie convoque Oleg Cassini pour choisir différents modèles :

— Vous avez entendu ce que tout le monde a dit à propos de mes tenues au Canada. J'espère que ces compliments vous ont fait plaisir !

Elle envoie deux de ses assistantes en France pour préparer sa venue.

Le 29 mai, John fête ses quarante-quatre ans à bord du *Marlin*, le yacht familial de dix-sept mètres. La journée est ensoleillée sur les eaux grises du Nantucket Sound. Les enfants s'empiffrent de glaces, tandis que John termine sa lecture des *Mémoires* du général de Gaulle. Jackie, aux côtés de Paul Fay et de son épouse, raconte les derniers exploits hippiques de Caroline.

Bobby est en Europe pour rencontrer le général de Gaulle et Nikita Khrouchtchev. Ses enfants, accompagnés d'Ethel, regardent amusés les vedettes des services secrets. Ils leur font signe en riant aux éclats.

Les promenades à bord du yacht sont les rares moments intimes de tout le clan.

À la fin de l'après-midi, John et Jackie s'entretiennent à l'avant du bateau. Elle le dévisage un instant. John n'a jamais été aussi beau, ses traits sont détendus et sa bouche rayonnante semble savourer ses mots. Les derniers événements d'Alabama ont malmené une fois de plus son gouvernement : le Noir James Farmer, membre du Congrès, se bat courageusement contre les lois ségrégationnistes. Il est à la tête d'un mouvement appelé « Les Cavaliers de la liberté ». Ému par le discours de John lors de son investiture, Farmer avait décidé de frapper fort en organisant une marche non violente à Montgomery. Ils furent attaqués sauvagement par des racistes notoires des États du Sud. Bobby avait ordonné au gouverneur et à la police locale de les protéger, mais rien n'avait été fait. L'un de ses propres conseillers avait été sérieusement blessé durant les affrontements entre les forces de police et les pacifistes.

À la Maison Blanche, lors de son discours d'anniversaire, John a bien insisté sur le fait que son voyage en Europe sera une opportunité pour l'Amérique et le monde libre de défendre leurs valeurs face à la montée du communisme. Les démocrates invités l'ont chaleureusement applaudi.

— Vienne ne sera pas une rencontre au sommet. Je rencontre Nikita Khrouchtchev au milieu de mes visites officielles, entre le général de Gaulle et le Premier ministre anglais Macmillan. Rien de plus ! Les rencontres des leaders font partie de la politique, mais elles ne s'y substituent pas ! Aucune décision ne sera prise à Vienne hors de la présence de nos principaux alliés.

À la fin de cette journée, John doit regagner le bureau ovale. Son père l'accompagne jusqu'à l'aéroport. L'hélicoptère présidentiel viendra dans une demi-heure. Son aide de camp, transportant les codes confidentiels des ogives nucléaires, le suit tranquillement en faisant des petits signes amicaux aux nombreux curieux. John fouille ses poches dans l'espoir de trouver quelques dollars pour acheter des sucreries dans l'une des petites boutiques :

— Je n'ai pas un dollar, papa. Peux-tu m'en prêter quelques-uns, je te les rendrai...

En tendant une liasse de 50 dollars, Joseph rétorque en souriant :

— Ce serait bien la première fois, fiston !

Le 30 mai, Jackie regagne les appartements privés de la Maison Blanche tandis que John loge dans sa suite 28A au Waldorf Astoria. Il y reçoit longuement le Premier ministre israélien, Ben Gourion, pour s'entretenir sur les derniers attentats. Dans la soirée, John a revêtu un smoking pour monter dans la limousine présidentielle auprès de Kenny O'Donnel. Ils doivent participer à une soirée de la Ligue américaine contre le cancer.

— Non seulement en Amérique, mais également dans les pays du général de Gaulle et de Nikita Khrouchtchev, une personne sur quatre meurt du cancer. Quel dommage de dépenser 50 milliards de dollars pour notre défense et une faible fraction de cette somme pour la lutte contre le cancer!

9

Visites officielles

Dans la fraîcheur matinale du 31 mai, la limousine présidentielle des États-Unis, escortée par quarante motards armés, rentre lentement dans l'un des hangars d'Idlewild. John y retrouve le consul général de France, Raymond Laporte. Ils s'entretiennent un court instant sur l'emploi du temps proposé par Matignon. John ne fait aucune remarque. Il attend l'arrivée imminente de Jackie qui a laissé leurs deux enfants au soin de leur gouvernante. À Londres, ils rejoindront sa sœur et son époux le prince Radziwill pour assister au baptême de la fille de ceux-ci.

Le docteur Jacobson est déjà installé dans l'appareil présidentiel. Il accompagnera John dans chacun de ses voyages. Depuis sa visite officielle au Canada, les douleurs sont insoutenables. Son corset et ses injections de cortisone ne suffisent plus à l'apaiser. Son visage bronzé dissimule cependant parfaitement sa fatigue.

Une heure plus tard, le grondement des moteurs du *Caroline* emporte l'impatience de John. Jackie descend de la passerelle. Ils s'embrassent discrètement sur la joue. John prend Jackie par la main et la conduit vers l'avion *Air Force One*.

Le départ est reporté d'une demi-heure, car John a oublié sa valise de vêtements dans sa suite à New York. Jackie s'en amuse :

— Sans moi, que ferais-tu ?

Deux des domestiques des Kennedy arrivent en courant et déposent deux grandes valises pleines.

Le commandant de bord, James Swindal, est prêt pour les premières manœuvres de décollage. Clint Hill, le garde du corps de Jackie, monte en dernier dans l'appareil. À 10 heures, l'appareil bleu et blanc se présente à la tour de contrôle :

— Bonjour, colonel James Swindal... Demande décollage immédiat pour *Air Force One*.

Jackie a choisi les nouvelles couleurs de l'appareil : bleu et blanc. Trois modèles sont à leur disposition. À l'intérieur se trouvent un véritable centre de communications et un poste de commandement aéroporté. John peut contacter facilement et rapidement tous ses conseillers. La plupart des treize membres de l'équipe parlent plusieurs langues. Les consignes du personnel sont strictes : pas d'alcool pendant les vingt-quatre heures qui précèdent le décollage. *Air Force One* offre un grand confort à ses occupants : postes de télévision, électrophones et tables de poker improvisées – où excelle Pierre Salinger. Sa vitesse de vol est en moyenne de 960 km/h. Sa sécurité est optimisée par la surveillance obligatoire d'un destroyer ou porte-avions dans sa zone de navigation.

Trente-deux passagers accompagnent le couple présidentiel. Jackie lit la revue de presse française laissée par Pierre Salinger. John lui adresse un large sourire et signe les derniers documents présentés par Evelyn Lincoln.

Jackie est ravie : au cours de ce voyage, elle va revoir l'une de ses meilleures amies de la Sorbonne, Claude de Renty. Mariée à un avocat, maître du Granrut, et mère de trois enfants, la jeune femme s'est rendue chez le couturier français Christian Dior pour se faire faire une robe du soir. Jackie se rappelle cette époque où toutes deux se promenaient à bord d'une 2 CV et se baignaient dans les étangs proches de la capitale !

John s'entretient au téléphone avec Bobby. Les dernières nouvelles du Congrès ne sont pas excellentes. La formule, « la Nouvelle Frontière », est devenue une expression de polémique autant que celle du New Deal de Franklin Roosevelt ! Les démocrates sudistes se sont regroupés autour des républicains pour protester violemment contre le programme de la Nouvelle Frontière. Les hommes d'affaires les plus influents des États-Unis n'hésitent plus à critiquer sévèrement ses grandes lignes, jugées socialistes. John a toujours eu beaucoup de mal à s'engager avec ces derniers. Depuis les élections présidentielles, ses relations avec ces chefs d'entreprise vont de mal en pis. Il avait pourtant choisi quelques hauts fonctionnaires républicains, dont un ministre, pour les rassurer, mais cela n'avait servi à rien. Les différents messages sur la Nouvelle Frontière ne passent pas. John espère secrètement que l'Europe comprendra mieux ses idées. Malgré le dynamisme de son équipe, une certaine presse de droite annonce chaque semaine dans ses colonnes :

« Rien n'a vraiment changé ! Le Pentagone est toujours aussi lourd, l'administration aussi lente… Les victoires scientifiques des Russes prouvent que nous sommes toujours en retard… Nous collectionnons les échecs en matière de politique étrangère : échec du débarquement des anticastristes à la baie des Cochons et dépenses inutiles pour soutenir l'armée anticommuniste au Laos. »

L'ambassadeur de France, ami des Kennedy depuis une dizaine d'années, a été reçu au bureau ovale après l'échec de la baie des Cochons. Hervé Alphand a trouvé le Président blessé et s'est confié au général de Gaulle en rentrant à Paris :

— Je pense qu'il a besoin de votre lumière… Cuba a été une sale affaire pour son jeune gouvernement, il recherche un guide. Il a du respect pour vous.

Bobby est fou de rage depuis quarante-huit heures : les Texans viennent d'élire sénateur un jeune républicain de trente-cinq ans, John Godwin Tower, pour représenter leur État. Ce simple professeur d'université a écrasé facilement l'opposition démocrate. Cela ne s'était pas produit depuis la guerre de Sécession !

— Bon Dieu ! Mais qu'avons-nous fait contre les Texans pour mériter une haine pareille ! Lyndon Johnson n'a rien pu faire ! Notre propre vice-Président ! C'est à mourir de rire.

Heureusement, la présence de Jackie dans les médias égaie ces premiers résultats. John est maintenant parfaitement conscient de son importance et de sa place dans sa politique. Il n'hésitera plus à s'en servir. Les demandes d'interviews, de reportages à la Maison Blanche sur son épouse, sont de plus en plus importantes. Pierre Salinger, qui s'est lancé dans une partie acharnée de poker avec son ami Dave Powers, en est l'instigateur. Il a organisé un reportage télévisé par la première chaîne française avec Jackie dans les salons et jardins de la Maison Blanche. Jackie s'est efforcée de répondre à toutes les questions en français. Depuis la diffusion de cette interview, la France l'attend avec impatience.

Les journaux ne sont pas aussi sympathiques pour John et sa présidence ! Neuf rédactions européennes sur dix sont contre sa venue en Europe. Les grands journaux n'ont pas oublié le comportement américain à Genève en 1954.

À 10 h 30, le général de Gaulle, soixante-dix ans, entouré par la garde républicaine, accueille chaleureusement le couple sur le tarmac de l'aéroport d'Orly. Les hymnes nationaux américain et français sont joués successivement. Les dignitaires et les journalistes accrédités serrent la main du Président et de Jackie. Parmi eux : Hervé et Nicole Alphand. Le général s'adresse aux Kennedy en anglais – une première pour les journalistes présents sur place.

— Monsieur et madame Kennedy, vous êtes les bienvenus. Avez-vous fait bon voyage ?

Jackie prononce quelques mots en français sous les applaudissements de la presse et du général. Des enfants américains brandissent leur drapeau derrière les hautes barrières métalliques gardées par les gendarmes. John leur adresse un signe bienveillant.

Les photographes français ne quittent pas des yeux Jackie, coiffée d'un tambourin. Les femmes présentes sont éblouies par son élégance : elle porte un très joli manteau bleu pâle. Deux adolescentes s'avancent vers elle pour lui offrir un bouquet de fleurs des champs. Jackie les remercie en français, ce qui touche tout de suite Mme de Gaulle, présente à ses côtés.

Depuis quelques mois, John suit des cours de français. Jackie l'en a convaincu pour qu'il puisse apprivoiser le vieux général.

Dans la foule, John et Jackie aperçoivent Rose et Eunice. Toutes deux sont arrivées une semaine auparavant pour profiter des défilés de haute couture et des meilleures tables parisiennes. Rose s'avance vers sa belle-fille et lui murmure :

— Vous êtes tout à fait charmante, ma chérie.

John déclare sous le pavillon d'accueil :

— Je viens d'Amérique, fille d'Europe, pour rendre hommage à la France, notre plus vieille amie. Je suis ici aujourd'hui non seulement à cause des liens anciens et de l'amitié tout aussi profonde qui nous unissent, mais parce que les relations actuelles entre la France et les États-Unis sont essentielles à la sauvegarde de la liberté dans le monde.

La Lincoln décapotable présidentielle, transportée depuis les États-Unis par les services secrets, conduit le général de Gaulle et John vers le Quai d'Orsay, où séjournera le couple. Jackie et Mme de Gaulle sont invitées à rejoindre l'une des DS noir métallisé du cortège. Rose et Eunice montent avec plaisir dans la voiture de l'ambassadeur américain. M. Gavin leur confirme que les Parisiens sont fous de joie d'accueillir le jeune couple présidentiel :

— La capitale est en effervescence depuis plus d'une semaine !

Escortées par les motards et la garde républicaine, les deux voitures sont saluées par des milliers de badauds. Il y a un mois et demi, le général a décrété cette journée de fête nationale. La capitale est en liesse. De temps en temps, John ne lève pour saluer la foule.

« Vive Kennedy ! Vive Kennedy ! Vive Jacqueline Kennedy ! »

Les marchands de drapeaux ont fait fortune en cette belle journée : 200 francs pour les cinquante étoiles ! Plus de six cent cinquante drapeaux sont vendus par un seul des commerçants.

John et Jackie sont émerveillés par les crinières huilées et les croupes tondues en damier des chevaux de la garde républicaine, par le bruit de leurs sabots sur les pavés. Les centaines de gardes, sabre appuyé sur l'épaule droite, suivent parfaitement la voiture, en cadence.

Le cortège officiel passe devant le jardin des Tuileries et l'avenue des Champs-Élysées. Il est annoncé par cent une salves de canon. Jackie et Mme de Gaulle, soixante ans, sont ravies du spectacle. Le français parfait de Jackie lui permet de s'entretenir aisément avec Yvonne de Gaulle.

John, en costume gris et cravate bleu pastel, entre au côté du général dans l'hôtel de ville. Tous les regards sont attirés par Jackie. Elle porte un ensemble de soie marine et des souliers vernis. John s'assoit sur l'une des chaises dorées du podium, sous l'œil des huissiers. En écoutant le discours du président du conseil municipal, John sourit sans cesse à son épouse. Leur attitude bouleverse les femmes présentes dans l'assemblée. En sortant de l'hôtel de ville, ils ne suivent pas les indications préconisées par les services secrets : ils se dirigent vers la foule de plus en plus importante.

Place de l'Étoile, John rend hommage aux anciens combattants. Jackie serre les mains de dizaines d'inconnus qui hurlent leurs prénoms :

« Vive Jackie ! Jack !... Jack Kennedy ! »

Ils sont attendus ensuite pour un déjeuner à l'Élysée, tandis que l'équipage d'*Air Force One* est parti déguster une soupe à l'oignon aux Halles !

Le menu présidentiel est composé de langoustes, foie gras, veau, fromages et desserts. Le service de table impressionne beaucoup Jackie. Elle s'entretient avec le général sur l'histoire de France, le duc d'Angoulême, les Bourbons... Le vieil homme est admiratif face à sa beauté et sa culture.

John et le général discutent. De Gaulle remarque les qualités intellectuelles de son invité. Sa jeunesse ne lui a jamais fait peur. Durant la Seconde Guerre mondiale, lui-même avait nommé le général Leclerc commandant des forces armées ; l'officier français était âgé de quarante-deux ans. Les deux chefs d'État évoquent le Laos :

— L'intervention dans cette région sera pour vous un engrenage sans fin... Je vous prédis que vous allez vous enliser pas à pas dans un bourbier militaire et politique sans fond, en dépit de toutes les dépenses que vous pourrez faire !

L'atmosphère de l'entretien est cependant très détendue, presque amicale, malgré le besoin de deux traducteurs.

— Êtes-vous satisfait de votre chambre ?

— Oh ! C'est parfait, Jackie est enchantée. Ma femme est extrêmement contente de retrouver la France et Paris !

— Votre épouse est très appréciée dans notre pays. Le peuple français, si je peux me permettre, est tombé amoureux de Jacqueline Kennedy.

John et Jackie rejoignent leurs chambres respectives au Quai d'Orsay. John se fait couler un bain brûlant. Jackie contemple la vue des fenêtres de sa chambre et apprécie le mobilier Louis XVI de sa suite.

Dans l'après-midi, sous l'Arc de triomphe, le Général et John rendent hommage aux anciens combattants. Ces hommes sont très émus de serrer la main du jeune Président. Ils lui racontent brièvement des anecdotes relatives au débarquement des Alliés en Normandie. John se montre chaleureux avec eux. Les dignitaires remarquent son élégance – il porte une jaquette – et sa simplicité.

John dépose, sous la pluie, une gerbe de fleurs sur la tombe du soldat inconnu, puis salue militairement la flamme éternelle. Derrière la fanfare militaire, des milliers de parisiens se bousculent le long des barrières. Avant de quitter le lieu, John signe le registre des visites officielles, puis plaisante avec quelques officiers français.

Pendant ce temps, Jackie, accompagnée de Mme de Gaulle, Rose et Eunice, rend visite aux enfants de l'École de puériculture du boulevard Brune. Jackie traverse le boulevard Saint-Michel. En descendant vers la Sorbonne, sa gorge se serre :

— J'ai passé tellement de bon temps ici. Je suis heureuse d'être à Paris avec mon mari.

Elles visitent, en compagnie du ministre André Malraux, le château de la Malmaison, demeure de l'impératrice Joséphine et de Mme de Pompadour. Jackie s'émerveille en découvrant les impressionnistes au musée du Jeu de paume. Le ministre de la Culture est enchanté de la voir aussi curieuse. Elle le questionne sur tout, sur l'origine de plusieurs objets du Premier Empire et admire les jardins en fleurs. Jackie est émue par la présence de Malraux, qui vient de perdre ses deux fils de dix-huit et vingt ans dans un accident de voiture. Malgré le drame, il a tenu à être présent.

La presse française les suit sans relâche. De temps en temps, Jackie se retourne vers les photographes. Avant la fin de l'après-midi, elle accepte de donner une interview – en français – à la télévision. La journée se termine à la cathédrale Notre-Dame.

Le couple se retrouve dans sa suite du Quai d'Orsay. John est épuisé, en raison des longues cérémonies militaires auxquelles il a assisté. Le docteur Jacobson se rend dans sa chambre. Une heure plus tard, Bobby contacte John pour lui annoncer que l'on vient d'assassiner le président de la République dominicaine, Rafael Trujillo.

— Ils vont nous mettre ça sur le dos !

Dave Powers ignore que cette information doit rester confidentielle. En sortant de son bureau, il annonce à l'un de ses collaborateurs en train de se servir un café :

— Dean Rusk ne viendra pas nous retrouver ! On a assassiné Trujillo.

Les journalistes présents dans le long couloir se précipitent sur les cabines téléphoniques :

— Pierre Salinger vient d'annoncer l'assassinat de Trujillo !

Une heure plus tard, John est averti de la gaffe monumentale de son attaché de presse et ne décolère pas.

— Pierre, le Président n'est peut-être pas mort ! Vous vous rendez compte de la situation !

Jackie se baigne avec bonheur. Ses larges pieds la peinent. Elle a toujours détesté la taille de ses pieds et de ses mains.

— Trop grandes, trop bêtes !

Depuis quelque temps, elle ne supporte plus ses doigts tachés par le tabac et se gante régulièrement les mains. Dans sa salle de bains, elle repense à son père.

À l'Élysée, le salon Cléopâtre est décoré par des dizaines de gerbes de fleurs blanches. À 20 h 30, la garde républicaine accueille en fanfare la Lincoln présidentielle. Elle interprète, pour la première fois de son histoire, des partitions de Gershwin et de Barber. John murmure à l'oreille de Jackie :

— Peut-être allons-nous danser ?

Elle répond par un sourire.

Le général de Gaulle et son épouse saluent leurs invités. Tous les regards se portent sur Jackie.

Mille cinq cents invités, triés sur le volet par Matignon, ont la chance de croiser les Kennedy. Parmi eux : Lee et le prince Radziwill, Rose, Eunice et Claude de Renty. Yvonne de Gaulle remarque immédiatement l'élégance de son invitée. Les femmes présentées à Jackie s'inclinent respectueusement.

Jackie porte un ensemble beige, signé Oleg Cassini, qui dénude son dos, et un magnifique fourreau de guipure blanc et rose. Le coiffeur français Alexandre s'est inspiré d'une toile de Carlo Crivelli pour la coiffer.

John a sur lui le présent qu'ils vont remettre au Général pour le remercier de son accueil inoubliable : une lettre adressée au vicomte de Noailles, le beau-frère de Lafayette, signée par le président George Washington. Ce document original a été expertisé à la demande de Jackie : sa valeur atteint 90 000 dollars. Le général de Gaulle est particulièrement touché par ce geste. John lui pose quelques questions sur son héros, Winston Churchill :

— Comme tous les Anglais, c'était un commerçant et il savait marchander avec la Russie en faisant des concessions à l'Est pour obtenir en retour sa liberté d'action ailleurs ! C'était un guerrier, monsieur Kennedy. Un guerrier qui pouvait être extrêmement intéressant ou tout à fait impossible ! Sa politique était organisée pour le court terme afin de répondre aux besoins immédiats.

— Qu'en était-il de notre Président ?

— Roosevelt a toujours été un aristocrate… charmant. Pendant la guerre, c'était surtout un chef exceptionnel ! Il avait un don : il savait voir loin, même si parfois il pouvait se tromper, comme dans le cas de la Russie !

— Lequel des deux hommes préfériez-vous, mon général ?

— Je me disputais souvent et violemment avec Winston Churchill ! Mais nous nous sommes toujours bien entendus. Je ne me rappelle pas m'être disputé avec votre Président, mais nous ne nous entendions pas, mais pas du tout !

Jacques Chaban-Delmas, l'un des jeunes héros de la Libération, président de l'Assemblée nationale, est auprès de Jackie. Ils passent ensemble un moment très agréable. L'humour et la beauté de l'homme politique plaisent beaucoup à Jackie. De son côté, il s'amuse de la consommation importante de jus d'orange de la Première Dame américaine.

Jackie applaudit en riant aux éclats quand elle découvre le dessert réalisé par les plus grands maîtres pâtissiers français : une tour Eiffel en meringue blanche, sous laquelle sont reproduits les drapeaux américain et français. Tous les invités se lèvent.

Alors que John et Jackie rejoignent le Quai d'Orsay, le département d'État confirme l'assassinat du président dominicain. Salinger ne monte pas directement dans sa chambre, il reste toute la nuit au bar du Crillon.

Le jeudi 1er juin, ils sont invités à un somptueux dîner aux chandelles dans le château de Versailles. Il est annoncé dans le programme que les festivités se termineront par un grand feu d'artifice tiré des jardins et des fontaines.

— J'ai hâte de voir cela, Jack !

Jackie porte une création en satin blanc d'Hubert de Givenchy, au grand dam de la presse américaine. Elle n'a pas prêté la moindre attention à ces critiques ni à celles de John. Sa robe du soir est brodée de fleurs sauvages dont le cœur est composé de perles blanches. Alexandre, cette fois, s'est inspiré de la duchesse de Fontanges, l'une des maîtresses de Louis XIV. Sa coiffure est couronnée par une broche en diamants signée Van Cleef & Arpels. André Malraux lui présente les plus importantes personnalités françaises.

La soirée a lieu dans la prestigieuse galerie des Glaces. Le service de table en porcelaine de l'époque napoléonienne fascine Jackie. À 22 heures, les cent cinquante invités se retrouvent au petit théâtre Louis XV pour assister à un splendide ballet d'époque. Au balcon du premier étage, Jackie sourit ; elle ne s'est jamais sentie aussi à son aise dans une cérémonie officielle. À sa droite est assis le général de Gaulle. Cette soirée est le point d'orgue de leur voyage. Elle restera l'un des plus chers souvenirs de Jackie.

Le lendemain matin, au pavillon Dauphine, lors d'une conférence de presse, John déclare en riant :

— Je ne crois pas inutile de me présenter : je suis l'homme qui a accompagné Jacqueline Kennedy à Paris ! Et j'ai bien aimé cela.

En milieu d'après-midi, Jackie et John remercient très amicalement les de Gaulle sur le perron de l'Élysée. Le Général s'adresse brièvement à son invité :

— Je vous remercie pour votre franchise, l'excellent esprit dans lequel se sont déroulées nos conversations et l'atmosphère cordiale qui n'a cessé de régner.

— Depuis cinquante ans que vous vous consacrez à l'étude de ce que doit être un chef d'État, avez-vous découvert des choses que je devrais savoir ?

— Je répondrai à cette question une autre fois, quand nous aurons plus de temps tous les deux, monsieur Kennedy.

— Entendu.

— J'ai maintenant une plus grande confiance en votre pays.

Les trompettes républicaines signalent soudain la fin des adieux officiels tandis que les pneus de la Lincoln présidentielle font grincer les graviers de l'allée principale. John remet quelques mèches en place. Mme de Gaulle souhaite un excellent voyage à Vienne à Jackie.

— Nous avons tellement aimé Paris !

Le convoi, escorté par les motards, franchit les hautes grilles de l'ambassade des États-Unis, située sur la place de la Concorde. Le couple présidentiel y passera une dernière nuit.

John doit rencontrer dans une heure l'ambassadeur américain à Moscou, Llewellyn Thompson. Les deux hommes s'entretiennent longuement avec, à leurs côtés, Dean Rusk,

Ted Sorensen, McGeorge Boundy, Kenny O'Donnel et Charles Bohlen.

Sur la piste d'atterrissage, le président Adolf Schärf attend impatiemment la venue du couple. Il pleut depuis plusieurs jours. Malgré le temps épouvantable, plus de soixante mille Autrichiens se tiennent derrière les barrières de sécurité.

Rose est parmi les personnalités cantonnées sous le pavillon d'accueil. Parlant l'allemand couramment, elle a conversé avec le Président et quelques-uns de ses conseillers :

— Mon fils est ravi de l'accueil en France. J'espère que les choses s'arrangeront ici !

La presse internationale, notamment soviétique, annonce depuis deux semaines dans ses principales colonnes : « Rencontre au sommet des deux K. à Vienne ! »

Les entrevues auront lieu aux ambassades américaine et soviétique. La CIA et le NSA ont verrouillé le système de sécurité, y compris les écoutes téléphoniques et les micros. Quelques agents ont soupçonné le Quai d'Orsay d'avoir disposé des micros dans la chambre de Jackie et celle de son mari.

La résidence autrichienne où séjourneront John et Jackie n'a rien en commun avec celle du ministère des Affaires étrangères à Paris. Le bâtiment austère est effrayant. Il est entouré de centaines de soldats armés accompagnés de bergers allemands et ceinturé par de grandes palissades couvertes de barbelés. Les trente-cinq bagages présidentiels sont portés jusqu'à leur suite.

Le docteur Jacobson fait immédiatement une nouvelle injection à John. Sa douleur a empiré durant le vol. L'angoisse du premier entretien avec le Soviétique y est aussi pour quelque chose.

Avec Kenny O'Donnel, John lit attentivement les derniers rapports émanant de la CIA, qui dressent généralement un portrait antipathique de Khrouchtchev.

— Ils disent qu'il devient très agressif lorsqu'il est fatigué ! Il faudra le ménager. Il suffira de regarder les veines de sa tempe gauche : si elles frétillent, mieux vaudra fiche le camp !

— Nous verrons bien.

O'Donnel lui remet également les quotidiens américains :

— Jackie a fait un travail extra ! Jetez un coup d'œil là-dessus.

Selon le *New York Herald Tribune*, « la visite des Kennedy fut un succès dès les premières minutes. Il est impossible de mettre en doute la chaleur, la sincérité et la générosité de l'accueil français, dont même une pluie battante n'a pas ralenti l'élan vis-à-vis de notre Président et de la Première Dame ! »

Les compliments signés par l'éditorialiste Robert Considine sont tout aussi excellents : « La gaie capitale a littéralement embrassé les deux joues du Président et de son épouse ! »

O'Donnel fait la moue :

— N'enlevez pas tout de suite vos lunettes, lisez plus loin le papier de William Randolph Hearst Jr ! Quel emmerdeur, ce type !

John plonge à nouveau dans le journal : « Si sympathique qu'ils trouvent notre jeune chef, beaucoup d'Européens sont loin d'être rassurés sur les performances de son administration pendant ses premiers mois d'existence. Ils redoutent qu'il se soit surestimé en s'exposant à une prochaine confrontation avec un personnage aussi formidable et aussi sûr que lui : Nikita Khrouchtchev ! »

John jette le journal à terre.

— Bon sang, il faudra bien qu'un jour un des nôtres se jette dans l'arène ! Il ne me fait pas peur ! Nous devons montrer aux Soviétiques notre détermination.

De la chambre voisine, Jackie entend les vociférations de son mari. Elle ne peut s'empêcher de sourire :

— Va-t-il se comporter comme un petit garçon ?

À 12 h 45, la Chaika noire de Khrouchtchev traverse l'allée centrale. Elle est suivie par plusieurs voitures bondées d'agents de sécurité en manteau sombre et lunettes de soleil. Le petit homme rond sort par la porte arrière droite. Il se dirige droit vers John sans sourciller.

— Comment allez-vous, monsieur Khrouchtchev ? Je suis heureux de vous revoir ici, à Vienne.

— Moi de même, monsieur Kennedy !

195

Ils sont tous deux invités à pénétrer dans le salon de musique rouge. John est devant, il marche tranquillement, malgré de fortes douleurs au dos. À soixante-sept ans, le Soviétique est très détendu et sourit à tout le personnel. Il a habilement pris l'habitude de se comporter jovialement pour dissimuler son autorité et ses coups de colère. Ses proches conseillers ne sont pas dupes et ne sourient quasiment jamais. Il passe devant les drapeaux respectifs de leurs pays et laisse passer un léger rictus. L'ambassadeur soviétique Mikhaïl Menchikov s'entretient, en les suivant, avec Dean Rusk.

John et Nikita Khrouchtchev s'installent confortablement avant de commencer la joute. L'interprète, Alexander Akolovsky, est présent.

— Je me rappelle très bien notre rencontre en 1956, quand vous étiez venu aux États-Unis.

— Oui, monsieur Kennedy... Hum, vous étiez très jeune... Je garde un bon souvenir de notre entrevue. Vous aviez attiré mon attention : vous étiez si ambitieux et si dynamique pour un jeune homme. Je suis heureux de vous retrouver ici, à Vienne.

— Ma femme Jackie, qui n'a pas sa langue dans sa poche, me dit souvent que votre ministre des Affaires étrangères, Andreï Gromyko, est un homme charmant et si élégant qu'il doit être un homme très bon !

John se retourne un moment pour saisir un objet enveloppé d'un papier-cadeau. Il l'a acheté lui-même à Hyannis Port pour 500 dollars, en compagnie de son ami Lem Billings.

— J'espère que cette maquette du célèbre navire de guerre l'*USS Constitution* vous fera plaisir ! Il s'est illustré courageusement entre 1797 et 1830. Il représente à mes yeux le symbole de la jeune République américaine, pleine de force, de jeunesse et d'amour de la liberté.

— Où est-il à présent ?

— Au musée de Baltimore.

Khrouchtchev, à son tour, offre un service d'argent venu de Tchécoslovaquie.

196

Le Soviétique éclate de rire. Ses yeux, telles deux billes bleu ciel, tournent quasiment sur eux-mêmes. Il s'essuie nerveusement les lèvres avec un petit mouchoir blanc. Ses mains épaisses claquent soudain sur ses genoux, ce qui fait sursauter le traducteur.

— Ah vraiment ? Pourtant, des gens affirment qu'Andreï Gromyko ressemble à votre ancien vice-Président et adversaire Richard Nixon... Vous avez battu ce fils de pute de Richard Nixon !

John sourit et se contente de ne rien ajouter. Khrouchtchev le regarde longuement sans la moindre gêne et ajoute :

— Est-ce vrai que des familles très puissantes comme les Rockefeller ont une influence sur votre gouvernement ?

— Écoutez, personne ne me dicte ce que je dois faire !

— Ce sont des hommes très intelligents.

L'entretien dure jusqu'à l'heure du déjeuner. Khrouchtchev a remarqué que John n'a attendu quasiment aucun signe de ses conseillers présents avant de répondre à ses questions... contrairement à son prédécesseur Eisenhower, qui ne disait rien sans l'approbation de son secrétaire d'État, John Dulles ! Au cours du repas, John est plus à son aise, il charme l'assemblée, y compris son invité. Tout en dégustant un filet de bœuf Wellington, il s'adresse à Khrouchtchev en découvrant les médailles accrochées sur sa veste :

— Quelles sont ces médailles ?

— Les médailles de la Paix de Lénine.

— J'espère sincèrement que vous garderez longtemps ces médailles !

Khrouchtchev pose son verre de Mouton-Rothschild 1953 et éclate de rire.

John est satisfait, il a trouvé une excellente formule pour les journalistes présents à la table. Pierre Salinger transmettra après le repas cette réponse aux rédactions internationales – elle sera traduite en vingt langues. Plus de 1 200 reporters sont arrivés depuis une semaine pour suivre les débats. Parmi eux se trouve l'un des fils de Winston Churchill : Randolph, qui couvre le sujet pour l'*Evening Standard* de Londres.

À 16 heures, l'entrevue reprend après une longue promenade dans les jardins endormis de la résidence. Au bout d'une demi-heure d'entretien, Khrouchtchev raconte une histoire :

— Un gamin travaillait avec son père. Ils travaillaient sans chaleur ni humour. Puis le gamin grandit, mais le père ne s'en apercevait pas et il le prenait toujours pour un enfant ! Aussi, un jour, le fils lui dit : « Regarde-moi, papa, j'ai grandi, j'ai moi-même des enfants, tu ne peux plus me traiter comme un gamin ! Ce n'est plus possible ! »

Le Soviétique est amusé de voir le président américain attentif à ce conte russe. Puis il reprend avec sa voix épaisse :

— Nous avons grandi, monsieur Kennedy, nous avons grandi… Vous êtes un vieux pays, nous sommes un jeune pays !

— Si je regarde autour de cette table, monsieur Khrouchtchev, je vois que nous ne sommes pas si vieux !

Sur la défensive, John tombe dans les pièges du Soviétique. Ils évoquent la Chine, le Sud-Est asiatique, le Moyen-Orient, Cuba et Berlin.

— Il existe trois sortes de guerres, monsieur Kennedy : les guerres conventionnelles, les guerres nucléaires et les guerres de libération nationale !… Si les deux premières peuvent vous paraître obsolètes, la troisième est une guerre sainte ! Aussi inéluctable que l'histoire elle-même ! Nous sommes un pays révolutionnaire, nous ne pouvons pas nous soustraire au devoir d'aider les nations en guerre pour leur libération.

À 19 heures, en sortant du salon rouge, John est épuisé. Il demande à l'ambassadeur américain :

— Est-ce que c'est toujours comme cela ici ?

— À peu de chose près, oui, monsieur le Président.

John sait qu'il a raté la première manche de ce match, tandis que Khrouchtchev salue jovialement ses hôtes avant de regagner sa voiture. Il s'est enlisé lui-même dans les différences d'idéologie au lieu de présenter leurs points communs et la détermination des États-Unis pour la paix.

Le dîner officiel a lieu dans le palais de Schönbrunn. Jackie apparaît ravissante, dans une robe de soirée signée

Cassini. De longs gants en satin blanc couvrent ses avant-bras. Sa robe blanche est brodée de perles roses. Khrouchtchev est séduit par la jeune femme, de même que les deux cent cinquante invités. Ses proches collaborateurs lui avaient rédigé deux portraits précis avant ce sommet : celui du 35e président des États-Unis et celui de son épouse. En lisant le dernier, Khrouchtchev était persuadé qu'il était plutôt flatteur. Son opinion change littéralement.

— Je veux tenir compagnie à madame Kennedy et m'asseoir à côté d'elle.

En voyant arriver John et Khrouchtchev, les photographes supplient une poignée de main pour la une des prochains quotidiens. Le président autrichien Adolf Schärf leur suggère le geste :

— Je préférerais serrer la main de Mme Jacqueline Kennedy !

Jackie s'avance et accepte la proposition. Les dizaines de flashes saisissent la réplique du Soviétique. John enrage, mais ne dit mot.

Nina Khrouchtchev, surnommée familièrement « Mamie » par le peuple et les militaires soviétiques, figure anonyme de la vie politique soviétique, âgée d'une soixantaine d'années, issue d'un milieu agricole, ne bronche pas.

L'attitude de Khrouchtchev ne gêne en rien Jackie. Elle a toujours su séduire les hommes mûrs. Bien sûr, le Soviétique n'a pas le profil d'un Apollon, mais son humour et son accent anglais lui plaisent beaucoup. Khrouchtchev la félicite pour son élégance :

— Je vous trouve exquise, madame Kennedy !

Il commence à lui parler du développement économique de l'Ukraine :

— Oh ! monsieur le Président, ne parlons pas de statistiques ce soir ! Je vous en prie !

Ensemble, sous le regard éberlué de John, ils parlent tranquillement de tout : de leur visite à Paris, de leurs enfants respectifs, d'animaux domestiques… Jackie précise qu'elle adore les chiens :

— Je trouve qu'ils sont plus sûrs que les hommes… et tout aussi courageux !

Khrouchtchev éclate de rire.

— J'aime aussi les animaux, nous avons plusieurs chiens dans notre maison de campagne. Nous avons même des écureuils, madame Kennedy. Je les nourris moi-même chaque week-end! Connaissez-vous les écureuils? J'ai aussi beaucoup de daims et de renards. Mes poches sont toujours pleines de nourriture pour eux... Mais pas aujourd'hui, aujourd'hui je suis venu pour votre mari, monsieur Kennedy... Nous avons envoyé une chienne à l'intérieur de *Spoutnik*! Elle attend des bébés à présent!

Jackie sourit.

— Je serais ravie d'avoir un chiot de cette chienne...

— Je vous l'enverrai à Washington D.C., je vous le promets. Ce sera mon cadeau pour vos deux enfants.

— Oh! je vous remercie, je leur expliquerai toute l'histoire!

— Dites-leur bien qu'elle est née en Union soviétique.

— Je vous le promets.

Ils assistent ensuite à une représentation du ballet du Bolchoï, venu expressément de Moscou. Jackie est ravie, elle regarde de temps en temps amoureusement son mari. Elle ne peut s'empêcher de sourire en le découvrant en compagnie de Mme Khrouchtchev.

Le lendemain, la chorale des enfants de la cathédrale gothique Saint-Étienne enchante John et Jackie.

Mme Khrouchtchev et Jackie assistent ensuite à une série de démonstrations équestres avec les fameux Lipizzans. Les jeunes Soviétiques sont subjugués par son élégance, sa façon de marcher lentement et sa gentillesse.

John et le premier Soviétique ont repris leur entrevue à l'ambassade soviétique. Le ton s'est durci. John tente de détendre l'atmosphère en le questionnant sur son enfance, sa famille...

— Je suis né dans un petit village perdu de Russie : Koursk. C'est à la frontière de l'Ukraine. Nous avons là-bas des millions de tonnes d'acier... 300 milliards! Vous en avez juste cinq aux États-Unis, monsieur Kennedy!

— Alors, dites-moi ce que vous faites au Laos dans ce cas?

— Mais vous êtes les seuls engagés au Laos, pas nous! Vous avez envoyé vos marines là-bas!

— Écoutez, monsieur Khrouchtchev, vous n'allez pas faire de moi un communiste et je n'espère pas faire de vous un capitaliste, alors mettons-nous aux affaires... ce pour quoi nous sommes ici... Nous reconnaissons volontiers nos erreurs, mais vous, avouez-vous jamais que vous avez parfois tort?

— Oui, dans mon discours devant le XXᵉ congrès du Parti, j'ai reconnu les erreurs de Staline!

— Ce n'étaient pas vos erreurs!

John sourit amèrement. Il ajoute une citation de Mao :

— Il répète souvent que la puissance politique sort de la bouche des canons!

— Je ne me souviens pas avoir entendu un jour cela! L'avez-vous entendu vous-même, monsieur Kennedy? Nous allons fixer un délai raisonnable pour un dernier espoir à Berlin. Faute d'une bonne réponse, nous signerons un traité de paix séparé avec l'Allemagne de l'Est. À vous, puissances occidentales, de régler les problèmes de l'accès de Berlin par la suite.

— Nous défendrons Berlin à n'importe quel prix! L'hiver sera froid!

À 17 heures, Khrouchtchev raccompagne son invité sur le perron. Ils marchent silencieusement jusqu'à la Lincoln présidentielle. Le vent glacial soulève les fanions américains. Le soleil a disparu sous l'épaisse couche de nuages gris. John serre une dernière fois la main du Soviétique. Les deux hommes se regardent dans les yeux un instant sans prononcer le moindre mot. John monte dans la voiture au toit transparent et remonte le col de son veston. Dean Rusk est à son côté, tenant entre ses mains le programme des prochains jours.

— Fichons le camp d'ici!

Jackie avait déjà préparé ses affaires en compagnie de son attachée de presse personnelle, Letitia Baldridge.

— Nous avons une excellente couverture de presse. *Vogue* a consacré une dizaine de pages à votre voyage à Paris!

— Tant mieux, cela aidera peut-être Jack. Je ne l'ai jamais vu aussi nerveux. L'Angleterre lui fera beaucoup de bien.

Avant de quitter Vienne, John fait un compte rendu des entretiens – qui ont duré onze heures – avec les dignitaires américains présents à l'ambassade américaine. Robert lui téléphone dans sa suite le soir même :

— Comment ça s'est passé ?

— Pas trop bien... Il m'a traité comme un petit garçon ! Comme un petit garçon !

De retour à Moscou, les conseillers demandent à leur tour comment les entretiens se sont déroulés :

— Kennedy est très jeune, pas assez fort... trop intelligent et trop faible ! Sa femme est merveilleuse.

Air Force One atterrit enfin à l'aéroport d'Heathrow, à quelques kilomètres de Londres. John attend ce moment avec impatience. La compagnie amusante du prince Radziwill lui changera les idées. Au téléphone, le journaliste du *New York Times* James Reston lui demande des nouvelles de Vienne :

— Cela a été le pire moment de mon existence !

Jackie remet à Pierre Salinger une lettre qu'elle a rédigée à l'intention du général de Gaulle pour le remercier encore de sa gentillesse. Elle fait quelques commentaires personnels sur le sommet de Vienne.

Le couple présidentiel est accueilli par les Macmillan, l'ambassadeur américain David Bruce et une centaine de journalistes en furie. Le Premier ministre s'étonne d'une telle agitation.

« Kennedy ! Kennedy ! Jackie ! »

En arrivant au 4, Buckingham Place, dans la maison au caractère georgien des Radziwill, John et Jackie retrouvent les Macmillan et quelques amis. Jackie part se promener dans les jardins, en compagnie de l'épouse du Premier ministre et de sa sœur Lee. Elles laissent en tête à tête les deux hommes. John fait le compte rendu de ses entretiens avec de Gaulle et Khrouchtchev.

— Rassurez-vous, il a seulement essayé de vous tester !

Le 5 juin, en tant que parrain de la fille de Lee et du prince Radziwill, John allume le cierge de son baptême sous les applaudissements de la famille. Dans la nef de la cathédrale catholique de Westminster, la petite Anna Christina Radziwill, âgée de quelques semaines, semble regarder ébahie le président américain. En quittant le lieu, John et Jackie saluent les sœurs impatientes. Jackie tient la main d'Anthony Radziwill jusqu'à leur voiture. Les quelques photographes présents dans la rue hurlent son prénom. Elle leur adresse un petit signe et entre à l'arrière de la voiture.

Un déjeuner est organisé au domicile des Radziwill. L'ambiance familiale détend peu à peu John. Le soir, John et Jackie dînent avec la reine Elizabeth et le prince Philippe.

Dans la nuit, John regagne seul *Air Force One*. Jackie a décidé de rester quelques jours de plus auprès de sa sœur et du prince Radziwill. Ils partiront ensuite en Grèce. Eunice s'est endormie sur un siège.

Les journalistes assis dans la cabine principale n'ont plus posé la moindre question à John. Celui-ci regarde à travers le hublot la nuit couvrir l'océan. Dans ses mains, il tient un livre de citations que lui a offert Jackie. Il relit l'une d'entre elles, qui le touche particulièrement ce soir. Elle est de son héros préféré, le président Abraham Lincoln.

Je sais qu'il y a un Dieu.
Je vois un orage arriver.
Si Dieu a une place pour moi,
Je crois que je suis prêt.

En arrivant à l'aéroport, John téléphone à son ami Charles Bartlett. Il a besoin de lui parler. Les deux hommes se sont toujours bien entendus. C'est grâce à lui que John a rencontré Jackie.

Ils déjeunent ensemble sans témoin pour évoquer les entretiens de Vienne. Bartlett lui tend un journal du matin : Mme Kennedy a charmé également Nikita Khrouchtchev ; le premier Soviétique lui a servi de cavalier !

— Jackie a fait un sacré boulot pour moi. Je lui en suis très reconnaissant.

Dans le bureau ovale, il reçoit les caméras de télévisons pour rendre compte de ses récents voyages :

— Je suis allé à Vienne pour rencontrer le chef du gouvernement soviétique. Je dois vous dire que j'ai passé deux journées très sombres… Mais j'ai trouvé que cette rencontre, aussi sévère qu'elle fût parfois, était d'un intérêt incontestable. Nous avons des conceptions complètement différentes de ce qui est juste et de ce qui n'est pas juste, de ce qui est une affaire intérieure d'un pays et de ce qui est une agression et, par-dessus tout, nous avons des conceptions complètement différentes du but à atteindre… Le seul terrain sur lequel nous puissions rapidement accorder nos vues est le Laos. Des deux côtés, nous souscrivons à l'idée d'un Laos neutre et indépendant… En ce qui concerne l'impasse de la conférence de Genève pour un traité interdisant les expériences atomiques, nous n'avons pas vu surgir l'espoir de trouver un terrain d'entente. La bataille continue et nous devons y participer. Nous devons être patients et résolus. Nous devons courageusement accepter à la fois les risques et les charges mais, grâce à la volonté et au travail, la liberté prévaudra.

Le lendemain, Pierre Salinger répond aux questions incessantes de la presse concernant le véritable état de santé de John. La majorité des journalistes qui l'ont suivi dans les trois capitales européennes se sont aperçus qu'il souffrait beaucoup.

— Le Président souffre de douleurs aiguës depuis qu'il s'est fait mal au dos lors de sa visite au Canada le mois dernier.

À Athènes, Jackie et Lee sont reçues très chaleureusement par le Premier ministre grec et Mme Caramanlis. Elles profitent d'une magnifique villa et d'un yacht loués par le gouvernement grec. À bord du bateau, elles déjeunent ou font du ski nautique autour des principales îles de l'archipel, les Cyclades : Andros, Délos, Milo, Naxos, Paros, Santorin, Syros et Tinos. Elles visitent les ruines de l'île d'Hydra. Les Hydriotes sont ravis de découvrir la Première Dame des États-Unis sur leur île.

Sur les allées balayées par les vents d'Égée, près du temple de Poséidon, Jackie se confie à sa sœur à propos des aventures extraconjugales de John. Elle est persuadée qu'il revoit encore plusieurs de ses maîtresses, parmi lesquelles une certaine Mary Meyer.

Les deux sœurs sont ensuite invitées pour une croisière en Méditerranée sur le prestigieux yacht de l'armateur Niarchos.

Le 15 juin, Jackie est accueillie par John sur la base militaire d'Andrews. Elle le trouve dans une forme épouvantable, ses traits sont tirés et il souffre de nouveau le martyre. Jackie lui demande de gagner au plus vite leur ferme à Glen Ora pour recevoir discrètement les soins des docteurs Max Jacobson et Janet Travell. Bobby a examiné les substances chimiques injectées par Jacobson : des amphétamines et des stéroïdes.

Jackie, John et leurs deux enfants passent le week-end dans le calme des montagnes. John est souvent allongé sur l'un des transats de la maison pour lire les journaux et plaisanter avec Lem Billings. Il ne sait pas si sa colonne vertébrale ne finira pas un jour par céder. La mort semble être devenue une compagne discrète. Il regarde sa famille et ses amis, auprès des chevaux de la propriété. Il se sent las et déprimé. Hier soir, il s'est entretenu longuement avec son père :

— Il faut tenir bon, tout est leçon dans la vie, John.

La semaine suivante, Lyndon Johnson et Kenny O'Donnel sont en charge des affaires quotidiennes de la Maison Blanche : réceptions, visites privées guidées, cocktails... John reste couché à l'étage dans son appartement. Avec Jackie, il joue d'interminables parties de backgammon. Jackie se demande si sa vie n'est pas réellement en danger... Elle se confie de temps en temps à sa sœur :

— John est un petit garçon, un petit garçon tellement malade.

La seule véritablement informée de sa santé, c'est elle, mais Jackie a décidé depuis bien longtemps de préserver le secret. Avec la vie dissolue de son propre père, Black Jack, elle a appris à dissimuler ses angoisses, la vérité, sa vie intime. L'Amérique a élu un espoir et elle ne serait en aucun cas la destructrice de celui-ci. John brille en public, il est au-dessus de tout cela.

En juillet, John et Jackie se rendent à Cap Cod. Joseph et Rose sont enchantés de recevoir leurs petits-enfants.

Le fox-terrier de John Jr court dans l'allée sableuse de la propriété et bouscule les deux domestiques venus apporter du jus d'orange aux enfants. Jackie est radieuse, le voyage en Grèce avec sa sœur lui a été très profitable. John semble moins en forme, malgré la disparition de ses douleurs.

Le 11 juillet, ils prennent l'avion pour Washington D.C. Le président pakistanais, Ayoub Khan, est venu rendre visite au président américain. Jackie a eu une idée fantastique : le recevoir non pas à la Maison Blanche, mais dans la maison historique du président George Washington. John est étonné par autant d'ingéniosité :

— C'est une excellente idée, Jackie !

Comme pour chaque visite officielle, un régiment de fantassins, en uniforme colonial, fait un spectaculaire défilé, pour la plus grande joie du Président invité et des dignitaires. Cette manifestation, qui a lieu au Mount Vernon, est une première dans l'histoire américaine !

Les invités ont été conduits par bateaux ; John était à bord du *Honey Fitz* en compagnie d'Ayoub Khan.

La nourriture du déjeuner et du dîner est apportée par divers moyens de transport, dont des hélicoptères. Des générateurs électriques permettent d'éclairer les cuisines roulantes et la grande bâtisse aux boiseries blanches. Les jardiniers décorent les tables de la salle à manger et les pièces principales de fleurs blanches et jaunes. Les musiciens de l'orchestre symphonique national pique-niquent discrètement sous les grands arbres de la propriété. Des militaires sont chargés de diffuser de l'insecticide pour repousser les aoûtats, nombreux en cette saison. Le maître d'hôtel Bernard West et le chef René Verdon n'ont jamais assisté à pareille pagaille ! On installe dans les jardins un vélum vert au-dessus des grandes tables couvertes de nappes en coton jaune pâle.

Le résultat est grandiose. Jackie a parfaitement réussi cette journée, pour laquelle elle a épluché son carnet d'adresses.

Au cours du déjeuner, John, en smoking, lève sa coupe de champagne et annonce fièrement à ses invités :

206

— Le président George Washington, le père de la nation, a déclaré un jour : « Je préfère être à Mount Vernon avec un ou deux amis plutôt que d'être salué au siège du gouvernement par tous les ministres et les représentants de toutes les puissances européennes ! »

Ayoub Khan est subjugué par le charme du couple présidentiel. À la différence des Pakistanaises, Jackie est une femme indépendante.

En retournant sur Hyannis Port le 14 juillet, John s'endort sur l'épaule de sa femme. Jackie lui caresse doucement les cheveux. Elle accepte désormais la présence des services secrets, tant que les trois cameramen payés par John ne filment pas leur intimité.

Durant le reste de leurs vacances, entre les longues promenades en mer à bord du *Marlin*, les parties de golf avec les Salinger et les Bartlett et les discussions interminables avec Bobby sur les droits civiques, Jackie s'occupe essentiellement de son mari et de ses deux enfants.

— Ils comptent plus que tout.

John sirote un daiquiri en écoutant Frank Sinatra. Il attend, impatient, le retour de Jackie, partie en promenade à poney avec Caroline. Il veut les serrer contre lui. Le monde devient fou autour de lui depuis déjà quelques mois. Le premier Soviétique vient de confirmer à la presse l'augmentation de 30 % du budget d'armement. Tout semble s'acheminer vers un conflit catastrophique !

John quitte la résidence familiale pour rejoindre seul le bureau ovale. Il est attendu par Bobby et Dave Powers. Ensemble, ils préparent le discours qu'il donnera prochainement à la télévision.

« Aujourd'hui, la frontière menacée de la liberté passe au cœur de Berlin partagé. Nous désirons qu'elle reste une frontière paisible. C'est l'espoir de tous les citoyens de la Communauté atlantique, de tous les citoyens de l'Europe de l'Est et, j'en suis sûr, de tous les citoyens de l'Union soviétique. Car je ne puis croire que le peuple russe, qui a si courageusement supporté les désastres immenses de la Seconde

207

Guerre mondiale, désire maintenant voir la paix détruite en Allemagne. C'est le gouvernement soviétique seul qui peut faire de la paisible frontière de Berlin un prétexte à la guerre ! »

Le dimanche 13 août, John, Jackie et leurs enfants saluent le prêtre de l'église catholique de Saint Francis Xavier, à Hyannis Port. La venue du Président aux messes de cette petite communauté a des conséquences inhabituelles pour ses habitants. Les services secrets et les journalistes sont omniprésents. Clint Hill, garde du corps personnel de Jackie, est en excellente relation avec « Dentelle », le nom de code de Jackie. John est appelé « Lancier », Caroline « Lyric » et John Jr « Alouette ».

La famille rejoint le *Marlin* pour une excursion dans la baie de Cap Cod. Le général de division Chester V. Clifton est présent. John entretient d'excellentes relations avec son aide de camp. Les deux hommes échangent régulièrement des souvenirs sur la guerre du Pacifique.

Durant la croisière, Chester Clifton reçoit un message du département d'État : « Des mouvements de troupes en Allemagne de l'Est ont été signalés depuis hier après-midi. » John rentre immédiatement à Washington.

Le 19 août, des soldats et des policiers en armes surveillent férocement les travaux du mur de Berlin. Cette construction divisera la ville allemande en deux. Moscou et la RDA se sont entendus pour bloquer la fuite quotidienne des 1 500 Allemands de l'Est. L'armée est déployée dans les grandes artères et le long des premières barricades en barbelé.

Le monde entier se réveille choqué. Le 21 août, Lyndon Johnson et le général Lucius Clay sont envoyés sur place avec plus de 1 500 soldats américains commandés par le colonel Glover S. Johns. John réitère ses promesses à Vienne : « Nous n'abandonnerons jamais Berlin ! »

Le 30 août, un communiqué de presse parvient à la Maison Blanche : « L'Union soviétique a décidé de réitérer ses expériences nucléaires. Les États-Unis ont repris avec leurs alliés la course aux armements ; ils préparent un nouvel holocauste mondial, alors que le gouvernement soviétique consacre ses efforts à la paix. Dans ce cas, nous estimons qu'il est de notre devoir de prendre les mesures qui s'imposent. »

John reçoit dans son bureau Lyndon Johnson et le général Clay, qui lui confient leurs impressions :

— Ils comptent tous sur nous à Berlin. Pour les dirigeants de l'Allemagne de l'Est et le peuple allemand, le mur de Berlin symbolise la crise entre l'Union soviétique et nous !

Quelques jours plus tard, John demande au Pentagone et à la Commission de l'énergie atomique de se tenir prêts à de nouveaux essais dans le Nevada.

Le premier week-end de septembre, il retrouve sa femme et ses enfants à Hyannis Port. Chacun des fils de Joseph et de Rose y possède une maison. Celle du patriarche se situe au bout de l'avenue Merchant et s'étend sur un hectare de terrain. Plus loin, la maison de John et de Jackie, sur l'avenue Irving, domine un jardin et une plage privée. Jackie s'amuse à la décorer de tissus et de tableaux provenant d'antiquaires new-yorkais. Ces dépenses irritent sa belle-mère, qui ne cherche pas le moins du monde à arranger sa propre maison.

— La peinture de la façade principale mériterait pourtant un bon coup de pinceau !

Bobby et Ethel se sont installés avec leurs nombreux enfants et animaux domestiques à l'ouest du clan. Ted et Joan habitent dans le quartier appelé « l'île du requin ».

Le temps est idéal pour une nouvelle croisière à bord du *Marlin*. Dès 9 heures du matin, Jackie conduit dans leur voiture décapotable la petite tribu composée des enfants de Bobby, des siens et de ceux de sa sœur. John les rejoindra vers midi. Il est parti faire une partie de golf avec son père. Ils doivent parler du prochain discours de John au siège des Nations unies, à New York. Ils plaisantent à propos du dernier papier du *New York Daily Mirror*, qui a annoncé ce matin dans ses colonnes *people* : « Joseph Kennedy était en France pour profiter des parcours de golf de la Côte d'Azur... Tout le monde a remarqué le joli caddie de papa Joe : une jolie blonde de vingt-deux ans ! » La santé du patriarche n'est pas excellente. Il se plaint régulièrement de maux de tête et de jambes lourdes.

À bord du yatch familial, le personnel de bord sert aux convives du homard grillé et une salade verte. Jackie, un foulard dans ses cheveux foncés, scrute l'horizon. John est en pleine partie de Monopoly avec leurs amis. L'atmosphère lourde de Washington semble lointaine.

— Je respire ici. Parfois je voudrais que nous soyons justes tous les deux avec les enfants dans notre première maison de Georgetown. John serait éditeur ; c'est son rêve le plus cher, d'ailleurs, pour après la présidence... Nous recevrions des tas de gens intéressants : des historiens, des professeurs... Mon Dieu ! Tout me paraît si loin.

Parmi les livres de la rentrée, *The Making of a President* de l'écrivain Theodore H. White, est très attendu par les Américains. L'homme a suivi la campagne présidentielle de John et ses premiers mois à la Maison Blanche. Dès sa sortie en librairie, l'ouvrage est un immense succès. Jackie lit un exemplaire dédicacé par l'auteur. Avec l'aide de son attachée de presse et secrétaire Mary Barelli Gallagher, Jackie suit rigoureusement toutes les parutions sur son couple et ses enfants, qu'elle range soigneusement dans des classeurs. La biographie intitulée *Une journée dans la vie du président John Fitzgerald Kennedy*, de Jim Bishop, l'avait beaucoup amusée :

— Nos journées font quarante-huit heures, à en croire ce journaliste !

En octobre, Jackie accepte la proposition du célèbre Richard Avedon de photographier ses enfants à la Maison Blanche. Les clichés lui plaisent beaucoup. Depuis quelque temps, elle analyse toutes les propositions que Pierre Salinger et son attachée de presse personnelle lui présentent. Jacques Lowe ayant quitté les services de John depuis son voyage à Vienne, Jackie cherche d'autres talents pour témoigner des grandes périodes de la présidence de son mari.

Le 1er novembre, Jackie et John accueillent avec plaisir le président Harry Truman, son épouse et leur fille Margaret.

Le vieil homme est surpris par la qualité des travaux et des aménagements à la Maison Blanche. Il félicite Jackie. Il est également ému lorsque la fanfare militaire entonne l'air « Missouri Waltz », à la place de « Hail to the Chief ». Il apprend au cours du dîner officiel que c'était une suggestion de Jackie. Pour la remercier, il se lève de table et se dirige vers le piano de la salle à manger.

— Madame Kennedy, je vais jouer quelque chose pour vous.

Jackie rougit en entendant les premières notes du *Menuet en sol* de Paderewski.

Le récital enchante les invités sélectionnés rigoureusement par Jackie. Le gouverneur de Porto Rico, Luiz Munos Marin, applaudit pendant un long moment. Il se dirige ensuite vers Jackie :

— Je serais ravi, madame Kennedy, de vous faire visiter Porto Rico avant la fin de l'année.

— Nous viendrons vous voir, c'est promis.

Le lendemain, Jackie suggère à John de recevoir le Premier ministre indien, Nehru, dans la propriété de ses beaux-parents : Hammersmith Farm.

— Pourquoi pas ! Il ne faut pas le vexer, cet homme est déjà tellement prétentieux…

Arrivé à New York, Nehru est reçu dans l'une des émissions préférées de John : « Rencontre avec la presse », animée par le célèbre Lawrence Spivak. Les Américains découvrent un ministre cultivé, élégant et déterminé à préserver l'indépendance militaire de son pays.

Jackie, aidée par sa mère, sa sœur et des assistantes, prépare la réception. Les domestiques s'affairent à cirer les interminables parquets et les meubles anciens. Les rideaux, les housses des coussins, les couvertures sont envoyés au pressing. Les jardiniers nettoient les parterres recouverts de terre humide et de feuilles mortes. La piscine, malgré le temps glacial, est prête à accueillir des baigneurs.

John accueille le Premier ministre indien à bord du *Honey Fitz*. Le yacht présidentiel les conduit tranquillement à Hammersmith Farm. Nehru et sa fille Indira Gandhi regardent, admiratifs, les élégantes maisons côtières. John s'adresse à eux en souriant :

— Je voulais vous montrer comment vivent les familles américaines moyennes.

Jackie et Caroline accueillent leurs invités avec des fleurs blanches. Nehru est enchanté du lieu et surtout de Jackie.

Les entretiens avec le président américain se passent fort bien, excepté lorsqu'ils abordent la question du Vietnam. Les deux hommes ne s'entendent pas particulièrement depuis leur première rencontre, en 1951. Nehru est un homme fatigué par le pouvoir et le charme habituel de John ne fonctionne pas du tout avec lui. Nehru reste froid devant sa détermination et son apparente sincérité. Seule Jackie tire son épingle du jeu, sous l'œil admiratif de l'historien Arthur Schlesinger Jr. Ce dernier ne manque pas de le faire savoir à John :

— Je sais, c'est comme ça avec la plupart des hommes d'État que nous rencontrons !

Jackie passe beaucoup de temps avec Indira Gandhi, Arthur Schlesinger Jr et son épouse, John Galbraith, ambassadeur américain en Inde et ami des Kennedy. Elle leur raconte ses souvenirs d'adolescente, ses excursions à cheval, ses promenades avec sa sœur Lee dans les prés avoisinants... Il fait un temps magnifique, Indira Gandhi est touchée par les marques d'attention de la Première Dame des États-Unis.

Pour Thanksgiving, les Kennedy se retrouvent, comme à l'accoutumée, à Hyannis Port. Les trois maisons – qui forment à présent un enclos – sont pleines d'enfants, d'invités et de quelques journalistes amis. John se promène avec John Jr sur la plage et raconte des histoires pour enfants. Jackie se prépare à ses prochains voyages en tant qu'ambassadrice de la Maison Blanche. Elle lit plusieurs ouvrages sur Porto Rico, la Colombie et le Venezuela. Romulo Betancourt compte sur sa venue avant les fêtes de Noël. Il préside au destin de son pays depuis 1959 ; en tant que démocrate, il s'est beaucoup inspiré des idées-forces du programme électoral de John : l'éducation, la santé, la lutte contre la pauvreté... Il s'est penché sur la question du développement économique vénézuélien en Guyane : usines sidérurgiques et d'aluminium. L'excellent espagnol de Jackie est un atout suffisamment intéressant pour son mari.

Le 15 décembre, ils montent à bord de l'*Air Force One*. Au cœur d'une ferme vénézuélienne, Jackie s'adresse aux paysans :

— Aucun père, aucune mère ne peut être heureux, s'il ne lui est pas possible d'assurer à ses enfants une bonne éducation et un travail décent. Tous ici y ont droit, pas seulement quelques-uns !

Les centaines de personnes présentes l'applaudissent. Le gouvernement de John a décidé depuis des mois de soutenir la politique démocratique menée par le Président, Romulo Betancourt. Son régime est un pied de nez à Fidel Castro, qui ne supporte pas la victoire démocratique du Venezuela. L'Amérique latine succombe au charme du démocrate, de la liberté, plutôt qu'au dictateur communiste. Castro et Khrouchtchev acheminent des armes et du matériel aux guérilleros communistes vénézuéliens.

La venue du couple présidentiel est la preuve que les États-Unis et les pays libres ne sont pas près de laisser tomber le Venezuela. Le charme de Jackie fait son effet. La presse vénézuélienne rend hommage à son naturel et à sa gentillesse. Avant de regagner l'aéroport de Caracas, John déclare à Betancourt :

— Vous représentez tout ce que nous admirons dans un dirigeant politique.

Ils sont de retour le 18 décembre. Le vol entre Bogota et Washington D.C. offre l'occasion à John de se reposer un peu. Les nouvelles d'Asie du Sud-Est ne sont pas excellentes : on craint qu'il y ait des premières victimes américaines. Les combats sont de plus en plus durs et l'inexpérience des soldats dans le milieu hostile de la jungle n'est pas pour rassurer le ministre Robert McNamara.

Le 19 décembre, de retour au bureau ovale à 9 h 15, John fait un point rapide avec Evelyn Lincoln sur les derniers dossiers :

— J'ai l'intention de retrouver mon père à Palm Beach. L'hélicoptère est bien prévu pour le début d'après-midi ?

— Oui, monsieur le Président.

— Parfait, nous nous reverrons lundi prochain. Jackie est déjà là-bas avec les enfants. Je crois qu'ils y passent du bon temps...

— Monsieur Kennedy sera ravi de vous revoir.

Après avoir terminé son café, John s'appuie sur le dossier en cuir de son fauteuil. Sa colonne vertébrale le fait toujours souffrir. Les médecins Janet Travell, Burkley, Kraus et Preston lui ont suggéré de diminuer sa consommation de médicaments au profit de mouvements d'assouplissement. John nage tous les jours, vers 13 heures, en compagnie de Dave Powers. Cinq fois par semaine, Jackie l'encourage à suivre les exercices d'un des meilleurs thérapeutes de la Navy.

John et Joseph évoquent le travail délicat de Robert sur le crime organisé :

— Parfois il prend tellement de risques...

— Bobby est un fonceur, il ne lâchera rien à Edgar Hoover. Quelles sont les nouvelles en Asie ?

— Mauvaises !

— Continue à te battre, John, continue pour ce pays que nous aimons tous. Aller jusqu'au bout du voyage, voilà l'important dans notre existence ici-bas.

— Je dois vous quitter, j'ai une cellule de crise avec le général Taylor et Bobby. Je vais autoriser nos soldats à utiliser leurs armes au Vietnam en cas d'attaque.

Anne Gargan et Joseph déposent John à l'aéroport. Sur la piste, il lance à son père :

— Merci papa, je n'oublierai pas ce que tu m'as toujours enseigné. Ça reste dans ma tête ! ajoute-t-il en pointant le doigt sur son front.

Joseph lui fait un clin d'œil et le regarde partir, entouré par les services secrets :

— Sa vie est une sacrée aventure !

Jackie est restée avec Caroline et John Jr. Elle s'amuse avec eux dans la piscine chauffée, sous les acclamations de

Lem Billings et de Paul Fay. Les rires de ses petits-enfants mettent du baume au cœur de Joseph. De sa chambre, il les entend rire à gorge déployée.

— Comme le temps passe…

Il saisit sur sa table de chevet un livre dont les pages sont usées et ses lunettes en écaille foncée. Puis il lit à voix haute un passage de l'*Ecclésiaste* :

« Il y a un temps pour tout et il y a sous le ciel un moment pour chaque chose… Il y a un temps pour naître et un temps pour mourir. Il y a un temps pour planter et un temps pour arracher ce qui a été planté. Il y a un temps pour démolir et un temps pour bâtir. Il y a un temps pour pleurer et un temps pour rire. Un temps pour gémir et un temps pour sauter de joie. Un temps pour jeter des pierres et un temps pour les ramasser. Un temps pour embrasser et un temps pour s'arracher aux embrassements. Un temps pour chercher et un temps pour laisser perdre. Un temps pour conserver et un temps pour dissiper. Un temps pour déchirer et un temps pour recoudre… Un temps pour se taire et un temps pour parler. »

En refermant le livre, il sourit, replace ses lunettes dans leur étui.

— Et si nous allions faire un golf ?

Dans le vestiaire luxueux du club-house, Joseph lace ses chaussures. Aujourd'hui, il a envie d'essayer ce nouveau putter que lui a prêté Dean Martin. Le chanteur, membre du fameux groupe Rat Pack, est un fou de golf. Il adore jouer au Riviera ou au Hillcrest, où Sammy Davis Jr fait des drives incroyables ! Palm Springs est le lieu de prédilection du crooner Sinatra. Il a fait construire une magnifique villa pour recevoir les plus jolies filles de la terre et… John de temps en temps. La ville, en plein cœur du désert, est devenue en un clin d'œil la cible de tous les magazines *people*.

Pour revenir à Dean Martin, le golf est sa véritable passion, avec le whisky, les filles et les Chesterfield. Il peut parfois dépenser plus de 30 000 dollars pour un nouvel équipement, des pulls en cashmere ou des chaussures Johnston & Murphy…

Joseph apprécie de faire une partie avec lui. Il est aussi un très bon joueur. Pour l'heure, il fera un match-play avec sa nièce Anne Gargan. Ils se retrouvent au départ du 10 :

— Ça changera un peu !

Depuis l'été dernier, Anne Gargan a fait des progrès. Joseph doit se battre comme un lion pour sauver chaque trou. Tous deux s'entendent à merveille. Des rumeurs circulent parfois sur une éventuelle aventure de plus du patriarche… ce qui fait sourire les deux joueurs.

Au trou n° 14, Joseph sort de son sac son fer n° 4. Il se place sur le green. À l'adresse, une immense douleur saisit tout son corps. Du haut de son 1 m 85, il s'écroule sur la zone de départ.

— Joe ! Joe ! Réponds-moi !

Le ciel s'est soudainement assombri. Les palmiers sont balayés par un vent chaud et désagréable. L'odeur de l'herbe est presque écœurante. Joseph sent le souffle chaud de ses lèvres charnues et le parfum sucré de sa peau. Anne est une jolie femme brune. Ses yeux sont si charmants… Comme les femmes sont désirables lorsque le soleil brûle la terre de Palm Beach.

— Mon Dieu ! Joe, dis-moi quelque chose ! …

Anne se relève et appelle au secours. Barbara et Thomas sont sur le fairway du 13 et se précipitent immédiatement vers le père du président des États-Unis :

— Monsieur Kennedy, vous nous entendez ?

Joseph les entend. Une fine bave coule de sa lèvre inférieure, ses doigts ne répondent plus. Il sent pourtant son cœur battre. Oui, il bat.

Le médecin de famille diagnostique une attaque cérébrale. Un caillot s'est formé dans l'une des minuscules veines de son cerveau. Il craint pour sa vie.

— M. Kennedy peut nous quitter d'un moment à l'autre, appelez ses enfants au plus vite.

Un prêtre de la chapelle de l'hôpital lui donne les derniers sacrements. Jackie est debout à son côté et prie en silence.

John est en réunion avec le Conseil de sécurité nationale, lorsque Evelyn Lincoln l'informe que Robert veut lui parler :

— Allô ?

— Jack… Papa a eu une attaque au Country Club. On vient de lui donner l'extrême-onction.

Les conseillers et militaires présents dans la salle du cabinet assistent au chagrin de leur Président. John se cache les yeux à l'aide de ses mains, se lève et s'excuse :

— Je dois vous quitter immédiatement, mon père a eu une attaque cérébrale.

Air Force One décolle dans l'après-midi. John s'entretient longuement avec Jackie.

Le clan se retrouve réuni autour du corps inanimé mais vivant de l'ambassadeur. L'homme qui avait mis au monde la légende, le mythe des Kennedy, est allongé sans défense. Son regard bleu acier, qui avait impressionné plus d'une fois ses enfants, s'est échappé pour laisser place à celui d'un vieillard malade de soixante-treize ans. Robert l'embrasse sur le front et prend sa main gauche. Assis près d'elle, il murmure à son oreille :

— Tu t'es toujours occupé de nous, papa, c'est à notre tour maintenant.

Dans la chambre ensoleillée de l'hôpital Saint Mary, John s'entretient avec les médecins :

— Monsieur le Président, nous ne pouvons plus rien faire pour lui. Il survivra, mais le côté droit de son corps est définitivement condamné. Il ne pourra plus parler… Votre père a eu une attaque cérébrale, plus exactement une thrombose intercrânienne.

Anna Gargan propose de s'occuper de lui toute la journée. Frank Saunders, le chauffeur personnel du patriarche, se tiendra à sa disposition.

La presse s'empare du drame. Elle ne quitte pas les alentours de l'hôpital pendant plusieurs semaines. Pierre Salinger essaye d'apaiser sa curiosité en faisant quelques courtes déclarations. La presse du Massachusetts, par respect vis-à-vis de l'ex-ambassadeur et de son fils président des États-Unis, joue le jeu. Le *Boston Globe* titre : « Joseph Kennedy sera sur pied dans quelques jours ! » L'un des plus éminents amis de la famille, le cardinal Cushing, est chargé de répondre aux journalistes. Il attend dans le hall de Saint Mary.

— M. Joseph Kennedy m'a assuré que tout va bien…

Le patriarche reconnaît ses enfants après quarante-huit heures de convalescence. John est effondré ; sa relation avec son père était exceptionnelle. Jackie et leurs enfants lui changent les idées, en lui montrant les derniers dessins qu'ils ont faits ensemble de tous les animaux de la famille. John caresse les cheveux de John Jr et l'embrasse tendrement. Jackie est bouleversée par sa peine. Elle se souvient encore de la sienne lorsque Black Jack avait disparu :

— Il n'est pas mort, Jack, nous serons à ses côtés pendant son rétablissement.

John se rappelle une chanson : « Jack et Bobby tiennent le devant de la scène, tandis que Teddy cache Joe dans les coulisses… »

Une certaine presse et des opposants républicains dénonçaient régulièrement l'influence de son père dans ses choix politiques. Tout cela est faux. John a eu la capacité de digérer tous les conseils, y compris ceux de son père, pour ensuite les mettre à sa sauce. Joseph a toujours respecté ses choix, et John l'admire pour cela.

La secrétaire particulière de Joseph, Diane d'Alemberte, reçoit de nombreux télégrammes et lettres de soutien du monde entier.

John reste une journée de plus à Palm Beach avant de s'envoler pour les Bermudes, où il doit s'entretenir avec le Premier ministre anglais, Harold Macmillan, sur une éventuelle reprise des essais nucléaires atmosphériques. John vient de recevoir un rapport catastrophé du président du Comité atomique, G. Seaborg, lui réclamant une reprise immédiate des essais face aux avancées soviétiques dans ce domaine. L'Angleterre est propriétaire d'une île qui intéresse les scientifiques américains. Leur entrevue promet d'être grave.

Les médecins confirment à Jackie que Joseph ne sera reconduit chez lui que le 8 janvier. Ils lui présentent un programme de rééducation – qui ne pourra se faire que dans l'une des meilleures cliniques de New York – lui permettant peut-être de retrouver une certaine autonomie. Les larmes aux yeux, Jackie en fait part au reste de la famille.

Les fêtes de Noël sur North Ocean Boulevard, à Palm Beach, sont également ternies par une nouvelle provenant du front asiatique : un premier soldat est tombé au Vietnam, le 22 décembre dernier : James Thomas Davis. John a adressé une lettre de condoléances à ses parents. La ville de Levingston, dans le Tennessee, est en deuil. 2 067 soldats américains sont au Vietnam, couverts par deux compagnies aéroportées. John cherche encore un dialogue avec les forces communistes. Bobby et lui partent sur la plage pour en discuter loin de la présence des services secrets. Bobby a confié à son frère que la maison des Lawford est sur écoute téléphonique :

— Cet enfoiré de Hoover veut notre peau ! Il te suit pas à pas. Il faut faire attention, Jack, tu devrais prendre plus de précautions…

John regarde le soleil s'enfoncer dans le bleu acier de l'Atlantique. Il remonte le col de son gilet :

— Crois-tu que Jackie est au courant de tout ?

— Je n'en sais rien… Beaucoup de femmes se vantent d'être tes maîtresses ! Tu ne connais pas la plupart d'entre elles… Jackie t'aime… Elle t'aime beaucoup, Jack. Elle sait qu'on exagère tes écarts, mais sa foi en toi peut être secouée par des révélations dégueulasses de Hoover. Ce type te veut à sa botte.

John change de sujet et reprend sur le Vietnam :

— Crois-tu que le régime de Ngô Dinh Diêm et de Nhu va résister à l'Union soviétique ?

— La guérilla est une arme redoutable, Jack… L'Histoire nous l'a prouvé plus d'une fois.

Au Vietnam, l'enjeu est de taille. La chute du Vietnam entraînerait celle du reste de l'Asie du Sud-Est. Contrairement au Laos, le Vietnam est un pays prometteur : une économie florissante, une population décidée à refuser le régime communiste… Depuis les accords de Genève en 1954, le Vietnam est divisé au niveau du 17e parallèle en deux territoires. Au Nord, les guérillas se sont multipliées et la Chine communiste de Mao Zedong s'est insidieusement emparée du pouvoir pour encourager une haine vis-à-vis de l'impérialisme américain. Au Sud, la reconstruction culturelle et économique reste l'espoir de toute la population. La situation en 1961 est catastrophique, le conflit entre les deux territoires est devenu celui des États-Unis contre l'Union soviétique.

John ne peut plus demander conseil à son père, dont les grognements traversent chaque nuit le long couloir de l'étage. La première année de sa présidence a été l'une des plus difficiles de son existence : l'échec de la baie des Cochons, le départ d'Allen Dulles de la CIA, le mur de Berlin, ses rapports avec Khrouchtchev, l'enlisement au Laos, le Vietnam, la lutte contre la corruption au sein de l'administration américaine, la lutte contre le crime organisé, les manifestations raciales dans le Sud, la reprise des essais nucléaires soviétiques...

Jackie monte chaque matin pour lire à Joseph le journal et des extraits des discours de son fils. Joseph la regarde, les larmes aux yeux. Sa main gauche s'agite. Jackie prend cette main contre sa joue.

— Je resterai à vos côtés.

De temps en temps, elle lui passe des disques de Wagner ou de Schubert. John est très ému par l'attention de sa femme à l'égard de son père. Il se sent parfois incapable d'être aussi fort, aussi proche.

Jackie adresse personnellement une invitation aux producteurs de NBC et de CBS pour leur proposer une émission de grande écoute qui présentera les tout premiers aménagements de la Maison Blanche. Elle négocie les droits de diffusion dans plus de cent pays, dont la France, pour obtenir des fonds supplémentaires. Le reportage s'intitule : « Une visite à la Maison Blanche. »

Le 14 février 1962, le jour de la Saint-Valentin, plus de 40 millions d'Américains découvrent son travail et sa décontraction face à la caméra. Jackie leur apparaît comme une femme de grand goût.

— Madame Kennedy, merci de nous ouvrir les portes de votre résidence. Voici visiblement la pièce où vous travaillez ?

— Oui, c'est à la fois un grenier et une cave !

Les caméras de télévision suivent pas à pas le journaliste et la Première Dame :

— C'est la pièce que les invités traversent en premier en visitant la Maison Blanche. Les convives des dîners entrent et sortent par ici ; il faut donc qu'elle soit agréable.

— Vous êtes l'hôtesse officielle, vous recevez beaucoup ?

— Oui... La Maison Blanche devrait posséder la plus belle collection de tableaux américains. Le cadre de la présidence a une importance capitale pour les visiteurs. L'Amérique doit en être fière. Notre grande civilisation est d'une richesse que les étrangers ne soupçonnent pas. Cette table, par exemple, est signée Lanouiller, un ébéniste français émigré en Amérique. Il est fort peu connu, pourtant il valait bien Duncan Fife ou n'importe quel autre maître français. Toutes ces choses admirables sont notre héritage. Je crois que c'est ici qu'elles doivent être montrées.

— Cette salle à manger est le symbole de votre rôle d'hôtesse officielle ? Servez-vous beaucoup de repas ici ?

— Oui, c'est ici que nous organisons les déjeuners et les dîners d'État.

— Y a-t-il de nombreux dîners d'État ?

— Oui, il y en a presque deux par mois... Voici la pièce où Pablo Casals a joué pour nous. Nous y avons vu également une pièce de Shakespeare...

— C'est très différent de l'ancien salon rouge !

— Oui, les tentures sont bleues, alors que depuis le président Monroe elles étaient rouges. Le plus beau meuble est cette table en marbre avec ce buste. Lorsque nous sommes arrivés, nous avons cherché des choses anciennes. Nous l'avons retrouvée dans l'atelier de menuiserie, où elle servait d'établi ! Nous l'avons identifiée grâce à de vieilles gravures, et il a fallu six semaines pour la restaurer. Dans les toilettes des hommes, nous avons trouvé ce buste du président George Washington.

— Dans les toilettes ?

— Oui... Le lit de Lincoln est particulièrement célèbre : tous les Présidents l'apprécient !

L'invité de marque présent ce soir n'est autre que le roi d'Arabie Saoudite, qui confie au jeune président américain :

— Mme Kennedy a fait une formidable performance ! Vous pouvez être fier de votre épouse, monsieur le Président.

— Je le suis.

Quelques jours après l'émission, plus de 2 millions de dollars sont adressés au bureau de Mme John F. Kennedy, afin de soutenir son programme de rénovation. Ces centaines de milliers de donateurs anonymes touchent profondément Jackie et surprennent Jack :

— Si un jour nous n'avons plus d'argent pour nos campagnes, nous appellerons à l'aide Jackie !

Lors d'un week-end à Glen Ora, Jack suggère à sa femme de le représenter en Inde et au Pakistan pour deux voyages officiels. John ne supportant pas la prétention du Premier ministre indien, il a tout intérêt à faire appel à ses talents. De plus, l'entente entre le président pakistanais et Jackie est formidable. Leur passion commune pour le cheval a créé une véritable amitié.

— J'accepte, mais je partirai avec Lee.

— Excellente idée.

Afin de bien préparer ce voyage, Jackie obtient des livres de référence sur l'histoire et l'économie des deux pays.

Elle soumet à John l'idée d'imprimer un guide pour les visiteurs de la Maison Blanche :

— À onze ans, j'ai visité la Maison Blanche avec ma mère... C'était pendant les vacances de Pâques. À l'extérieur, les jardins m'avaient fait grande impression, ainsi que la façade imposante toute blanche, mais l'intérieur était décevant !... On ne nous avait rien montré. On ne nous avait pas même proposé une brochure ou le moindre dépliant, pour quelques explications. Mount Vernon, le département du FBI, la National Gallery, le Lincoln Memorial m'avaient beaucoup émue ! Il faut faire ce livre, Jack, nous en vendrons des centaines !... Je voudrais qu'on montre des choses à chaque enfant qui passe par la Maison Blanche, afin qu'il acquière le sens de l'Histoire.

— OK, Jackie, mais je ne peux plus te donner le moindre dollar.

Jackie convoque aussitôt d'excellents photographes, dont George Mobley, du *National Geographic*. Ensemble, ils sélectionnent les principales photographies.

— Le public voudra une à deux photos de nous.

— Je vous propose celle-ci, madame Kennedy.

Jackie examine attentivement le document : Caroline et John Jr s'amusent dans leur chambre.

— Je ne crois pas que ce soit une bonne idée, une chambre est un lieu privé. Revoyons les autres, s'il vous plaît.

La première publication, intitulée *La Maison Blanche, un guide historique*, connaît un grand succès. 250 000 exemplaires sont vendus en moins de trois mois ! Au total, plus de 4 400 000 guides seront imprimés. Des milliers de cartes postales sont également achetées par des centaines de milliers de visiteurs.

La presse rend hommage au travail accompli par Jackie et à son ingéniosité pour pallier les dépenses. Ainsi le *New York Times* : « Mme Kennedy a fait preuve de méthodes créatives pour obtenir les fonds nécessaires à la rénovation de la Maison Blanche et pour soulager les contribuables de notre pays... »

Seul l'écrivain journaliste Norman Mailer émet des réserves quant à sa prestation télévisée, dans le magazine *Esquire* : « Sa voix est une parodie adoucie comme on en entend dans les émissions tardives à la radio... Jacqueline Kennedy bouge comme un cheval de bois et ressemble à s'y tromper à une starlette qui ne sait pas véritablement jouer ! »

Après la prestation télévisée de Jackie, l'aura de la Maison Blanche est à son zénith. La presse internationale est sous le charme, les Américaines imitent le style de la Première Dame. Les grands salons de coiffure new-yorkais sont dépassés par les demandes de leurs clientes. Les magasins de chaussures qui reprennent les collections de Jackie sont dévalisés. Les vitrines de prêt-à-porter sont à son image. Sur la Cinquième Avenue ou à San Francisco, d'incroyables sosies se promènent.

En dehors des travaux de réaménagement de la Maison Blanche et de la mise en place de visites publiques, Jackie insuffle à la présidence de son mari une ouverture inespérée à l'art. Les précédents gouvernements – Roosevelt, Truman et Eisenhower – n'avaient pas eu l'opportunité de montrer un tel intérêt pour la peinture, la musique ou la littérature. Ils étaient totalement accaparés par les conséquences de la guerre, des armes atomiques et de la guerre froide. En 1957, le romancier américain et prix Nobel William Faulkner avait déclaré à l'Académie américaine des arts et des lettres : « L'artiste n'a pas plus de place réelle dans la culture américaine d'aujourd'hui qu'il n'en a dans l'économie de notre pays : aucune place dans la trame et la chaîne, les nerfs et les muscles de la mosaïque du rêve américain... »

Promettant une Nouvelle Frontière à son peuple lors de son investiture, John, sous l'inspiration raffinée de sa jeune épouse, aspirait à une véritable explosion de la vie culturelle de ses concitoyens. Des artistes avaient répondu à son appel. Ernest Hemingway lui renouvelle sa confiance et admire sa détermination ; le poète Archibald MacLeish lui adresse une lettre émue : « Aucun pays sans respect pour les arts n'a jamais été un grand pays et le nôtre les a ignorés trop longtemps ! Votre discours m'a rempli d'espérance... ce que je n'avais pas ressenti depuis plus de vingt ans ! »

Chaque manifestation culturelle placée sous la responsabilité de Jackie est attendue avec impatience par la presse et par les artistes eux-mêmes. Le violoncelliste Pablo Casals, l'orchestre de Lester Lenin, l'écrivain Pearl Buck, Robert Frost, Steve McQueen, Cary Grant... Grâce à Jackie, la vie mondaine de la capitale américaine prend un éclat nouveau. L'atmosphère froide, formaliste et puritaine de la Maison Blanche se réchauffe peu à peu. Les journalistes de la presse politique et économique croisent les acteurs les plus célèbres, les musiciens les plus talentueux et les philosophes les plus écoutés. Les réceptions officielles font découvrir l'art américain aux personnalités internationales invitées.

224

— Tout ici doit être de l'art américain. Il existe un véritable art américain et, en tant qu'épouse de mon mari, je veux le faire connaître.

Le shah d'Iran et l'impératrice Farah Dibah sont enchantés par le glamour du jeune couple présidentiel et fascinés par l'indépendance intellectuelle et artistique de la Première Dame des États-Unis.

Le chancelier allemand Adenauer porte John Jr dans ses bras lors d'une conférence de presse dans les jardins de la Maison Blanche. John Jr s'amuse avec sa cravate rouge, ce qui fait rire les reporters et Pierre Salinger. Le maire de Berlin-Ouest, Willy Brandt, est enthousiasmé par la décontraction naturelle de John et l'élégance de Jackie.

Le 20 février, à 18 heures, les nouvelles de la Nasa sont diffusées sur les chaînes de télévision : le vol spatial de John Glenn est un succès ! La fusée *Atlas*, qui a décollé de la base de Cap Canaveral, a mis sur orbite spatiale le premier astronaute américain, à bord de la cabine *Friendship* 7. Le héros a déjà un beau palmarès derrière lui : cent quarante-neuf missions à bord de son avion de chasse durant la Seconde Guerre mondiale et la guerre de Corée. C'est un dur à cuire. Le personnel de la NASA n'a jamais formé un tel pilote ! À quarante ans, Glenn porte l'Amérique vers l'un de ses plus beaux rêves.

Plus de 100 millions de téléspectateurs américains applaudissent l'exploit. Bobby téléphone de sa maison de Hickory Hill à son frère :

— Bon sang, nous avons réussi, Jack ! Oh, bon sang !

Le 21 février, John déclare lors d'une conférence de presse à la Maison Blanche : « Il est de plus en plus évident que la portée de l'exploit réalisé par le colonel Glenn dépasse notre temps et notre pays. La réussite de ce vol et les nouvelles connaissances qu'il ouvre affecteront la vie sur notre planète pendant des années. On a pu dire que la paix avait ses victoires, comme la guerre. Nous pouvons tous être fiers aujourd'hui de cette victoire de la technologie et de l'esprit de l'homme. »

Le 23 février, John remet une médaille à l'astronaute après un discours émouvant à Cap Canaveral. John, accompagné par le vice-président Lyndon Johnson, se fait expliquer par l'astronaute le fonctionnement de la capsule *Friendship 7*. Le lieutenant-colonel John Glenn raconte son amerrissage dans l'océan Atlantique, à quelques kilomètres des Bermudes... Des millions d'Américains, tout comme John et Jackie, se sont étonnés de le voir manger une purée de pommes de terre pendant sa mission. Une caméra a filmé ce dîner pour la postérité. Le voyage spatial lui a permis de faire trois fois le tour de la Terre.

— Des deux côtés, nous devrions nous entendre pour tirer de la science ses bienfaits et non pas de nouveaux moyens de destruction ! Ensemble, nous devrions prospecter les étoiles, conquérir les déserts, extirper les maladies et ouvrir à l'Homme les profondeurs des océans.

Le 27 février, Jackie fait la connaissance de l'astronaute à la Maison Blanche. John Glenn est un personnage hors du commun ; son caractère assez taciturne n'est pas pour déplaire à la Première Dame.

Le 10 mars 1962, Jackie poursuit sa stratégie de relations publiques. John lui avait proposé de le représenter en Inde et au Pakistan. Quelques jours plus tôt, il s'était montré plus réservé :

— Jackie est si fatiguée en ce moment... Je ne veux pas qu'elle fasse tout cela. C'est trop dur pour elle !

Le programme fut révisé, mais les deux sœurs embarquèrent comme prévu.

Le 12 mars, Jackie obtient une audience auprès du pape Paul VI, qui écoute attentivement la jeune femme.

John Kenneth Galbraith, ambassadeur américain et ami des Kennedy, est particulièrement ravi de la venue de Jackie. Diplomate de haut niveau et économiste réputé, Galbraith a toute l'attention du bureau ovale :

— Ce voyage est une excellente opportunité pour les deux pays de renouer des liens amicaux avec les États-Unis. Jackie sera dans son élément.

L'influence politique de Jackie dans le monde n'est plus un secret pour personne : la presse internationale l'adore et son charme peut dédramatiser certaines situations, comme elle l'a d'ailleurs prouvé à Vienne.

« Jackie sera parfaite. En Inde, les personnalités politiques apprécient la culture et l'élégance. Leur éducation britannique ne pardonne aucune grossièreté. Nehru a été si emballé par elle lors de son voyage aux États-Unis. Les journalistes indiens ont hâte de la rencontrer, eux aussi. »

Le voyage est annoncé par Pierre Salinger comme un simple voyage culturel en Inde et au Pakistan. Le porte-parole de la Maison Blanche ne fait en aucune façon allusion aux problèmes relationnels entre les deux pays et les États-Unis. En vérité, le gouvernement américain cherche à valoriser la mise en place d'un nouveau système social en Inde et à limiter l'expansion communiste dans les deux pays, l'Union soviétique cherchant à profiter de la moindre faille.

Les rapports diplomatiques entre Nehru et le bureau ovale sont, depuis trois mois, très difficiles. En effet, il y a trois mois, le Premier ministre indien a envoyé plus de 30 000 soldats indiens à Goa, l'une des colonies portugaises situées sur la côte indienne de Malabar. Un geste que le département d'État américain avait considéré comme une menace pour les intérêts stratégiques des États-Unis dans le périmètre asiatique. Adlai Stevenson, devant le Conseil de sécurité nationale, avait déclaré :

— Si nous ne voulons pas que les Nations unies succombent à une mort aussi ignominieuse que la Société des nations, il nous est impossible d'approuver le recours à la force dans le cas présent, ce qui créerait un précédent pour les différends futurs !

John avait alors menacé de suspendre l'aide au développement. Nehru avait dénoncé de son côté « une violation dans les affaires internationales de l'Inde ». Dans une lettre adressée à la Maison Blanche, il écrivait :

« Comment se fait-il que les États-Unis condamnent dans les termes les plus violents une chose qui électrise notre peuple ?... J'ai été profondément blessé par l'attitude extra-ordinaire et pleine d'amertume de M. Adlai Stevenson... Vous serez peut-être intéressé d'apprendre que le cardinal-archevêque de Bombay, le plus haut dignitaire de l'Église catholique romaine en Inde, qui est lui-même natif de Goa, s'est déclaré satisfait de notre action ! Il en est de même de plusieurs autres dignitaires de l'Église catholique. »

John avait répondu :

« Vous avez ma sympathie pour les aspects coloniaux de ce problème. Nous sommes parfois enclins à parler avec un peu trop d'onction des origines coloniales des États-Unis, qui datent maintenant de plus de deux siècles... Tous les pays, y compris bien sûr les États-Unis, se convainquent facilement que leur cause est juste. Aucune nation ne recourt à la force pour des raisons qu'elle juge injustes ; je crains que l'épisode de Goa ne rende plus difficile le maintien de la paix dans d'autres régions... J'ai le sentiment que nous aurions pu discuter de ce problème lors de notre dernière rencontre. »

Nehru n'a pas apprécié non plus l'aide militaire offerte par les États-Unis à son ennemi historique : le Pakistan. Les douze avions F 104 livrés au gouvernement militaire pakistanais avaient rendu furieux le Premier ministre indien.

Après l'assassinat du mahatma Gandhi en janvier 1948, l'ancien président du parti du Congrès, Jawaharlal Nehru, est nommé chef du gouvernement indien. Défenseur du neutralisme, Nehru rejette toute alliance militaire avec les grandes puissances. Aux yeux des Américains, l'Inde est la région clé de l'Asie. Sa lutte contre la Chine populaire de Mao suscite le respect des deux partis politiques des États-Unis, qui tombent d'accord pour apporter à l'Inde un important soutien financier – un demi-milliard de dollars –, afin de préserver l'équilibre économique en Asie.

Les relations entre John Kenneth Galbraith et Nehru sont suffisamment bonnes pour créer une atmosphère propice à l'entente entre Jackie et le chef du gouvernement indien. Les deux hommes ont fait leurs études à l'université de Cambridge et partagent de nombreux points de vue sur l'éducation et la culture. Nehru et Indira Gandhi accueillent Jackie et sa sœur à l'aéroport de New Delhi. Des centaines de milliers d'Indiens sont venus saluer la Première Dame des États-Unis. Des pétales de fleurs sont jetés sur le cortège officiel. Jackie est radieuse. Les photographes indiens sont retenus par les forces de police totalement débordées. Le calme de Jackie semble presque irréel. Nehru lui parle doucement, tout en marchant vers les voitures officielles.

Le *Times* indien a déclaré la semaine précédente dans ses colonnes : « Rien n'arrivera en Inde tant que Mme Jacqueline Kennedy sera ici. Sa présence dominera complètement la scène indienne ! »

Aux côtés de Nehru, Jackie et Lee Radziwill visitent les plus beaux endroits de l'Inde, dont la résidence du chef du gouvernement et ses jardins, embaumés par le parfum sucré et vanillé des pieds de jasmin. Elles y déjeunent avant de poursuivre leur excursion. Jackie, dans une robe vert d'eau, est assise entre le Premier ministre indien et sa sœur. Elles s'amusent beaucoup des plaisanteries de Nehru. Elles le trouvent beaucoup plus charmant que ne le laissaient penser les remarques de John.

Le lendemain matin, après un petit déjeuner sublime, Jackie et Lee, accompagnées de John Kenneth Galbraith, découvrent, ébahies, l'étonnant et mythique mausolée du Taj Mahal érigé au XVIIe par un empereur moghol en hommage à son épouse.

— Il faudra revenir ce soir, tout sera encore plus magique !

Elles naviguent ensuite sur le Gange, sur un voilier recouvert de couronnes de fleurs. Elles découvrent les charmeurs de serpents. Jackie se jette contre le Premier ministre après l'écart soudain d'un des cobras royaux. Les photographes et les télévisions ne ratent pas cet instant, pour la plus grande satisfaction des services de presse indiens et américains. Elles visitent ensuite des hôpitaux, où les enfants malades tiennent à serrer la main à la Première Dame... la reine américaine... La foule clame à leur passage : « Longue vie ! Longue vie ! »

Au cours d'un des discours officiels, Jackie regrette l'absence de son mari à ses côtés pour découvrir avec elle de telles splendeurs. Nehru est conquis. Il lui raconte, à sa demande, des souvenirs personnels sur son itinéraire aux côtés du mahatma Gandhi. Jackie est très touchée par certains d'entre eux.

— Mon mari a beaucoup d'admiration pour Gandhi.

— Demain, nous vous emmènerons à l'endroit où son corps a été incinéré.

Ils n'évoquent aucunement les dernières interventions militaires à Goa, ni les remarques désobligeantes du premier représentant des États-Unis aux Nations unies, ni les rapports conflictuels avec ses voisins pakistanais... D'humeur excellente, Nehru charme Jackie et sa sœur. Il ne ressemble plus à cet homme froid reçu quelques mois plus tôt dans la résidence de leur beau-père, Hugh Auchincloss.

Lorsqu'elle suit une partie de l'itinéraire de Gandhi et parvient au lieu de son incinération, Jackie y dépose un joli bouquet de fleurs blanches. Ce geste touche les Indiens.

Le lendemain, la presse internationale, dont américaine, ne parle que du succès de la visite de Jackie en Inde. Des centaines de photographies sont adressées par les agences aux rédactions des magazines et des quotidiens. L'ensemble des journaux télévisés américains rendent hommage à son charme et son intelligence. Un quotidien de New Delhi annonce dans ses colonnes : « Jacqueline Kennedy est Durga, la reine du pouvoir ! »

De son bureau ovale, John s'enthousiasme pour les rapides progrès obtenus par sa femme :

— Bon sang, il faudra qu'un jour nous apprenions la politique à nos diplomates ! Jackie est formidable...

Jackie prend le train pour visiter Fathepur Sikri, la ville magique du XVIe siècle, qui renferme les palais des reines. Durant plusieurs jours, elle visite des villages sous les nuées de pétales de roses et les applaudissements des enfants.

Au cours d'un déjeuner officiel, sous une chaleur étouffante, debout au côté d'Indira Gandhi, Jackie déclare :

— Mes amis, j'ai l'immense plaisir de vous offrir cet atelier d'art. C'est un cadeau pour les enfants de l'Inde. J'ai souvent remarqué que l'art des enfants est le même dans le monde entier. Tout comme notre amour des enfants est le même dans le monde entier. Je pense qu'il est essentiel, dans ce monde où bien des choses nous divisent, que nous chérissions un langage et une émotion qui nous unissent tous.

Edwina Mountbatten, l'épouse de lord Mountbatten, applaudit vivement. Les deux femmes s'entretiennent sur la culture française et la vie à Londres. Elles assistent ensuite à un magnifique match de polo. Lors de la remise des trophées, Jackie se prête au jeu : elle donne elle-même la coupe au capitaine de l'équipe gagnante.

Jackie et Lee débarquent ensuite à Jaipur. Elles sont les invitées attendues du jeune maharajah pour deux jours de vacances. Jackie profite du soleil pour parfaire son bronzage en compagnie de l'épouse du maharajah, Ayasha. John lui manque terriblement. Elle loge avec Lee dans un immense palace rose.

— Je n'ai jamais vu une chose pareille ! C'est déconcertant !

En fin d'après-midi, Jackie descend en culotte et veste de cheval. Elle porte une jolie cravate noire. Deux chevaux lui sont amenés. Devant ses hôtes, elle fait plusieurs démonstrations de dressage et saut d'obstacle. Les deux sœurs sont photographiées sur le dos d'un éléphant très docile, ce qui provoque une crise de fou rire chez Jackie.

Avant le départ de Jackie pour le Pakistan, la presse indienne, unanimement, déclare : « Jacqueline Kennedy est la reine américaine ! »

Jackie et Lee sont conduites à l'aéroport sous une escorte de policiers. La foule est si importante que les barrières de sécurité sont renversées.

À leur atterrissage à Lahore, le maréchal et président pakistanais Muhammad Ayoub Kahn les accueille sous la fanfare militaire. Jackie a reçu durant le vol un appel téléphonique de la Maison Blanche lui précisant qu'elle ne doit en aucun cas froisser la susceptibilité du gouvernement pakistanais à l'égard de Nehru. Parfaitement décontractée, elle serre la main d'Ayoub Kahn, lui-même ravi de retrouver la Première Dame. Il demande des nouvelles de ses juments.

— Elles vont parfaitement bien.

Durant le trajet à Karachi, Jackie se tient debout dans une décapotable, à gauche d'Ayoub Khan. Ils plaisantent tous deux au point d'avoir plusieurs crises de fou rire. Jackie a ce don que peu connaissent : elle adore imiter les personnes intéressantes qu'elle rencontre. Sa faculté de mimétisme est parfois époustouflante.

Jackie et Lee sont invitées à déjeuner dans les jardins de Shalimar, réalisés par l'empereur moghol à l'origine du Taj Mahal.

À la tête du Pakistan depuis 1958, Ayoub Khan entreprend un ambitieux programme social et une réforme agraire qui permettra à plus de 150 000 fermiers d'obtenir une part des 900 000 hectares de l'État. Parmi ses autres réformes, il promet de soutenir le droit de succession pour les Pakistanaises, mais condamne en même temps le divorce. La presse internationale et les officiers de l'armée pakistanaise suivent la voiture dans laquelle Jackie et Lee sont installées aux cotés du Président pour se rendre à la passe de Khayber, passage symbolique entre l'Afghanistan et la Russie. Aux écuries nationales de Lahore, Ayoub Khan offre, au cours d'une immense parade militaire, un magnifique pur-sang à son invitée. Émue, Jackie caresse la tête de Sardar. Elle déclare quelques instants plus tard, après une longue visite des jardins de la résidence présidentielle :

— Je dois dire que je suis profondément impressionnée par le respect que vous montrez, au Pakistan, envers votre art et votre culture. Par l'usage que vous en faites aujourd'hui... Mes compatriotes aussi sont fiers de leurs traditions et je me dis que je me trouve dans ces jardins qui ont été conçus bien avant que ne naisse mon pays, que c'est une chose de plus qui nous unit et nous unira toujours. J'avais toujours entendu parler de l'hospitalité pakistanaise, mais elle a dépassé de loin mes attentes. J'espère pouvoir revenir avec mon mari très bientôt dans ce beau pays.

Air Force One quitte le Pakistan pour rejoindre Londres, où habite Lee. Jackie passe quelques jours dans la capitale anglaise. Le séjour dans l'hôtel particulier des Radziwill est très amusant. Oleg Cassini est venu les retrouver, ainsi que l'actrice Moira Shearer, le photographe mondain Cecil Beaton, le photographe Benno Graziani – qui travaille pour *Paris-Match* – et sa femme Nicole.

— J'ai beaucoup apprécié votre lettre de Karachi.

— C'était si beau, Oleg !

Le soir, ils rejoignent le prince Radziwill dans un restaurant russe. Le caviar et la bonne humeur sont de mise. Ils regagnent ensuite une boîte de nuit pour y danser le twist jusque très tard. Jackie est heureuse, elle adore danser et chanter. À la Maison Blanche, les réceptions pincées l'empêchent de s'exprimer librement. À Londres, avec sa sœur, elle se sent comme une adolescente. Lee est une jeune femme ravissante, au goût sûr, avec laquelle Jackie peut s'entretenir des heures entières. Leur complicité est connue de tous.

Le lendemain soir, autour de la cheminée, Jackie et Lee racontent leurs meilleurs souvenirs :

— Grimper sur des chameaux n'a pas été chose facile, nous avons préféré la balade avec les éléphants à Jaipur !

Jackie dîne avec la reine Elizabeth avant de regagner Washington, en compagnie d'Oleg Cassini.

John accueille sa femme à l'aéroport pour l'emmener, avec leurs enfants, à Glen Ora. Ils y retrouvent l'ambassadeur américain John Kenneth Galbraith et sa femme Kitty, son homologue au Pakistan, Walter McConaughy, Arthur Schlesinger Jr et Kenny O'Donnel. Lorsque Jackie entre dans le salon principal, tous l'applaudissent chaleureusement. Les relations diplomatiques entre l'Inde, le Pakistan et les États-Unis sont redevenues acceptables. La mission de Jackie est un grand succès pour la politique étrangère de son mari.

Quelques jours plus tard, Jackie découvre horrifiée la une des magazines du week-end : John Jr et Caroline y sont en couverture. John a profité de son absence pour faire venir plusieurs photographes, qui ont immortalisé le moment où les enfants viennent saluer leur père et lui demandent des cadeaux. John a toujours dans une armoire des maquettes d'hélicoptères et d'avions de combat pour son fils, tandis que Caroline repart avec des petits chevaux en bois. Pierre Salinger a obéi à l'ordre du Président et a désobéi à celui de Jackie. Il reçoit une lettre incendiaire le lendemain.

10

Tensions à la Maison Blanche

« Nous nous armons pour parlementer. »

Winston Churchill

Jackie s'inquiète du moral de John. Depuis l'accident cérébral de son père, les nouvelles de l'étranger sont de plus en plus mauvaises. John ne quitte pratiquement plus le bureau ovale et participe jusque tard dans la nuit à des réunions avec le Conseil de sécurité nationale. Les uniformes militaires et les costumes tristes des agents de la CIA ont remplacé depuis peu les acteurs du monde artistique. Les pensées de John sont de plus en plus sombres ; seuls Caroline et John Jr parviennent à lui arracher un sourire.

Jackie l'aperçoit souvent, les mains dans les poches de sa veste, marcher dans les allées de la roseraie, seul ou accompagné de Bobby et du général Maxwell Taylor. Son appétit a diminué, ses brûlures à l'estomac sont plus fréquentes. Le docteur Janet Travell a demandé un examen approfondi de ses yeux, car sa vue baisse considérablement.

Malgré les avis de certains de ses conseillers, de son frère Bobby et de Jackie, John intensifie l'engagement américain au Vietnam. Plus de 5 000 soldats américains sont déjà sur place pour former les troupes du Sud-Vietnam. On déplore déjà vingt-deux morts.

— Je suis très préoccupé par le sort des soldats américains, dont la vie est souvent menacée. Nous voulons que le Vietnam garde son indépendance et ne passe pas aux communistes !

Leur gouvernement a demandé notre aide et c'est une entreprise périlleuse, au même titre que les deux guerres mondiales ou que la guerre de Corée. Des milliers, des centaines de milliers d'Américains sont morts au combat. Ces vingt-deux soldats s'ajoutent à une liste très longue, mais nous ne reculerons pas au Vietnam !

Après la conférence de presse, John convoque le général Maxwell Taylor et Bobby dans le bureau ovale, afin d'étudier les requêtes du Pentagone et de la CIA. Les rapports de la CIA, dont le siège se trouve à 20 kilomètres de Washington D.C., sont alarmants ; mais John reste prudent vis-à-vis de la direction générale de l'Agence.

Après Pearl Harbor, le gouvernement américain avait envoyé une trentaine de hauts fonctionnaires du contre-espionnage à l'extérieur des frontières des États-Unis. Le président Harry Truman avait retiré toutes les missions étrangères au patron du FBI, J. Edgar Hoover. Le bureau ovale voulait à l'époque contrôler ce département. Le budget s'élevait à quelques centaines de milliers de dollars. Les statuts de la CIA étaient parfaitement définis : recueillir, trier, coordonner et évaluer les informations... intervenir là où la diplomatie devient insuffisante et les actions militaires contre-indiquées.

Depuis la guerre froide, l'importance de la CIA s'est accrue. Elle est chargée désormais de prédire quand, comment, et à quel endroit précis l'Union soviétique peut attaquer les États-Unis. La majorité des services d'analyse de la CIA sont astreints à surveiller l'Union soviétique. Plus de 50 % du budget alloué est dépensé dans ces recherches. En 1953, l'ex-avocat à Wall Street Allen Dulles était nommé à la tête de la CIA. Eisenhower lui confiait en mai l'opération intitulée AJAX.

En 1951, le Premier ministre iranien Mossadegh avait proclamé la nationalisation de l'Anglo-Iranian Oil Company et comptait mener une politique antibritannique. Le gouvernement anglais lui avait répondu immédiatement, en décidant l'embargo contre l'Iran. Le pays, déjà fragilisé par les multiples révolutions depuis la Seconde Guerre mondiale, plongeait dans le chaos. Toutes les compagnies pétrolières anglo-saxonnes quittaient le territoire iranien. Harold Macmillan, sous la pression de la compagnie pétrolière, avait demandé le soutien des États-Unis pour se débarrasser du ministre iranien. Il sous-entendait que Mossadegh était proche des communistes et risquait de les faire entrer au sein de son gouvernement.

Eisenhower avait présenté ces demandes à la CIA. Dulles lançait l'opération AJAX sous couvert de son propre frère, John Foster Dulles, alors ministre des Affaires étrangères. Le jeune shah était installé au pouvoir. Ce dernier avait fait arrêter et emprisonner Mossadegh. Un accord international partageait désormais les revenus pétroliers entre l'Iran et un consortium. Le succès de cette opération allait engendrer d'autres opérations confidentielles au Guatemala, en Angola, en Éthiopie, au Congo belge, à Cuba.

En 1962, une dizaine de milliers d'agents composent cette véritable forteresse qu'est la CIA, aidés par un budget colossal obtenu avec l'appui sans faille du Congrès. Depuis quelque temps, la CIA devient de plus en plus incontrôlable par le gouvernement. Son indépendance est trop arrogante. La CIA est chargée d'opérations spéciales clandestines à l'étranger. 80 % de son budget y est consacré. Seul problème : le Conseil de sécurité national n'est pas toujours informé de celles-ci !

Depuis l'échec de la baie des Cochons, Allen Dulles et son directeur adjoint, Richard Bissel, ont dû quitter l'Agence. Après le refus de Bobby de diriger la CIA, John a nommé l'ex-industriel républicain John McCone. Son nom, sa discrétion, sa réputation, son prestige doivent restaurer au plus vite la confiance entre la CIA et le bureau ovale. Richard Bissel est remplacé par Richard Helms, un des plus grands spécialistes du renseignement. John veut réduire les capacités de la CIA, avec l'appui de son ministre Robert McNamara et de son principal conseiller militaire et ami, le général Maxwell Taylor.

— Il va falloir que je m'occupe sérieusement de la CIA. Robert McNamara s'est occupé de la Défense, Dean Rusk du département d'État, mais personne ici ne s'est occupé de la CIA !

237

La première disposition est la mise en place d'un conseil présidentiel capable d'analyser l'ensemble des affaires d'espionnage et de renseignement. John installe à sa tête James Killian et son ami Clark Clifford. Il ordonne ensuite le retrait immédiat de la responsabilité de la CIA dans les opérations paramilitaires :

— Elles dépendront dorénavant du département de la Défense ! Et Bobby gardera un œil sur toutes ces affaires. Nos priorités sont Cuba et le Vietnam.

Avec l'aide de son frère, John met en place une sous-commission du Conseil de la sécurité nationale, présidée par le général Maxwell Taylor. Nommée « Groupe spécial », elle a en charge d'examiner de près la situation en Asie du Sud-Est et de soutenir tout gouvernement menacé par une guérilla insurrectionnelle. Bobby en devient l'un des membres les plus actifs.

— Le droit international reconnaît aux peuples le droit de modifier leurs institutions politiques, économiques et sociales par la révolution. Le renversement par la force de certains gouvernements n'est pas toujours contraire aux intérêts des États-Unis. Tel changement obtenu de force par des éléments non communistes peut être préférable au maintien d'une situation dans laquelle mécontentement et répression vont en spirale ascendante...

John augmente le budget et les effectifs des forces spéciales. Il contribue à leur immense notoriété en leur attribuant le fameux béret vert. Cette coiffure est posée sur son bureau. Les soldats sont formés à la contre-insurrection et aux méthodes de la guérilla... employées autrefois par l'un de ses héros d'adolescence : le colonel Lawrence d'Arabie.

Quant à Fidel Castro, il devient vite un mauvais exemple pour l'Amérique latine : le dictateur s'affiche avec le premier Soviétique et contracte avec lui des contrats commerciaux. Ses discours sont de plus en plus féroces à l'égard des États-Unis. Il nationalise l'ensemble des plantations de sucre détenues par les Américains.

« Tous révolutionnaires, patriotes, nous aurons la même chance ! Et je vous promets que la victoire sera à nous ! »

Le 4 janvier 1961, John avait décidé d'interrompre les relations diplomatiques entre les deux pays. Un an plus tard, John interdit tout commerce avec l'île : l'embargo empêchera 30 millions de dollars de recettes pour Cuba.

Après la baie des Cochons, la CIA présente à John et Bobby différents moyens de renverser Castro. En décembre 1959, le colonel King, chef de la division de l'hémisphère occidental de la CIA, avait suggéré l'élimination du Cubain pour anéantir son gouvernement. Les deux frères envisagent de renverser, par tous les moyens disponibles, le dictateur. Ils convoquent, entre autres, le général Taylor :

— Je veux que toutes ces opérations soient menées en sourdine... Notre participation doit rester occulte. Je ne veux pas de représailles vis-à-vis de nos prisonniers sur l'île.

Bobby ajoute :

— Argent, énergie, hommes, rien ne doit être épargné !

En novembre 1961, John nomme Bobby à la tête de l'opération intitulée « Mangouste », à laquelle participent plus de 400 agents de la CIA. Des tentatives d'assassinat ont lieu, sans succès. Le 22 mai précédent, John Edgar Hoover avait adressé un courrier à Bobby pour lui confirmer que l'un des membres les plus célèbres du crime organisé, Sam Giancana, avait été recruté par la CIA pour assassiner Castro. La mafia, chassée de ses casinos par le dictateur, a tout intérêt à participer activement à l'élimination de Castro.

La présence de Giancana, le patron de la mafia de Chicago, et d'autres mafieux, tel Johnny Rosselli de Las Vegas, au sein de l'Agence est pourtant en contradiction avec la lutte acharnée contre le crime organisé menée par Bobby. En dehors de la CIA, certains membres du clan seraient également approchés par la mafia. Bobby en prend connaissance et le fait immédiatement savoir à son frère. La prudence est de mise.

Les rapports du FBI soupçonnent les relations de Sinatra avec la mafia. Ils sont déposés au bureau du département de la Justice. Les suspicions sur la relation extraconjugale entre l'une des maîtresses de Sam Giancana, Judith Campbell, et John sont très embarrassantes. Peter Lawford et Frank Sinatra ont offert l'occasion à John de rencontrer de nombreuses jolies filles qui étaient en rapports avec des personnes peu recommandables. En mai 1961, John a eu l'imprudence de recevoir Judith Campbell dans ses appartements privés en l'absence de Jackie.

Le 27 février précédent, Bobby et Kenny O'Donnel avaient déjà réceptionné dans leurs bureaux respectifs un premier mémo de Hoover : « Monsieur le ministre, j'ai reçu quelques informations qui pourraient éventuellement vous intéresser. Judith Campbell a été vue en compagnie de plusieurs membres de la pègre de Chicago et de Las Vegas. Elle fait partie de la compagnie féminine de Sam Giancana et de Johnny Rosselli... J'apprécierais un rendez-vous avec le Président... »

À la grande surprise de l'entourage de John, ces rapports confidentiels ne le mettent pas hors de lui, bien au contraire, il s'en amuse. Depuis quelques années, il entend de telles rumeurs. Même si la plupart sont vraies, il n'est pas question d'en discuter avec les auteurs. Bobby insiste auprès de lui :

— Je pense que tu devrais le recevoir... Cette affaire peut remonter ici, à la Maison Blanche, et toucher la famille, tes enfants... Jackie.

— Soit. Contacte-le et dis-lui que je veux bien le recevoir à déjeuner en mars !

Le 22 mars, une Ford noire traverse l'allée ouest de la Maison Blanche. Les policiers en uniforme saluent la personnalité qui en descend : John Edgar Hoover. Le petit homme trapu, aux yeux globuleux, aux mains épaisses et au front gras, s'essuie nerveusement le coin de la bouche à l'aide d'un mouchoir en dentelle fine. Machinalement, il ne peut s'empêcher de sourire. Il a toujours détesté les Kennedy, y compris le patriarche, Joseph. Ce dernier à présent est hors d'état de nuire, mais ses trois fils sont au pouvoir. Le plus dangereux est sans aucun doute possible Bobby. Dans quelques instants, il sera admis au bureau ovale pour discuter avec le Président de l'affaire Campbell. Hoover n'est pas un homme qu'on intimide. Bien décidé à marquer une bonne fois pour toutes son territoire, il garde dans son cartable de cuir noir assez de documents pour faire taire les ambitions de ces Irlandais catholiques.

Hoover est entré au FBI au lendemain de la Première Guerre mondiale. Diplômé de droit de l'université George-Washington, l'ambitieux fonctionnaire ne recule devant rien pour faire sa place. Le FBI avait été créé en 1908, suscitant la colère de certains sénateurs, qui craignaient la naissance d'un second pouvoir à Washington. Ses actions se limitaient aux affaires intérieures du pays. Hoover travaillait sans compter et savait déjà manipuler la presse. La chasse aux sorcières avait rapidement fait sa carrière.

— Les doctrines communistes menacent le bonheur de notre communauté et la sécurité de chaque individu. Elles pourraient mettre gravement en danger la paix dans notre pays !

Nommé directeur du FBI en 1924, il commence alors à construire un véritable empire. Il est à l'origine de l'archivage d'empreintes digitales de plus de 100 millions d'individus et de l'Académie nationale du FBI. Concluant des arrangements illicites avec certains membres du crime organisé, Hoover n'hésitait pas à sortir de ses armoires des dossiers fâcheux sur chaque Président élu : enquêtes sur ses maîtresses ou celles de ses proches, écoutes téléphoniques, appuis financiers douteux, contrats immobiliers illégaux... Sa place lui était acquise jusqu'à la retraite. Aucun haut fonctionnaire élu n'osait défier une parcelle de son pouvoir ni divulguer quelques traits de sa personnalité : une mère possessive avec laquelle il vécut jusqu'à sa mort, ses relations homosexuelles avec son adjoint Clyde Anderson Tolson, sa peur maladive des microbes, son antisémitisme, sa haine des animaux... En 1949, Hoover faisait la couverture de l'hebdomadaire *Time*. Aux yeux de millions d'Américains, Hoover était un véritable héros... Il avait arrêté les communistes les plus pernicieux, les gangsters les plus dangereux : Al Capone, John Dillinger, Gun Kelly, dit « la mitraillette »...

Après trente-cinq ans de pouvoir, Hoover voyait un jeune ministre à l'allure sportive s'installer à la direction générale du département de la Justice. Les 15 000 employés du FBI devaient répondre désormais aux ordres de ce Robert Francis Kennedy !

— Un gamin de trente-cinq ans !

Hoover, qui passe une grande partie de son temps libre à l'hippodrome de Pimlico, ne supporte pas d'être convoqué par ce jeune blanc-bec. Il fait part de ses inquiétudes à certains membres de la pègre :

— Il ne vous lâchera pas une minute, il veut votre peau et la mienne. Et son putain de frère qui baise à tout-va est ravi de ses sales coups ! Ce type va nous mettre un tel bordel au FBI que je ne pourrai plus rien pour beaucoup d'entre vous...

La photographie officielle du jeune ministre de la Justice en chemise bleu ciel, col ouvert, pull ras du cou et blouson lui est insupportable. Ses soixante-huit prédécesseurs, en costume sombre et cravate, avaient au moins marqué un respect envers leur fonction. Bobby porte rarement la veste. Hoover et ses assistants le croisent souvent en bras de chemise. Et, comble de tout, il est suivi chaque vendredi matin de ses chiens, dont l'imposant et baveux Brumus.

— Il ne respecte même pas le mobilier de l'État, ce petit con !

Le lendemain de l'investiture présidentielle de son frère, Bobby avait convoqué Hoover pour lui signifier qu'il était temps de ralentir la chasse aux communistes au profit de celle des mafieux :

— Nous devons continuer à combattre les agents communistes... mais comme vous le savez certainement, monsieur Hoover, les membres du parti aux États-Unis étaient de l'ordre de 80 000 à la fin de la Seconde Guerre mondiale... Cette année, nous en recensons moins de 8 000 ! Nous devons maintenant concentrer nos efforts, à la demande du président Kennedy, contre la mafia. Le crime organisé est devenu une vaste opération industrielle ! Le truand n'est plus l'homme à la chemise noire, à la cravate blanche et à l'épingle de diamant, il est beaucoup plus vraisemblable qu'il arbore un complet de flanelle gris et que son influence soit comparable à celle d'un gros industriel.

John, à la demande de Bobby, a pris l'habitude de convoquer le directeur du FBI trois fois par mois. Bobby insiste sur ces entretiens, il mesure trop bien l'attitude indifférente de Hoover à l'égard du crime organisé :

— Il faut lui faire avaler cette pilule !

La pègre est devenue l'ennemi intérieur des États-Unis. Elle est en mesure d'influencer des votes politiques locaux, des contrats immobiliers, des arrestations, des meurtres… Elle s'est aussi chargée des sales besognes de la CIA. Elle est l'épouvantable gangrène du pays. Ses atrocités hantent l'esprit de Bobby. Depuis l'affaire de Jimmy Hoffa, Bobby s'est acharné contre le crime organisé sans prendre la moindre précaution avec ses plus hauts dirigeants. La puissance du syndicat des camionneurs n'a pas mis K-O ce fils de milliardaire persuadé que cette croisade est à la hauteur de ses talents. Autour de lui, une garde prétorienne s'attèle chaque jour à marquer des points dans les domaines qui lui sont chers : l'injustice, la pauvreté, le crime organisé, les délits fiscaux, les droits civiques, la sécurité intérieure du pays… Ses proches collaborateurs sont des avocats, des juristes formés dans les plus prestigieuses écoles… Hoover ne les supporte pas non plus.

La pègre sait passer des accords avec certains juges peu scrupuleux, des sénateurs, des gouverneurs, des agents policiers et des notables… Elle a su s'introduire à l'intérieur même du FBI grâce à la collaboration de son directeur. Les relations homosexuelles et les paris truqués de celui-ci sont sans doute les principaux moyens de pression que détiennent les hauts dirigeants de Chicago, de New York et de La Nouvelle Orléans. L'idéaliste Bobby ne se doute pas à quel point cette organisation peut être perverse et criminelle. Hoover, quant à lui, se frotte les mains et attend patiemment les premières représailles.

Le dossier Judith Campbell fait partie d'une douzaine d'autres. Dernièrement, Hoover s'est adressé à Bobby avec un certain plaisir :

— Ce dossier est assez embarrassant. Je suis persuadé que tout est inventé, mais je pense que vous devriez y jeter un œil.

— Continuez…

— Vous connaissez tout comme moi l'hôtel Lasalle ?

— Oui.

— Des jeunes filles ont témoigné qu'il s'y passait des choses incroyables là-bas !

— Oui ?

— Il y aurait des rendez-vous intimes avec des sénateurs… des amis de votre frère…

— Vous parlez sans doute du Président ?

— Oui, excusez-moi… Je crois qu'il serait intéressant de faire vérifier cette information pour clarifier ce dossier et nous prouver que tout est faux. Cela prendra quelque temps, mais nous serons soulagés… vous et moi.

— Excellente idée, monsieur Hoover ! Foncez ! Mais croyez-vous que des personnes de cette qualité prendraient un tel risque ? Si je devais en faire autant, je n'irais sûrement pas dans ce genre d'endroit… truffé de vos agents… Non ?

La presse, qui avait l'habitude de rendre compte des enquêtes de Hoover en haut de ses colonnes, commence à suivre pas à pas la croisade de Bobby. Les reporters passent des journées entières, sept jours sur sept, à commenter ses moindres actions. Hoover n'en peut plus, il ne décolère pas en découvrant dans le journal de CBS un sujet de plus sur son patron !

— Peut-être voyez-vous la lumière, au cinquième étage du bureau du ministre de la Justice, Robert Kennedy ? Le ministre quitte rarement son bureau avant 20 heures. Avec ses adjoints, il travaille parfois au-delà de minuit. Par exemple, sur les droits civiques ou sur une campagne contre le crime organisé. Toute son équipe ne compte pas ses heures !

Des épouses mécontentes se plaignent d'avoir perdu leurs soirées et leurs week-ends avec leur mari, qui rapporte du travail à la maison. Voilà peut-être le symbole de l'énergie de l'administration Kennedy !

Parmi celles et ceux qui admirent le courage et la ténacité de Bobby, sa belle-sœur Jackie est l'une des premières de cette longue liste. Elle apprécie beaucoup sa compagnie lors des dîners intimes à la Maison Blanche. Elle découvre en lui chaque jour un sentiment profondément humaniste et désintéressé. Bobby est un personnage d'Alfred Tennyson, exécutant dans l'ombre les desseins de son frère et ne reculant devant aucun sacrifice concernant sa propre personne. Il est l'homme Kennedy sur lequel elle peut compter depuis l'accident cérébral de son beau-père.

Au cours d'une conférence au département de la Justice, Jackie est au premier rang pour soutenir son action :

— Au ministère de la Justice, nous nous préoccupons de plus en plus du crime organisé. Celui-ci est devenu si riche, si puissant et si bien établi qu'il échappe souvent à la justice... Nos services de police ont été efficaces contre la drogue, les vols de voiture, la prostitution, le banditisme, les enlèvements et d'autres délits. Je vous demande de m'aider à renforcer notre arsenal législatif pour préserver le dynamisme de notre pays.

Avant de franchir la porte du bureau ovale, Hoover salue ironiquement Evelyn Lincoln. Il sait très bien où il pose les pieds en ce moment. Personne, dans l'équipe Kennedy, ne peut le souffrir.

— Bonjour, mademoiselle ! Quelles bonnes nouvelles ?

— Monsieur Hoover... Le Président vous attend.

John est assis dans son rocking-chair, dont il tapote l'accoudoir droit. La cheminée est allumée, l'ambiance paraît sereine.

— Mon frère va finir par ne plus dormir, Edgar !

— Ce serait bien dommage pour nos fonctionnaires, ils cherchent tant à se reposer...

— Il nous rejoindra vers 14 heures... Alors, de quoi allons-nous parler aujourd'hui ? Asseyez-vous, je vous en prie.

— Merci, monsieur le Président... Eh bien, j'ai bien peur que ce dossier ne vous embarrasse, monsieur le Président.

En lui servant une boisson rafraîchissante – Hoover n'apprécie pas plus l'alcool que John –, John reste décontracté. Après les épisodes de ses campagnes sénatoriales et présidentielle, il sait se comporter en cas de coup dur.

Le fonctionnaire lui remet le document sans rien ajouter. John met ses lunettes en écaille et s'assoit confortablement. Hoover se délecte silencieusement.

« Sujet : Judith E. Campbell.

« Une source nous affirme que Judith E. Campbell, une artiste free lance, fréquente Sam Giancana, de Chicago, et Johnny Rosselli, de Los Angeles. Une écoute téléphonique a permis de constater des appels de la résidence de Los Angeles de Judith E. Campbell les 7 et 15 novembre 1961. Ces appels étaient dirigés vers la secrétaire particulière du président des États-Unis d'Amérique, Evelyn Lincoln.

« Des appels téléphoniques ont été enregistrés également de la résidence louée par Mme Campbell à Palm Springs en Californie. Ils étaient dirigés vers Mme Evelyn Lincoln, à la Maison Blanche, le 10 novembre 1961 et le 13 novembre 1961. Campbell a également téléphoné à Evelyn Lincoln le 14 février 1962, d'un hôpital de Los Angeles où elle était admise comme patiente. »

John ne dit rien. Le 14 février, Jackie présentait à la télévision la Maison Blanche. L'émission enregistrée avait été un succès, Jackie était contente. Elle ne se doutait pas que son mari venait de parler à l'une de ses précieuses maîtresses.

Combien de fois son frère l'avait prévenu des écoutes téléphoniques orchestrées par Hoover sans la permission du ministère de la Justice. Depuis 1940, John est suivi par les agents du directeur du FBI. Il n'a pas voulu vraiment prêter attention à ce cirque. Il y a quelques mois, Bobby répondait aux journalistes qu'elles étaient nécessaires, prétextant que les rapports d'audition étaient vitaux pour mettre des criminels sous les verrous :

— Les écoutes téléphoniques existent aux États-Unis. Si l'on ne peut prouver qu'elles sont destinées à des renseignements, nous aurons alors du mal à les combattre. De fait, il existe certaines mises sur écoute que nous ne maîtrisons pas... La loi que nous proposons et que nous recommandons permettra désormais au ministère de la Justice et la police fédérale d'agir en cas d'écoutes avérées.

Par cette loi, Bobby voulait être sûr d'être aux commandes des enquêtes judiciaires et le garant de l'intimité de sa famille, plus particulièrement celle de son frère John. Dès son annonce, des chefs de la pègre s'indignèrent et des personnalités telles que Jimmy Hoffa ne tardèrent pas à attaquer le ministre de la Justice devant les micros de la presse :

— Si vous voulez croire aux mises sur écoute, vous pouvez compter sur l'imagination de Bobby Kennedy... Vous verrez qu'on aura des écoutes dans ce pays par centaines de milliers... et sans aucun motif, sauf sa volonté d'anéantir tous ceux qui le contestent.

— Vous accusez M. Robert Kennedy de manipulation ?

— Oui... Cette loi, il la traîne assez depuis deux ans.

John se lève de son rocking-chair et regarde à travers les rideaux de la fenêtre. Un brouillard a recouvert tôt dans la matinée les immenses massifs de primevères. À présent, une lumière éblouissante transperce les éléments naturels du parc. Il se retourne et relit l'une des dernières phrases du rapport : « Frank Sinatra dit souvent que Judith E. Campbell fréquente régulièrement le Président ! »

Le chanteur a toujours été maladroit avec son entourage, comme le répète souvent Bobby :

— Il ne sait pas se taire ! Il chante !

Après un déjeuner on ne peut plus froid, John et Bobby s'entendent sur le fait de ne plus avoir de contact avec Judith Campbell. Lorsque Hoover quitte le bureau ovale, en saluant gentiment Evelyn Lincoln, John accepte d'annuler son week-end chez Frank Sinatra :

— Envoie-lui Peter pour lui dire que ce n'est plus possible, vu les rapports du FBI...

— Je l'appelle immédiatement.

Frank Sinatra a préparé la venue de John depuis des mois. Il lui a aménagé, dans sa maison de Palm Springs, une magnifique chambre où il pourra recevoir qui bon lui semble :

— Jack aime la tranquillité, ici il sera parfaitement bien !

La veille du fameux week-end, Peter Lawford demande à lui parler. Sinatra ne se doute de rien. Son succès dans la chanson et au cinéma sont tels qu'il donne l'impression de vivre sur une autre planète. Ses compères, Dean Martin, Joe Bishop et Sammy Davis Jr, ne peuvent pas lutter contre cet optimisme forcené :

— John Fitzgerald Kennedy est l'un de mes meilleurs amis. Je suis l'un des meilleurs amis du président des États-Unis. Jack est mon pote !

Après que Peter a déclaré que John refuse de venir chez lui, Sinatra pique une colère monstrueuse. Il hurle à travers la maison, sans prendre la moindre réserve vis-à-vis des ouvriers – encore en chantier pour les appartements présidentiels :

— C'est cet enfoiré de Bobby qui t'envoie ! Il ne perd rien pour attendre. Je ne veux plus entendre parler des Kennedy ! Qu'ils aillent au diable !

Armé d'un marteau, Sinatra brise la piste d'hélicoptère en macadam qu'il avait fait construire, les murs de la chambre prévue pour John et vire les ouvriers dans la minute. Lawford ne fera plus partie de ses relations :

— Ta carrière est finie, Peter, tu as choisi ton camp !

Au lieu de s'en tenir là, John décide de passer son week-end de libre – Jackie est au Pakistan – chez son ami Bing Crosby, à un quart d'heure de la résidence de Sinatra. Lorsque le crooner apprend la nouvelle, il raye définitivement le nom de son Président et ami de son carnet d'adresses.

— Les Kennedy n'auront plus le moindre soutien de ma part… Ils vont s'en souvenir ! Quelle sale bande d'arrivistes !

En posant sa veste et sa cravate pour se changer, John découvre au bord de la piscine Marilyn Monroe. Ils se connaissent depuis le mois de novembre dernier. Allongée sur l'un des transats de la piscine, elle sirote son énième verre de champagne.

Les besoins sexuels de John ont sans doute augmenté après les injections du docteur Jacobson, mais cela n'explique pas tout. John aime prendre des risques pour oublier les cauchemars de la Maison Blanche. Après plusieurs baignades en compagnie de l'actrice, ils deviennent intimes.

Le vendredi 11 mai, la Maison Blanche s'apprête à recevoir un invité de marque : le ministre de la Culture André Malraux. Depuis leur voyage à Paris, la presse française n'a de cesse de vanter John et Jackie.

Afin de remercier la gentillesse de Malraux pendant son séjour parisien, Jackie a tenu à l'inviter quelques jours à Washington. La réponse ne s'est pas fait attendre longtemps. Jackie, à son tour, lui fait visiter la National Gallery. Les journalistes, les photographes et les télévisions suivent l'événement de près.

Le dîner officiel se tient dans la grande salle à manger de la Maison Blanche. Avant de passer à table, Jackie lui montre les travaux effectués. Malraux est enchanté par son travail. Il admire également son élégance : elle porte une nouvelle création d'Oleg Cassini, qui laisse les épaules nues ; le rose choisi lui va à ravir.

Parmi les prestigieux invités se trouvent le vice-président Lyndon Johnson et son épouse, lady Bird, le romancier Saul Bellow – auteur des *Aventures d'Augie March* et du *Faiseur de pluie* –, Leonard Bernstein, Tennessee Williams, Isaac Stern, Elia Kazan... Une star est présente à la demande expresse de John : Marilyn Monroe, accompagnée par son mari, l'écrivain Arthur Miller.

En quittant Washington, Malraux promet à Jackie de faire le nécessaire auprès du Louvre pour obtenir le prêt de *La Joconde*. Il sait combien Jackie serait émue de sa présence à la National Gallery.

— Vous pouvez compter sur moi. Elle sera chez vous en début d'année.

Deux mois plus tard, après avoir remporté la bataille de l'acier, John décide de fêter son anniversaire dignement :

— Nous allons fêter cela en fanfare !

La soirée du parti démocrate, prévue le 19 mai, doit permettre d'obtenir des fonds pour les prochaines campagnes ; Bobby et Teddy profitent de l'occasion pour que soit célébré le quarante-cinquième anniversaire de Jack. Peter Lawford se propose de faire intervenir Marilyn Monroe sur la scène :

— Ils sont sur le cul de la voir aux côtés de Jack !

Les deux frères acceptent en souriant.

Les rumeurs d'une liaison avec Marilyn Monroe sont de plus en plus persistantes. Bobby a rencontré la star chez Lawford en octobre 1961. Elle voulait rencontrer le jeune avocat Kennedy, connu pour être le frère du futur candidat à la Maison Blanche. Elle portait, ce soir-là, des fausses lunettes de vue pour se donner un genre :

— C'est peut-être mieux de ressembler à l'une de leurs secrétaires... C'est un fantasme masculin bien connu, non ?

Ethel était choquée devant son comportement vulgaire. Elle s'adossait à lui pour lui poser toute une série de questions sur l'économie mondiale, les relations avec l'Union soviétique, etc. Bobby était fasciné par sa beauté, sa naïveté et sa sensualité.

— Ne riez pas, monsieur le ministre, je cherche à comprendre ce qui se passe dans notre beau pays et dans le monde !

— C'est tout à votre honneur.

— Mes remarques vous dérangent, peut-être ?

— Il ne faudra pas les remettre au *New York Times*! Cela ferait bondir notre bon vieux Président !

Marilyn accepte de participer à l'anniversaire de son amant. Elle le fait savoir à la presse. Quelques jours plus tard, son attachée de presse, Paula Strasberg, lui lit un courrier recommandé de la Fox : « Vous devez terminer notre film. Si vous quittez le tournage, nous reverrons les termes de notre contrat. »

Elle déchire la lettre. Depuis quelques mois, le tournage avec le réalisateur George Cukor se passe très mal. *Something's Got to Give* ne l'emballe plus ! Elle s'y ennuie. Ses migraines lui reviennent et lui sont insupportables. Ses partenaires, Dean Martin, Cyd Charisse et Tom Tyron, sont désarmés face à ses nombreux caprices.

Jackie, furieuse, apprend la nouvelle de cette liaison. Elle sait que John a rompu ses relations avec Judith Campbell, qu'il en entretient une autre avec l'une de leurs proches amies, Mary Meyer, mais l'idée d'être ridiculisée et humiliée par la star lui est insupportable. Elle annonce à John, au cours d'un petit déjeuner agité, qu'elle s'engage à une compétition hippique à Loudon avec le pur-sang offert par le président pakistanais. Sardar vient de terminer enfin son séjour en quarantaine.

— Les enfants seront avec moi.

La relation en privé de John et Jackie ne correspond pas à l'image publique. Depuis quelque temps, ils s'ignorent, excepté en présence de John Jr et de Caroline. Les infidélités de John ont tellement révolté Jackie qu'à présent elle compte vivre son existence.

— Je pense que je vais commencer à me retirer de la scène publique. Je vais essayer de profiter davantage des enfants.

John ne répond pas, il n'en est pas à sa première dispute conjugale et il termine tranquillement la lecture de ses quotidiens.

Le 19 mai, plus de 15 000 personnalités politiques ont payé 1 000 dollars chacune pour assister, au Madison Square Garden, au gala qui célèbre l'anniversaire du Président.

Pour ses quarante-cinq ans, John reçoit de son père 3 millions de dollars sur les dix qu'il avait mis de côté pour son fils. Depuis sa majorité, il vit sur les intérêts de ce capital. Malgré tout, il a gardé l'habitude de ne jamais payer ses factures, qui continuent d'être adressées au bureau new-yorkais de son père. Le fait d'être aux plus hautes fonctions de l'État n'a pas changé l'une des manies qui agacent le plus ses amis et ses frères : il n'a jamais un dollar sur lui ! Après leur mariage, Jackie a eu beau essayer de le changer, il n'a rien voulu entendre. Les 100 000 dollars qu'il perçoit en tant que Président sont reversés à une association caritative et aux boys et girls scouts. John hurle souvent en découvrant les factures de Jackie, qu'elles proviennent de magasins de chaussures de la capitale, de couturiers, d'instituts de beauté… ou qu'elles concernent les aménagements de la Maison Blanche, dont les pièces ne sont pas toutes terminées. Lorsque Evelyn Lincoln dépose un devis de champagne – commandé par la Première Dame –, John jette le papier dans la corbeille :

— Du champagne français ! Du Dom Pérignon ! Notre champagne n'est-il pas assez bon ? Elle va finir par nous ruiner !

Il appelle toujours ses parents « maman » et « papa », jamais « ma mère » et « mon père ». À quarante-cinq ans, John – comme le remarque amicalement Harold Macmillan – est encore un étudiant. Il en a l'allure et l'esprit. Il s'amuse avec ses enfants en se roulant avec eux dans l'herbe, se déguise pour les faire rire...

Peter Lawford, maître de cérémonie, est ravi du résultat. John et Bobby ne devraient plus tarder. Ils seront accompagnés par Ethel, Eunice, Jean et Rose.

John se prépare dans ses appartements privés de la Maison Blanche. Il n'a pas eu la moindre nouvelle de Jackie depuis le début de la journée. Elle ne répond pas à ses appels téléphoniques.

George Thomas, cinquante-cinq ans, lui a déposé son smoking et astiqué ses chaussures vernies. Fidèle à ses habitudes, il lui remet également les journaux du soir et prend les six à sept chemises dans la corbeille de la salle de bains. John peut se changer plusieurs fois par jour. Il ne supporte pas la moindre tâche ni la moindre odeur de transpiration.

— Je vais y aller, George... À demain, mon vieux.

— Bonne soirée, monsieur le Président.

La Lincoln présidentielle attend dehors. Les gardes militaires saluent l'arrivée de John. Il s'adresse à Kenny avant de monter à l'arrière :

— Toujours pas de nouvelles ?

— Non, rien.

Jackie sait répondre aux infidélités de son mari en s'enfermant dans un long silence. Ses bouderies le mettent hors de lui.

— Il déteste cela, tant pis pour lui !

Elle peut rester ainsi plusieurs jours sans lui adresser la parole, du moins en privé.

Lorsque John entre dans l'immense salle de Madison Square Garden, deux personnes enragent devant leur poste de télévision, chacune de leur côté : Jackie et Frank Sinatra.

Des dizaines de personnalités artistiques applaudissent son arrivée : le comique Jack Benny, Henry Fonda et son épouse, la diva Maria Callas, Jimmy Durante, Peggy Lee, Elaine May, la chanteuse Ella Fitzgerald, Harry Belafonte...

Au milieu de la soirée, Marilyn Monroe marche lentement sous les acclamations des milliers d'invités. John et Bobby sont impressionnés par son déhanchement. Peter Lawford la conduit jusqu'au micro central. Il lui ôte délicatement sa veste en hermine blanche, laissant découvrir une robe en perles scintillantes. Une création du couturier Jean-Louis d'une valeur de 16 000 dollars. Marilyn remet lentement en place une mèche de cheveux en cherchant parmi la lumière éblouissante où est assis John F. Kennedy ! Elle sourit. Légèrement ivre, elle se demande si elle parviendra à chanter dans quelques instants.

— Monsieur le Président, une Marilyn Monroe se doit d'être en retard !

Marilyn reste seule au milieu de la scène sous les projecteurs puissants qui rendent quasiment transparente sa tenue.

— Joyeux anniversaire, joyeux anniversaire, joyeux anniversaire, monsieur le Président ! Joyeux anniversaire !

John la retrouve et s'exclame :

— Je peux maintenant prendre ma retraite. On m'a chanté un « Joyeux anniversaire » d'une si charmante façon !

Jackie éteint son poste et allume une autre cigarette.

Un dîner privé a lieu chez Arthur Krim, président-directeur général de la United Artists. Les frères Kennedy y retrouvent la star, ivre morte. Dans la soirée, elle chuchote à l'une de ses amies :

— Je lui fais beaucoup de bien au dos !

Le 29 mai, le jour même de son anniversaire, un vent de panique secoue les financiers de Wall Street. La Bourse enregistre une baisse record de trente-cinq points – la plus forte depuis 1929. Quelques jours plus tard, elle revient à son niveau normal.

Le 29 juin au matin, John et Jackie embarquent pour Mexico. Jackie a accepté de passer à Madison Square Garden... Elle a su de source sûre que John a rompu avec l'actrice.

— Jack est inquiet de ses sautes d'humeur. Elle pourrait tout raconter à la presse, c'en serait fini pour sa jolie carrière !

Le président mexicain Mateo et son épouse sont charmés par Jackie. Un million de Mexicains sont dans les rues pour acclamer le cortège présidentiel. John et Jackie déposent une gerbe de fleurs devant le monument de la Révolution mexicaine.

— La grande révolution ne sera pas vraiment terminée tant que chaque enfant mexicain n'aura pas mangé à sa faim, que chaque étudiant ne sera pas en mesure de faire des études, que chaque Mexicain qui souhaite un travail ne pourra pas en trouver et que chaque famille ne pourra pas trouver un logement !

Jackie s'adresse ensuite en espagnol à une foule en délire : « Je suis heureuse d'être ici à Mexico ! Nous passons un séjour formidable... »

Pendant ce temps, Marilyn Monroe se console chez les Lawford. Dépressive, elle absorbe médicaments et Dom Pérignon. Son état inquiète l'un de ses meilleurs amis, Frank Sinatra.

— Bobby et John ne me rappellent plus jamais. Je laisse des messages à leurs secrétaires, mais ils ne me rappellent plus... J'ai l'impression que ces salauds du FBI ont mis sur écoute ma maison !

Sinatra et Lawford n'en doutent pas. Hoover est capable de tout pour manipuler la carrière des Kennedy.

— Ils l'ont bien cherché ! Personnellement, je ne les vois plus et je ne m'en porte pas plus mal !

Le 26 juillet, alors que Bobby fait un discours à Los Angeles, Hoover le contacte dans la suite de son hôtel :

— Nous avons des informations qui ne sont pas à prendre à la légère, monsieur le ministre...

— Quoi encore, monsieur Hoover, qu'allez-vous encore m'annoncer ?

— La mafia aurait l'intention de vous éliminer… Des personnes qui travaillent pour Giancana, Rosselli, Mickey Cohen et Santo Trafficante ont certifié à nos agents qu'un complot était en préparation !

Bobby ne répond rien et allume un petit cigare. Hoover raccroche. Depuis sa prise de fonction au département de la Justice, sa secrétaire, Angie Novello, lui dépose régulièrement des lettres d'injures, de menaces d'enlèvement pour ses enfants, de mort… comme il le confiera plus tard à l'un de ses amis :

— Je suis sûr qu'ils me tueront. Un jour, ils m'auront !

Malgré ces menaces, Bobby ne change rien à ses habitudes et le nombre de ses gardes du corps n'augmente pas.

Le 5 août, la police de Los Angeles annonce officiellement la mort de Marilyn Monroe, survenue à son domicile à 3 heures du matin.

John et Jackie sont à bord d'un des yachts présidentiels, le *Patrick J.* Le commandant de bord dépose dans les mains du Président un message de son frère. John ressent une profonde douleur. Jackie comprend immédiatement.

Au 12 305 Helena Drive, à Brentwood, la police locale et les agents du FBI recherchent le moindre indice pour prouver que le suicide de la star est… un assassinat. La presse prend d'assaut les alentours. Les camions des grandes chaînes de télévision sont garés à quelques dizaines de mètres de la résidence de Marilyn.

Son corps est transporté à la morgue de Los Angeles pour une autopsie historique. Les nouvelles sont alarmantes au département de la Justice. John n'a pas quitté Cape Cod, il attend. Bobby s'occupe de ce drame quasi national. Les journaux télévisés ne parlent plus que de cela. Des millions d'Américains en oublient le Vietnam, les marches pacifiques du pasteur Martin Luther King, Cuba… Le monde entier pleure la fin tragique de l'actrice.

Le 8 août, elle est enterrée en présence d'une trentaine d'intimes. Les Kennedy, les Lawford et Sinatra ont reçu le mot d'ordre de son ex-mari : il leur est interdit d'y assister. Durant la cérémonie, Joe Di Maggio demande que soit jouée la chanson préférée de la star : « Over the Rainbow », interprétée par Louis Amstrong.

Le médecin légiste de la cour de Los Angeles met fin treize jours plus tard à cet insoutenable suspense. Tous veulent savoir ce qui est véritablement arrivé à Marilyn Monroe dans la nuit du 5 août. Les télévisions, les radios, la presse écrite internationale sont présentes à la conférence médicale.

« Mlle Monroe souffrait de troubles psychiques. À plusieurs reprises, lors de dépressions, elle a tenté de se suicider en prenant des somnifères. Elle a demandé du secours et elle a été sauvée. Le 4 août, le même schéma s'est reproduit sans que l'on puisse intervenir. D'après les informations obtenues, nous pensons que la mort est due à une overdose de barbituriques et que c'est probablement un suicide. »

L'Amérique a une réponse, mais l'aura de Monroe nourrira les esprits les plus tortueux pour salir l'image des Kennedy. Hoover, deux semaines plus tard, remet un dossier à son ministre :

« Des agents du FBI affirment que Joseph Kennedy avait organisé une réunion avec des gangsters avant les élections présidentielles de 1960. À cette réunion, il y avait également Dean Martin, Frank Sinatra et Peter Lawford. Ils ont hérité ensuite de l'établissement de jeux au Cal Neva... cet endroit où Marilyn a passé son dernier week-end ! »

Bobby referme le dossier et lui demande de quitter son bureau.

— Merci, monsieur Hoover, pour toutes ces précisions.

— Bon week-end, monsieur le ministre.

À Cape Cod, des journalistes interrogent Jackie sur la mort de Monroe.

— Marilyn ne mourra jamais, elle est éternelle.

John passe beaucoup de temps seul à bord de son voilier, le *Victoria*. Le décès de Marilyn Monroe semble porter son ombre sur les derniers mois de la présidence de 1962. Les mauvaises nouvelles tombent chaque jour à la Maison Blanche : émeutes raciales dans le Sud, soldats américains tués au Vietnam, opposition républicaine farouche au Congrès… L'automne 1962 sera sombre.

Le dimanche 14 octobre 1962, un avion américain U2 revient d'une mission dont l'ordre a été signé par John. L'appareil a survolé Cuba tôt dans la matinée. Le pilote a appuyé sur les commandes permettant de photographier les zones survolées. L'objectif de ces missions est de surveiller chaque jour les installations militaires sur l'île.

Le 15 octobre, l'ensemble des clichés est analysé par une dizaine d'experts militaires. Ils sont unanimes :

— Ils sont en train d'installer des rampes de missiles. Prévenez McGeorge Bundy au Conseil de sécurité nationale

— Oui, monsieur.

Le mardi 16 octobre, John termine tranquillement son petit déjeuner. Jackie et les enfants sont à Palm Beach. Caroline et John Jr profitent ainsi de leurs grands-parents. Le temps s'annonce excellent. Ils pourront nager sous le regard des domestiques et de Rose. Paul Fay accompagne Jackie pendant ce séjour.

Le temps est également magnifique à Washington. John est d'une humeur charmante. Comme tous les matins depuis son élection, il se lève environ vers 7 heures. Jackie, quand elle est dans la chambre d'à côté, dort une heure et demie de plus.

Dès son réveil, John a la manie de se peigner longuement devant le miroir rectangulaire installé entre deux lampes aux lumières tamisées. Jackie a décoré sa chambre et sa salle de bains. Il a toujours apprécié son goût pour l'aménagement de leurs maisons.

Avec le plus grand soin, il avale une bonne douzaine de pilules multicolores prescrites par ses médecins. Avant de plonger dans l'eau brûlante et parfumée de son bain, il attend que George Thomas frappe à sa porte.

— Oui, mon vieux, entrez.

— Bonjour, monsieur le Président, voici vos journaux.

— Merci George, est-ce que les nouvelles sont bonnes ?

Avant de disparaître, le valet personnel lui verse une tasse de café.

— À plus tard, monsieur le Président.

— Bonne journée, mon vieux !

En sortant du bain en peignoir blanc, il voit surgir habituellement Caroline et John Jr, venus regarder à la télévision de son petit salon la série des dessins animés. John lit avec délectation les titres de chaque quotidien, confortablement installé dans son canapé bleu roi.

Ce matin, McGeorge Bundy frappe à la porte de ses appartements. Sa mine est épouvantable et ses cheveux sont gras. Apparemment, il n'a pas dormi la nuit dernière et semble tout droit sortir de son bureau.

— Entrez !

Il reconnaît cette voix grave, forte… John a cet accent irlandais, propre aussi aux autres membres du clan.

Il est 8 h 40. John est pratiquement nu, il vient de finir de se raser. Il porte seulement une serviette de bain autour de la taille. Bronzé, à quarante-cinq ans, c'est un très bel homme.

— Bonjour, monsieur.

— Salut, comment ça va ? Une drôle de mine ce matin !

— Les nouvelles ne sont pas bonnes…

— Que se passe-t-il ?

— Jetez un œil là-dessus ! Le fantôme de Pearl Harbor vient de surgir du brouillard !

Bundy tend un dossier épais sur lequel est écrit au feutre noir : « Confidentiel Défense. » À l'intérieur, les photographies des U2.

— Il faut retourner là-bas au plus vite. Dites à Kenny que je veux le voir dans mon bureau dans une heure.

— Oui.

John se dirige vers sa salle de bains et referme la porte. Avant de passer le coup de fil à son ami, Bundy entend :

— Bon Dieu !

John rejoint rapidement le bureau ovale. La sécurité a été renforcée aux abords de la Maison Blanche, y compris le long du tapis rouge qui mène aux deux entrées de son bureau.

— Bonjour, monsieur le Président.

— Bonjour, messieurs.

Evelyn Lincoln lui indique que la communication avec Robert Kennedy vient d'être établie.

— Je le prends tout de suite.

À Hickory Hill, l'atmosphère est excellente. Bobby et Ethel ont reçu chez eux plusieurs amis, dont l'astronaute John Glenn et sa femme Annie. Bobby s'entend merveilleusement bien avec ces derniers. Le week-end précédent, Bobby et Ethel ont été reçus dans leur ravissante maison à Arlington. Depuis 7 h 30, la cuisine est animée par les cris et les rires de sept enfants : Kathleen, onze ans, Joseph Patrick, dix ans, Robert Junior, huit ans, David, sept ans, Mary Courtney, six ans, Michael, cinq ans, et la petite Mary Kerry, quatre ans. Pendant le petit déjeuner, Bobby a pris l'habitude de lire quelques poésies à Michael et Mary Kerry.

Ethel hurle du premier étage :

— Le téléphone, Bobby !

— OK, j'y vais.

Bobby décroche le combiné du grand salon. Le soleil traverse les voilages des fenêtres blanches. Dehors, sur l'immense pelouse verte, Brumus, l'imposant terre-neuve noir, se roule avec Freckles, le jeune cocker.

— Allô ?

— C'est Jack, il faut que tu rappliques au plus vite ! Nous avons reçu une sale nouvelle. Ton chauffeur est en bas de chez toi, il t'attend. Fais vite.

Bobby pousse légèrement le voilage et aperçoit la Ford noire.

— J'arrive.

Depuis quelques mois, à la suite des agissements de Hoover, les deux frères restent prudents au téléphone. Les écoutes téléphoniques du directeur du FBI ont déjà été détectées chez les Lawford et chez Lem Billings.

John est assis dans son rocking-chair. La lumière traverse les deux rideaux vert acier de la pièce, tandis que les flammes de la cheminée réchauffent les conseillers et ministres présents, dont Kenny O'Donnel et Robert McNamara. Bobby entre soudainement :

— Que passe-t-il ici ? Washington a perdu contre Chicago hier ?

— Jette un coup d'œil là-dessus. J'étais en train de penser qu'il y a eu de plus belles journées depuis l'élection ! Anatoly Dobrynine s'est payé nos têtes !

L'ambassadeur soviétique avait promis au président des États-Unis, via Bobby :

— Aucune action, quelle qu'elle soit, ne sera engagée qui mettrait en péril les futures élections parlementaires de novembre aux États-Unis et qui contrarierait les relations internationales entre les deux pays... Vous pouvez compter sur nous, monsieur Robert Kennedy, le premier Soviétique a l'intention de respecter ce moment crucial pour votre politique... Vous pouvez dormir sur vos deux oreilles et vous concentrer sur la future campagne présidentielle de votre frère. À condition, évidemment, que l'Amérique respecte cet engagement et qu'elle n'agisse pas contre les intérêts de l'Union soviétique. Nous sommes disposés également à signer un traité interdisant les expériences nucléaires dans l'atmosphère.

— Le président des États-Unis sera ravi de cette promesse

— Il n'y aura jamais de missiles offensifs. Khrouchtchev a beaucoup de sympathie pour votre frère... Il n'a pas envie de dialoguer avec les républicains de votre pays. Soyez rassuré, monsieur Kennedy, dites-le bien au Président, il n'y aura pas de missiles sol-sol.

— Si vous installez ce genre de missiles, alors les choses seront très graves pour l'avenir de nos deux pays. Comprenez-le bien, le président Kennedy ne vous le pardonnera pas !

— Je vous le redis une fois encore : tout ceci n'est pas envisagé par l'Union soviétique

Bobby avait quitté l'ambassade soviétique de Washington avec le sourire. Tout s'arrangerait dans les prochains mois.

— Bon Dieu ! Il s'est fichu de moi !

— Nous avons une réunion à 11 h 45 dans la salle du Conseil. La CIA nous expliquera en détail ce qui est en train de se passer là-bas.

— C'est incroyable !

Deux heures plus tard, Robert McNamara, George Bundy, le général Maxwell Taylor, Dean Rusk, C. Douglas Dillon,

Donald Wilson, directeur adjoint de l'USIA, Ted Sorensen, Llewellyn Thompson, ex-ambassadeur américain à Moscou et conseiller spécial pour les affaires soviétiques au département d'État, Adlai Stevenson, George Ball, sous-secrétaire d'État pour l'Amérique latine, Roswell Gilpatric, vice-ministre de la Défense, Paul Nitze, chargé des affaires de la sécurité internationale, et Lyndon Johnson entrent dans la grande salle. John McCone est remplacé exceptionnellement par le général Carter, sous-directeur de la CIA, le directeur étant actuellement aux obsèques de son beau-fils sur la Côte Ouest.

John entre au côté de Bobby :

— Bonjour, messieurs. Asseyez-vous.

Le général Carter présente les agrandissements des clichés du U2 :

— Il y aurait plus de 3 000 ouvriers sur ce chantier... Pour la majorité, ce sont des Soviétiques !

John sourit nerveusement :

— Ne sont-ils pas en train de construire enfin un terrain de football ?

Tous éclatent de rire. John a toujours essayé de détendre ses conseillers dans les moments les plus graves. Il le faisait déjà, adolescent, avec ses frères et sœurs.

— Monsieur le Président, les villes qui pourront être atteintes par ces missiles sont Washington D.C., Dallas, Cap Canaveral, Saint Louis et la plupart de nos sites militaires abritant les bases missiles sol-air... Dans à peine quinze jours, ils rendront opérationnels une vingtaine de leurs engins, qui seront sans le moindre doute possible munis d'ogives nucléaires. Dans l'hypothèse d'une attaque, notre défense aurait alors à peine dix minutes pour intervenir.

— Dix minutes, général ?

— Oui, monsieur le Président, pas une de plus.

Tous, la gorge serrée, se tournent vers le visage de John.

— J'ajoute, monsieur le Président, que plus de 80 millions d'Américains seraient tués après une telle attaque.

Robert McNamara répond alors :

— Il n'y a peut-être qu'une seule solution : bombardons l'île !

Bobby rétorque aussitôt :

— Je ne veux pas que nous soyons responsables d'un nouveau Pearl Harbor et que le Président soit l'amiral Tojo de l'histoire américaine !

John calme l'assemblée :

— Je veux d'autres photographies... le plus rapidement possible.

— Nous nous en occupons actuellement, monsieur le Président.

— Bien ! Et ensuite je veux que vous abandonniez tous vos dossiers pour vous consacrer à cette affaire ! Je veux savoir ce qui se passe réellement là-bas et connaître les solutions possibles à cette affaire.

À la fin de la réunion, John et Bobby sont raccompagnés par Kenny O'Donnel, Robert McNamara et Ted Sorensen jusqu'aux appartements privés de la présidence. John n'appelle pas Jackie à Glen Ora.

— Laissons-la tranquille avec les enfants. Ils doivent rentrer ce soir.

Ils déjeunent autour d'un plateau de sandwichs au thon et aux crevettes :

— Nous devrions mettre Cuba en quarantaine. C'est une réponse qui n'est pas militaire mais, au moins, nous leur répondons !

— Pourquoi pas ? Je vous demande de garder le secret. Je ne veux pas affoler la presse, la réaction de la population serait catastrophique... Nous devons attendre d'avoir les preuves irréfutables de ce que nous avons entendu ce matin.

— D'après l'un de nos analystes à la CIA, Sidney Graybeal, il y aurait déjà deux missiles soviétiques : le R-12 et le R-14. Ils sont bien connus par nos services comme des missiles longue portée, ils peuvent atteindre respectivement 630 miles et 1 100 miles.

— Sont-ils capables de les envoyer ?

— Non, monsieur le Président, mais dans deux semaines sans doute !

John, sombre, ajoute :

— Je dois voir Gromyko jeudi, ici, à la Maison Blanche... J'ignore ce qu'il me veut. Nous verrons bien jusque-là !

Dans l'après-midi, John vaque à ses occupations officielles sans montrer la moindre angoisse. Il reçoit dans le bureau ovale l'astronaute Walter Sheridan, accompagné de sa femme et leurs deux enfants. Calme et détendu, il plaisante avec les journalistes de télévision présents.

Vers 21 heures, John retrouve Jackie pour un dîner à Georgetown chez l'éditorialiste Joseph Alsop et son épouse Susan Mary. Parmi les autres invités, il y a Charles Bohlen, ancien chargé de mission au département d'État pour les Affaires soviétiques. John vient de l'informer des clichés du U2. Les deux hommes font en sorte de ne pas évoquer une seule fois l'Union soviétique. Charles Bohlen est maintenant ambassadeur en France. Jackie lui pose de nombreuses questions sur les derniers cancans de la capitale française.

Durant le repas, John ne dit quasiment pas un mot et se contente de tenir régulièrement la main de sa femme. Les autres invités sont touchés de cette attention :

— Ils sont si amoureux l'un de l'autre...

John et Bohlen profitent du digestif pour fumer un cigare ensemble et discuter dans le jardin de la propriété.

— Vous devriez quitter votre poste à Paris et nous rejoindre dans les plus brefs délais à Washington... Nous avons besoin de vos compétences ici.

— Je ne pense pas que ce soit une excellente idée. Si je reste à Washington, les services de renseignements soviétiques vont vite comprendre que nous savons ce qui se trame à Cuba.

Ils ne peuvent pas terminer leur conversation ; Susan Mary Alsop les interpelle de sa voix aiguë :

— Venez, nous allons jouer aux cartes !

De retour vers la Maison Blanche, Jackie murmure dans la voiture présidentielle :

— Est-ce que tout va bien, chéri ?

John ne se retourne même pas, il garde les yeux rivés vers les lumières du Lincoln Memorial :

— Oui, je suis simplement un peu fatigué en ce moment...

— Ton dos?

— Non, autre chose... Je ne pensais pas que ce serait si dur... et puis papa me manque beaucoup.

— Nous serons bientôt en vacances avec les enfants... Ton père va beaucoup mieux. J'ai pris de ses nouvelles à New York et les médecins m'ont confirmé qu'il faisait des progrès rapides... Tu verras, il nous épatera tous à Noël...

— Oui, tu as raison.

Les grilles sombres du portail ouest s'ouvrent lentement. Les deux officiers de garde saluent John et Jackie, qui regagnent leurs appartements privés. John s'arrête devant le portrait d'Abraham Lincoln :

— Lui aussi a traversé bien des épreuves... Il les a toutes surmontées.

— Viens, Jack, allons nous coucher maintenant.

John n'avouera pas à sa femme qu'à 140 kilomètres des côtes américaines il y a sans doute un arsenal nucléaire soviétique, commandé par un dictateur rempli de haine vis-à-vis des États-Unis, en train d'être installé.

Le mercredi 17 octobre, les preuves attendues par le bureau ovale ne se font plus attendre. Les nouvelles épreuves photographiques analysées toute la nuit par les experts de la CIA dissipent les doutes :

— Nous confirmons au Président l'installation de rampes de missiles sur Cuba.

Robert McNamara remet le rapport à John vers 8 h 30 :

— Si nous décidons d'une frappe chirurgicale, il est impossible de garantir, monsieur le Président, le moindre succès.

— Si nous attaquons Cuba, les Soviétiques répondront à Berlin-Ouest... Ce sera la Troisième Guerre mondiale et celle-ci sera sans doute la dernière, monsieur le ministre !

— Frappons avant que les missiles offensifs ne deviennent opérationnels, sinon nous ne serons pas en mesure de les stopper tous, monsieur le Président.

John n'a pas l'intention de commettre la même erreur que celle de la baie des Cochons. Bien que l'avis de la CIA et des principaux chefs d'état-major restent importants dans sa prise de décisions, son sentiment propre et celui de son frère Bobby pèsent tout autant dans la balance.

— Général Taylor, les marines peuvent-ils s'entraîner pour lancer une attaque imminente ?

— C'est en cours, monsieur. 5 000 marines sont actuellement sur les différentes îles des Caraïbes pour des exercices. 100 000 de nos soldats sont en état d'alerte maximale. Ils n'attendent plus que notre signal.

Le général Curtis Lemay ajoute :

— Nous devons attaquer, monsieur le Président !

— Si nous le faisons, général, que feront les Soviétiques ?

— Rien, nous pensons qu'ils ne feront rien !

— Mais en êtes-vous vraiment sûr, général Lemay ?

Le militaire rallume sa pipe et ne répond pas.

— Si nous le faisons, ne pensez-vous pas qu'ils seront comme nous, ce matin, à se demander comment riposter ? N'attaqueront-ils pas Berlin-Ouest et, dans la foulée, l'OTAN ? Nous serons alors dans l'obligation, général, de poursuivre des opérations militaires de plus grande envergure !

— Un blocus, monsieur le Président, ne détruira pas les rampes de missiles... maintenant qu'ils sont sur l'île.

John se rassoit dans son fauteuil :

— Soit, général ! Soit ! Mais cherchons encore... Il y a forcément une autre solution, il doit y avoir une autre solution !

Llewellyn Thompson, jusqu'à présent muet, ajoute :

— D'après mon expérience à Moscou, je suis au regret de vous dire, monsieur le Président, que les Soviétiques ne comprennent qu'une seule chose : la force ! Nous devons d'abord frapper, puis envahir Cuba !

Dean Acheson, l'un des conseillers diplomatiques de John, s'emporte davantage :

— Monsieur le Président, vous êtes responsable de la sécurité de votre pays et de celle du monde libre. Envahissons une bonne fois pour toutes Cuba et chassons ce salopard de Castro !

Tous acquiescent, excepté Bobby. Il a toujours respecté l'analyse d'Acheson dans les situations les plus graves, mais cette fois il ne partage pas son avis.

John donne le signal pour conclure cette nouvelle réunion :

— Afin de ne pas éveiller les soupçons de la presse, je vous demande de retourner tous à votre bureau. Je dois m'envoler moi-même pour le Connecticut et voir mon vieil ami Abraham Ribicoff. Faites en sorte de ne pas modifier aux yeux des journalistes vos habitudes.

Pierre Salinger vient aux nouvelles et s'enquiert des raisons de la présence d'autant de généraux et responsables de la CIA dans son bureau et dans la salle du cabinet.

— Si l'on pose la question, Pierre, dites que tout va bien.

— L'ambiance à New Haven ne devrait pas être excellente... D'après nos rapports, des étudiants de tendance républicaine nous attendent ! Ils manifestent contre notre politique à Cuba...

— Eh bien, Pierre, tout ce que je puis vous dire, c'est qu'ils ont bien choisi leur jour !

Avant de quitter la Maison Blanche à bord de l'hélicoptère présidentiel, John est accompagné par John Jr et Caroline. Il tient la main de ses deux enfants jusqu'à l'appareil. Un marine salue leur arrivée aux abords de la passerelle. John Jr répond par le même salut. John les embrasse tendrement avant de décoller.

Le jeudi 18 octobre, Bobby propose aux conseillers de la cellule de crise d'inscrire sur leurs comptes-rendus de réunion : « Ex-Com. »

— Cela évitera aux journalistes de nous poser trop de questions.

La présence de John au cours de celles-ci n'est pas souhaitable, afin d'éviter de l'influencer. Bobby ne manque aucune d'entre elles.

Avant de déjeuner, John et Bobby s'entretiennent dans le bureau ovale. Le général David M. Shoup et Kenny O'Donnel sont debout près des larges fenêtres. La CIA vient de confirmer la puissance des ogives atomiques des missiles déjà installés sur Cuba. Ils sont évalués à la moitié de la capacité totale des missiles intercontinentaux soviétiques. Cette nouvelle abasourdit John.

Le général en profite pour lui déclarer :

— Vous êtes dans un sale pétrin, monsieur le Président ! Dans un bien vilain pétrin !

John se lève de son fauteuil et lui demande sur le même ton :

— Qu'avez-vous dit, général ?

— Je disais, monsieur le Président, que vous êtes dans un sale pétrin !

John sourit :

— Il semble que quelque chose vous échappe, général... Si je le suis, vous l'êtes également !

John décide de maintenir l'entrevue avec Andreï Gromyko, le ministre soviétique des Affaires étrangères.

— Si nous annulons, toute la presse va nous tomber dessus.

Vers 15 heures, des dizaines de journalistes armés de caméras et d'appareils photographiques attendent dans l'une des salles de presse. Pierre Salinger a beaucoup de mal à les contenir. Depuis Vienne, les rédacteurs en chef des principaux titres ne ratent aucune occasion de compter les points du match opposant Kennedy à Khrouchtchev.

Gromyko ignore totalement que John est informé des événements à Cuba. La longue voiture noire se gare devant le portail principal. Le ministre soviétique est accueilli avec décontraction par John.

— Monsieur le ministre, je suis heureux de vous rencontrer ici.

— Monsieur le Président, monsieur Khrouchtchev vous transmet toutes ses amitiés.

Assis dans son rocking-chair, face à Gromyko installé dans le canapé du bureau ovale, John écoute attentivement durant deux heures les premières exigences de l'Union soviétique. Autour d'eux, une dizaine de journalistes et de photographes suivent l'entrevue. Les premiers sujets abordés tournent essentiellement autour de Berlin. Après un échange de formules de politesse, le ton monte en évoquant Cuba.

— Monsieur le Président, nous serions rassurés si vous cessiez d'agresser Cuba en permanence.

— Monsieur le secrétaire, ce ne sont pas les États-Unis qui créent cette situation, mais votre pays. Que vous vous occupiez de leur agriculture, entendu. Mais le fait d'apporter du matériel militaire à Cuba nous inquiète beaucoup. Donner du pain à Cuba pour éviter la famine, c'est admirable, mais je tiens à conserver la promesse de M. Nikita Khrouchtchev quant à sa ligne de conduite vis-à-vis des missiles offensifs.

Le 31 août dernier, les analystes de la CIA avaient confirmé au département d'État américain la présence d'un incroyable arsenal militaire soviétique sur l'île : une base de missiles défensifs SAM, la mise en chantier d'une base sous-marine dont les premières unités étaient équipées, elles aussi, de missiles défensifs, 18 000 soldats soviétiques, des batteries anti-aériennes, une centaine de chars d'assaut, des escadrilles d'avions de chasse de type MIG 21, une artillerie antichars, des torpilleurs, des vedettes rapides capables d'intercéder des sous-marins, des navires légers et des canons longue portée en défense côtière.

La presse s'était emparée de l'information, ce qui avait permis aux opposants de John de monter à la tribune du Congrès pour dénoncer l'incapacité du gouvernement à gérer cette invasion... Kenneth Keating, le sénateur républicain de l'État de New York – vraisemblablement le futur challenger de John aux élections présidentielles de 1964 –, avait dénoncé dans les colonnes du *New York Times* : « Nous devrions être plus agressifs ! Notre gouvernement est trop mou ! »

De son côté, Fidel Castro déclarait aux correspondants de la presse américaine : « Je suis marxiste-léniniste et je le resterai jusqu'à la fin de ma vie ! Comment la corde et le pendu, la chaîne et l'esclave peuvent-ils se comprendre ? L'impérialisme est la chaîne. Toute compréhension est impossible, nous sommes si différents qu'aucun lien ne peut exister entre nous. Mais des liens existeront un jour ! Lorsque éclatera la révolution aux États-Unis ! »

Gromyko ne se laisse pas déstabiliser et rétorque en souriant :

— Monsieur le Président, je vous confirme les propos de mon Président. Il n'y aura pas de missiles offensifs sur Cuba !

— Monsieur Gromyko, afin que les choses soient claires entre nos deux pays et pour conclure cet entretien, je me permets de vous conseiller de relire mes déclarations télévisées du 4 et du 13 septembre !

La teneur de ces propos se résumait à : « Si les installations militaires communistes à Cuba risquaient en quelque manière de compromettre notre sécurité ou si Cuba devait devenir une base militaire offensive importante pour l'Union soviétique, les États-Unis agiraient en conséquence afin de défendre leur sécurité et celle de leurs alliés. »

Gromyko quitte la Maison Blanche sous les flashes des journalistes. Vers 20 heures, il rencontre Dean Rusk pour une réunion du Conseil de sécurité nationale à New York. Devant la presse, il déclare : « Je pense que la conversation qui a eu lieu ici entre le président Kennedy et moi-même a été productive. »

Le soir, Bobby et Kenny O'Donnel retrouvent John dans ses appartements privés. Il leur lance, en écrasant son Punch dans un cendrier en cristal :

— Ce type est un fichu salopard !

Après un verre de Jack Daniels, ils retournent dans la salle du Conseil pour assister à une énième réunion de l'Ex-Com. Au septième étage du département d'État, des analystes adressent leurs premières conclusions aux membres de l'Ex-Com. Bobby ne quitte quasiment pas le téléphone.

Les conversations dans la salle sont très animées. On y apporte du café toutes les deux heures. La fumée des cigarettes et des cigares a envahi la pièce. Des sandwichs sont amenés vers 3 heures du matin. Plusieurs groupes se forment, chacun autour d'une proposition : débarquement sur l'île et destruction des rampes de missiles, bombardement aérien visant à détruire l'intégralité de l'arsenal militaire, blocus de l'île, lancement d'un ultimatum aux Soviétiques pour exiger le retrait des missiles et bombardiers dans les plus brefs délais ou... ne rien faire du tout.

Le vendredi 19 octobre, John s'envole pour Chicago où il doit assister à une importante manifestation démocrate autour de Richard Dailey. Le maire et ami des Kennedy depuis fort longtemps n'est pas informé. Il accueille John à l'aéroport avec son excellente humeur et ses meilleures plaisanteries. À Springfield, John dépose une gerbe de fleurs sur la tombe du président Abraham Lincoln. Il demande à rester seul pour se recueillir. Jackie n'est pas venue l'accompagner ; depuis quelques semaines, elle préfère s'occuper des enfants et des réaménagements de la Maison Blanche. Ils ont envisagé d'avoir un troisième enfant. Les mauvaises nouvelles du Pentagone ne laissent apparaître aucune lumière pour l'avenir. Sombre, John rejoint ensuite son hôtel, le Sheraton, où l'attendent Kenny O'Donnel et Pierre Salinger.

Le porte-parole est harcelé depuis ce matin par les journalistes qui ont été informés des faits et gestes de l'armée américaine.

— Que se passe-t-il, Pierre ? Pourquoi ces mouvements de troupes ? Pourquoi tant de réunions à la Maison Blanche jusque tard dans la nuit ?

Salinger demande des explications :

— Monsieur le Président, sommes-nous en train de préparer une invasion de Cuba ? Un papier là-dessus est prévu pour demain !

John jette sa cravate et sa chemise sur l'un des fauteuils du salon. Il desserre les sangles de son corset et se sert un verre de Jack Daniels :

— Non ce n'est pas cela, nous n'envahirons pas Cuba... Mais des choses graves se déroulent là-bas. Rappelez ces journalistes et dites-leur bien que nous n'envahirons pas Cuba !

John regagne sa salle de bains, où George Thomas lui a fait couler un bain brûlant. Salinger en profite pour demander plus d'explications à O'Donnel :

— Kenny, c'est quoi tout ce bazar ?

— Je ne peux rien vous dire maintenant. Dites à la presse que le Président a un rhume.

— Un rhume ?

— Oui, demain il aura un rhume et nous devons rejoindre Washington au plus vite... car il doit rester au chaud !

— Quoi ?

— Un rhume et rien d'autre. Le docteur leur adressera son diagnostic !

En revenant sur Washington, Pierre Salinger est informé par McGeorge Bundy :

— Nous sommes au bord de la guerre nucléaire. Les Soviétiques ont installé des missiles offensifs et nous devons trouver le moyen de les retirer sans entrer dans un conflit militaire. Le Président a demandé que nous prévenions nos familles samedi soir. Nous ne pourrons pas les emmener tous !

Le samedi matin, vers 6 heures, Bobby et Robert McNamara examinent attentivement les dernières photographies – deux U2 sont en mission chaque jour pour surveiller l'avancement des chantiers soviétiques :

— Ces fils de putes sont en train de nous baiser !

Caroline et John Jr sont dans la chambre de John pour regarder une série de dessins animés. Jackie joue sa partie de tennis hebdomadaire. Depuis la fin de l'été, elle suit un régime très strict et ne souhaite plus participer aux dîners gastronomiques. Pour ne pas prendre de poids, elle déjeune simplement d'un bol de consommé et d'un sandwich léger, le tout accompagné d'un verre de lait. De temps en temps, elle s'accorde pour dessert un muffin au miel. Hier, sa conférence de presse pour présenter la rénovation de Lafayette Square a été un beau succès. John n'a pas manqué, une fois de plus, de la féliciter.

Une sonnerie de téléphone interrompt ce moment de calme.

— Allô ?

— Jack, il faut que l'on se voit rapidement.

Les membres de l'Ex-Com s'impatientent sur la décision de John. Les informations sont de plus en plus pessimistes. John et Bobby se sont mis d'accord pour le blocus immédiat de Cuba.

— Je vais annoncer à Jackie les mesures de sécurité et de protection pour nous tous.

En revenant de son match de tennis, Jackie a l'heureuse surprise de découvrir John dans sa chambre.

— Chérie, j'ai de très mauvaises nouvelles.

Elle se dirige vers lui.

— Toutes ces réunions n'étaient pas normales, Jack, je le savais.

— Les Soviétiques ont installé huit rampes de missiles offensifs sur Cuba…

— Mon Dieu !

— Nous allons annoncer le blocus de l'île. Je ne sais pas ce que feront les Soviétiques et ce que fera Castro, mais nous n'avons pas d'autre solution.

Jackie l'enlace tendrement.

— Je te demanderai de suivre les instructions que l'on va te remettre. Des badges vont être distribués à celles et ceux qui ont été désignés hier dans la nuit. Ils permettront l'accès aux abris antinucléaires installés dans les hauteurs de la Virginie. Toi et les enfants y serez dans les prochaines heures.

— John, nous ne quitterons pas la Maison Blanche sans toi, nous restons ici à tes côtés !

— Je vous aime… Je suis désolé…

— Jack, nous ne te laisserons pas tomber.

Le dimanche 21 octobre, le couple assiste à la messe de 10 heures dans le quartier de Georgetown. Comme d'habitude, des dizaines de curieux les attendent devant les portes en chêne foncé de la chapelle. Jackie les accueille avec calme et gentillesse. John est épaté. Lorsqu'ils regagnent la Lincoln présidentielle, on remet à John un message du général Taylor : « Nous devons faire vite. »

Le chauffeur accélère vers la Maison Blanche sous la tempête de vent qui couvre la capitale. Des milliers de feuilles mortes flottent sur les eaux sombres du Potomac. Jackie ne lâche pas la main de son mari.

Dans l'après-midi, John donne l'ordre aux généraux de se préparer à une éventuelle intervention militaire. La Marine déploie près de 200 bâtiments ; des bombardiers B52 équipés d'armes atomiques regagnent des postes stratégiques.

Le lundi matin, Pierre, en chemise et cigare à la bouche, brise le silence officiel en recevant les principales rédactions dans son bureau. Il leur annonce que le Président donnera un discours important ce soir. Une copie de ce discours sera remise à toutes les ambassades dans l'après-midi, y compris l'ambassade soviétique.

— Je ne peux rien dire de plus, mesdames et messieurs.

Vers 18 heures, l'ambassadeur soviétique Anatoly Dobrynine quitte furieux le bureau de Dean Rusk au département d'État. Les journalistes lui demandent des explications. Il ne leur répond pas. Au même moment, vingt-cinq navires soviétiques transportant des missiles et du matériel militaire font route sur Cuba. Ils sont suivis par les appareils américains.

À 19 heures, John s'adresse à ses concitoyens. Dans les appartements présidentiels, Jackie et Bobby le regardent à la télévision. Jackie n'a pas fermé l'œil de la nuit, sa mine est épouvantable. Sa consommation de cigarettes et de calmants a augmenté considérablement. Bobby a passé la majeure partie de sa semaine enfermé dans la Maison Blanche ; son humeur est noire. Il n'a pas dit un seul mot depuis le début de la soirée.

— Mes chers compatriotes, le gouvernement, fidèle à sa promesse, a surveillé l'implantation du dispositif militaire soviétique à Cuba. Au cours de la semaine dernière, il est apparu sans l'ombre d'un doute que plusieurs bases de lancement pour fusées offensives sont en voie de construction dans cette île opprimée par Fidel Castro et ses troupes. Les installations secrètes et rapides de ces missiles communistes dans une région qui, de notoriété publique, intéresse tout spécialement notre pays et les autres nations de l'hémisphère occidental, installations faites en violation des assurances qu'avait données le gouvernement soviétique, sont ouvertement contraires à la politique des États-Unis et des autres nations de cet hémisphère... Jeudi dernier encore, alors que j'avais déjà les preuves de cette rapide escalade, M. Gromyko est venu dans mon bureau me donner l'assurance, une promesse déjà faite selon M. Gromyko par le Kremlin lui-même, que l'aide apportée par l'Union soviétique à Cuba avait pour seul objectif, je le cite, « le renforcement de la protection de Cuba ». Et que, pour reprendre ses termes, s'il en était autrement, le gouvernement soviétique aurait refusé net de prêter son assistance. Cette déclaration est un mensonge ! Le gouvernement soviétique, par cette initiative, a créé une situation que les États-Unis ne sauraient accepter si nous voulons que nos ennemis et amis continuent à croire en notre résolution et la valeur de nos engagements. Afin de donner un coup d'arrêt à cette agression, nous allons établir autour de Cuba une quarantaine extrêmement stricte et destinée à intercepter tous les bâtiments, quelle que que soit leur nationalité, transportant des armes offensives vers Cuba. Ils devront tous faire demi-tour !

En regagnant, sous les applaudissements de son personnel, le bureau ovale, John est informé que les navires soviétiques n'ont pas changé leur cap. Ils font route sur Cuba :

— Ils ont même accéléré, monsieur le Président.

— La balle est dans le camp de Khrouchtchev, il finira bien par nous répondre.

Jackie appelle John pour le féliciter et lui confirmer de nouveau qu'elle ne quittera pas la Maison Blanche, ni elle ni les enfants. Ils dînent en compagnie des Radziwill et d'Oleg Cassini dans leurs appartements privés.

John se souvient soudainement du livre de Barbara Tuchman : *Les Canons d'août*. Jackie le lui avait offert pour leurs vacances à Cape Cod. L'épilogue était terrible : une erreur d'appréciation avait coûté la vie à 13 millions de soldats lors de la Première Guerre mondiale.

— J'espère que nous éviterons cela !

Ted Sorensen et Kenny O'Donnel lui présentent les premiers sondages d'opinion :

— Plus de 90 % des Américains soutiennent votre action, monsieur le Président.

Le lendemain, plus de 50 000 télégrammes sont réceptionnés par Evelyn Lincoln et ses assistantes. La Maison Blanche croule sous les appels téléphoniques. Une camionnette de communication est installée pour permettre de les recevoir dans les meilleures conditions. La majorité des États membres des Nations unies annoncent qu'ils soutiennent le gouvernement américain.

La tension monte d'un cran chaque heure. John reçoit un télex du Kremlin qui dénonce le blocus et l'accuse de mettre en péril la paix dans le monde.

— Il ne manque pas d'air !

— Il gagne du temps, monsieur le Président.

Jackie a organisé la réception, dans la soirée, du jeune maharaja de Jaipur et de son épouse, qu'elle avait rencontrés lors de son voyage en Inde. La chambre de Lincoln a été préparée pour les recevoir. Ils passeront une nuit à la Maison Blanche. Avec ses deux assistantes, Jackie a adressé deux cents cartons d'invitation pour ce dîner. John y assiste un moment avant de rejoindre ses conseillers et son frère dans le bureau ovale.

Une division américaine du Kansas rejoint le camp de la Géorgie et une escadrille de Corsaire s'entraîne activement en Floride. Des messages codés ont été interceptés par la CIA, ils proviennent des vingt-cinq navires soviétiques en direction du Kremlin.

Le premier Soviétique continue de nier l'existence des missiles sur Cuba. Adlai Stevenson est envoyé aux Nations unies pour s'entretenir, au cours d'une assemblée extraordinaire, avec l'ambassadeur Valerian Zorine. Bobby est perplexe concernant les capacités de Stevenson à contrer le Soviétique devant les centaines de télévisions présentes.

— Laissons-lui une chance, il a tellement de tours dans son sac !

Stevenson accomplit merveilleusement bien sa mission.

— Monsieur l'ambassadeur Zorine, niez-vous que l'Union soviétique a installé et est en train d'installer des missiles à moyenne portée à Cuba ? Oui ou non ? N'attendez pas la traduction, dites-moi oui ou non !

Tous les autres membres des Nations unies, les traducteurs et les journalistes assemblés s'amusent de la gêne de Zorine et de la détermination de l'Américain.

— Je ne suis pas devant un tribunal américain et, pour cela, je ne répondrai pas à cette question qu'on me pose comme une accusation ! Vous obtiendrez votre réponse en son temps !

— Mais vous êtes en ce moment même devant un tribunal de l'opinion mondiale et vous pouvez répondre oui ou non ! Avez-vous nié leur existence ? Ai-je bien compris ?

— Je vous répondrai en temps utile !

Rires de nouveau dans la salle.

— Je suis prêt à attendre votre réponse jusqu'à ce que les poules aient des dents, monsieur Zorine !

Les conseillers de Stevenson apportent plusieurs immenses clichés des rampes de missiles. Zorine ne sait plus quoi répondre. La partie est remportée haut la main par les Américains.

Douze bateaux soviétiques soupçonnés de transporter des missiles font demi-tour. C'est le premier pas en arrière de Khrouchtchev. Dean Rusk annonce cette nouvelle de la Navy au bureau ovale. Tous applaudissent, mais John et Bobby restent sur leur réserve :

— Monsieur le Président, je crois que nous avons regardé en face les Soviétiques et je crois qu'ils viennent de cligner les yeux !

— Attendons la suite des événements.

Le mercredi, Jackie ne quitte pas la chambre de John Jr. L'enfant est tombé malade dans la nuit. Rien de grave, une bronchite qui le cloue au lit. John est monté plusieurs fois pour lui tenir la main et lui raconter quelques histoires drôles.

Deux lettres sont arrivées du Kremlin : l'une promet que le conflit trouvera une solution pacifique, la seconde propose un marché : les bases de missiles à Cuba contre celles de l'OTAN en Turquie. John ne répond pas immédiatement. L'attente continue, longue et harassante. Jackie est très inquiète pour la santé de John. Il ne dort plus, ne mange plus et sombre dans la mélancolie.

Un des avions U2 est abattu au cours d'une mission sur Cuba. Son pilote, le commandant Rudolf Anderson, ne s'en est pas sorti. Les militaires reviennent à la charge et demandent l'invasion de l'île. Bobby et John commencent à douter des réelles intentions de Khrouchtchev.

— Attendons encore un peu. Donnez-moi les preuves qu'il a été réellement abattu. Si nous disons cela au monde entier, nous devrons alors répondre... Réfléchissez. Nous n'aurons plus d'autre solution, à part une guerre nucléaire.

Dimanche 28 octobre, un message signé du Kremlin arrive à la Maison Blanche. Khrouchtchev a ordonné le retrait des missiles sur Cuba. La crise est terminée. Fidel Castro annonce à la radio de La Havane que les missiles ne sont pas si importants :

— Seule la paix est importante !

Dès son arrivée en hélicoptère dans la résidence de Glen Ora, Jackie embrasse fièrement son mari. Bobby appelle immédiatement Ethel et le reste de la famille. Bundy, sa femme et ses quatre enfants l'attendent avec impatience près de la piste d'atterrissage.

— Monsieur le Président, bravo !

John regarde Jackie et lui murmure :

— Le courage est une occasion qui, tôt ou tard, se présente à nous… Nous ne nous sommes pas dérobés !

Le 10 novembre, Jackie et John assistent aux obsèques nationales d'Eleanor Roosevelt, quatre-vingt-huit ans. Deux autres Présidents sont présents à la cérémonie, à Hyde Park : Harry Truman et Eisenhower. Tous deux félicitent encore John de la résolution de la crise des missiles.

— Vous avez fait un travail remarquable.

Le 17 décembre, à 20 heures, John reçoit dans le bureau ovale trois journalistes de télévision pour une émission en direct. Tous ignorent, excepté les proches de John, dont Bobby, que le Président a accepté le marché de Khrouchtchev : les missiles en Turquie sont en train d'être retirés.

Jackie a choisi ses vêtements et son coiffeur personnel est arrivé tôt dans la matinée. Il est assis confortablement dans son rocking-chair.

— Comment sont prises les décisions, monsieur le Président ? Cuba, par exemple ?

— La décision s'est faite à l'arraché. Tout s'est passé en cinq ou six jours. Une quinzaine de personnes y ont participé, changeant souvent d'avis. Chacune des options proposées avait ses propres défauts. Chacune des décisions risquait de pousser l'Union soviétique à l'escalade et à la guerre nucléaire. Nous avons toujours fini par parvenir à un consensus. Après avoir examiné de nombreuses possibilités, nous sommes tombés d'accord. S'il avait fallu agir dès mercredi, dans les vingt-quatre heures, je crois que notre réaction aurait été bien moins prudente qu'elle ne l'a été, nous n'aurions sans doute pas opté pour l'embargo ! En outre, notre tactique a été bien plus efficace que nous ne l'espérions. L'Union soviétique n'avait pas envie que nous inspections des navires transportant du matériel hautement confidentiel. L'une des raisons qui ont poussé Moscou à retirer ses IR-28, c'est que nous faisions beaucoup de photographies à basse altitude. Personne ne se doutait ici du problème que cela leur posait. Fidel Castro ne pouvait pas nous laisser indéfiniment survoler son île, à 100 mètres d'altitude chaque jour ! Il savait que, s'il abattait l'un de nos avions, il devrait faire face à de sérieuses représailles. Il est très difficile de juger des effets qu'aura une décision sur un autre pays. Très difficile de juger cela. Mais, dans ce cas, je crois que nous avons fait le bon choix. À Cuba, en 1961, nous avions fait le mauvais choix !

Le 23 décembre, les prisonniers anticastristes de la baie des Cochons sont libérés. La presse et des centaines de curieux sont venus les applaudir à leur descente de passerelle.

Le 29 décembre, John et Jackie prennent la parole devant plus de 50 000 exilés cubains à Miami.

— Au nom de mon gouvernement et de mon pays, je vous souhaite la bienvenue aux États-Unis ! Je tiens personnellement à vous exprimer notre respect pour votre courage et votre cause. Votre combat et votre vaillance prouvent une chose : Castro et ses amis dictateurs peuvent bien régner sur des pays, ils ne règnent pas sur les hommes ! Ils peuvent emprisonner les corps, mais sont sans pouvoir sur les cœurs ! Ils peuvent bien condamner, oui, ils peuvent bien condamner l'exercice de la liberté, ils ne peuvent pas arracher au cœur de l'homme le désir d'être libre !

Les prisonniers de la 2506e brigade qui ont participé au débarquement de la baie des Cochons sont rentrés au pays. Bobby a su négocier avec l'adresse qui lui est propre une

278

rançon : 53 millions de dollars en aide médicale et alimentaire pour Cuba. Le commandant remet à John le drapeau de sa brigade. John, ému, annonce :

— Je vous promets que cet étendard sera rendu à cette brigade dans un Cuba libre !

Jackie prend la parole en espagnol :

— Nous sommes si heureux de vous revoir parmi nous.

Depuis le début de l'année, Jackie adore déjeuner avec sa sœur dans les deux nouveaux restaurants français de la capitale : le Bistro et le Jockey. Elle s'intéresse depuis peu à leur nouvelle maison.

Durant leur première année de mariage, ils avaient loué une jolie demeure de Blair Childs à Dent Place – à quelques pas de l'ambassade britannique. Puis ce fut Hickory Hill, puis ils louèrent celle de leur ami Joseph Pyne à P. Street, dans le quartier charmant de Georgetown.

Depuis la présidence de John, Jackie doit s'habituer à la vie mondaine à la Maison Blanche, à la présence des services secrets à Camp David ou à Glen Ora. Au cours d'un déjeuner, elle évoque le sujet avec John :

— Nous pourrions enfin acheter un terrain en Virginie. Une agence immobilière m'a transmis un dossier sur Rattlesnake Mountain. Nous pourrions y construire notre maison ?

— Je te laisse faire, Jackie.

Jackie contacte le propriétaire des lieux pour négocier le prix et plusieurs architectes pour les plans de la maison.

— J'aimerais un devis pour une maison préfabriquée sans étage avec six chambres ! Nous voulons emménager pour avril.

La décoratrice attitrée, Mme Parrish, présente chaque jour plusieurs propositions. Elles choisissent ensemble les tissus, le mobilier, la terrasse… Jackie prend beaucoup de plaisir à s'occuper du projet.

Le 8 janvier, John et Jackie, le vice-président Lyndon Johnson et son épouse accueillent de nouveau le ministre de la Culture français André Malraux. Il n'est pas venu seul : comme promis, *La Joconde* est arrivée à la National Gallery. Malraux précise aux journalistes : « *La Joconde* est ici pour rendre hommage non pas au peuple américain mais à sa Première Dame. » Des centaines de milliers d'Américains défileront devant le portrait pendant plusieurs semaines.

Grâce au talent de Jackie, la Maison Blanche donne l'image de la présidence la plus raffinée de l'histoire des États-Unis. John peut compter sur elle pour asseoir sa politique culturelle. Les projections cinématographiques à la Maison Blanche sont chaque fois des événements médiatisés, à l'aide de l'attachée de presse personnelle de Jackie ; on y projette Truffaut, Fellini, Orson Welles...

Quelques jours après les premiers jours de neige, Jackie confie à John qu'elle est enceinte. La nouvelle, à sa demande, doit rester confidentielle. John embrasse ses enfants et Jackie. Un second voyage en Europe doit le conduire dans plusieurs capitales. Jackie a décidé de ne pas le suivre cette fois : elle prétend que c'est pour éviter une grande fatigue ; en réalité, elle est au courant depuis peu que John continue à voir l'une de ses maîtresses, Mary Meyer. La mort de Marilyn n'a pas suffi à calmer ses ardeurs.

Le 26 juin, John annonce à la foule berlinoise : « Ich bin ein Berliner ! » Un million de Berlinois l'applaudissent.

Le lendemain, il regagne l'Irlande pour retrouver ses propres racines.

— Lorsque mon grand-père a quitté ce pays pour s'installer comme tonnelier à Boston, il n'avait rien emporté, excepté deux choses : sa foi et son désir immense de liberté. Je suis heureux de pouvoir dire que tous ses arrière-petits-fils attachent une grande importance à cet héritage.

Dans les villages, les Irlandais applaudissent chacune de ses apparitions. Des enfants lui apportent des messages d'affection, des fleurs... À Dunganstown, John partage un magnifique gâteau aux pommes à la table d'une lointaine cousine, Mary Ryan.

En Angleterre, il rencontre Harold Macmillan, malmené depuis l'affaire Profumo. Une jeune prostituée aurait partagé les faveurs du ministre de son gouvernement, John Profumo, et aurait transmis des informations confidentielles – recueillies sur l'oreiller – à l'Est. La presse parle d'une éventuelle démission du Premier ministre.

John prie sur la tombe de sa sœur Kathleen, à Chatsworth. Il dépose un petit bouquet de roses et un baiser sur la pierre tombale.

— Comme tu me manques, Kick.

Le 2 juillet, John est reçu par le pape Paul VI qui le félicite pour son récent discours sur la paix, le 10 juin dernier, à l'université George-Washington.

— Notre pays ne cherche pas une *pax americana* imposée au monde par les armes... La paix véritable doit être le résultat des efforts de nombreuses nations. Réexaminons le cas de l'Union soviétique... En dernière analyse, notre lien commun fondamental est que nous habitons tous sur cette planète et que nous respirons tous le même air. Nous chérissons tous l'avenir de nos enfants et nous sommes tous mortels.

En rentrant le 4 juillet, John retrouve sa femme et ses enfants dans la résidence familiale de Cape Cod. Le temps est magnifique. Joseph est installé sur la terrasse. Le visage penché à droite, il regarde, amusé, ses petits-enfants disputer une partie de football avec leurs oncles et pères.

En novembre dernier, Ted a été élu sénateur du Massachusetts. À trente ans, il a la ferme intention de suivre les traces de ses deux frères. John et Bobby s'étaient opposés, au début, à sa candidature. Jackie les avait raisonnés aussitôt :

— Votre père vous a aidés, Ted a besoin de vous maintenant. C'est à votre tour de lui donner un coup de main. Votre père serait fou de rage du contraire.

Avant de prendre une semaine de vacances bien méritée, John accepte une dernière conférence à la Maison Blanche.

— Monsieur le Président, votre politique semble rencontrer beaucoup de difficultés. En Europe, à Cuba... le chômage n'est pas résorbé, la loi sur l'éducation n'est pas près de passer, le déficit budgétaire semble inquiéter davantage le pays que la réduction des impôts. Tout cela fait que, dans le pays, on a l'impression que votre administration a perdu son esprit offensif et qu'elle demeure sur des positions d'attente ! Qu'en pensez-vous ?

— J'ai lu toutes ces réactions dans les journaux ; la vie internationale, nationale et individuelle a un rythme propre, fait de flux et de reflux. Nous avons des difficultés à l'intérieur de notre pays et à l'étranger... Nos succès en Europe ont amené d'autres problèmes, mais je préfère ces problèmes-là ! Nous avons montré notre détermination à empêcher Cuba de devenir une menace militaire... Nous accomplissons d'autres progrès ailleurs.

Le 28 juillet, le clan fête les trente-quatre ans de Jackie.

Le 7 août 1963, à 11 heures, Clint Hill entend le bip de l'appareil accroché à sa ceinture. Il se jette sur le téléphone de sa voiture, garée en bas de la rue menant à la résidence des Kennedy.

— Il faut envoyer notre hélicoptère le plus vite possible à Squaw Island. Je répète : Envoyez un hélicoptère le plus rapidement possible.

George Thomas prépare rapidement les premiers bagages et descend jusqu'à la pelouse balayée par les palmes de l'appareil présidentiel.

Jackie monte en compagnie du docteur Walsh, du docteur Janet Travell, de Mary Gallagher et deux agents de sécurité. John est appelé à la Maison Blanche, il est en plein conseil avec les responsables de la CIA.

Jackie est emportée aux urgences à l'hôpital US Air Force de Falmouth. À 12 h 52, après une difficile césarienne, elle donne naissance à un deuxième garçon : Patrick Bouvier Kennedy.

La presse suit l'arrivée, à 13 h 30, de John à l'hôpital. Les médecins sont sceptiques sur les chances de survie du bébé. L'enfant ne pèse que 1,7 kg... Il souffre de graves problèmes respiratoires et d'une malformation de la membrane hyaloïde. Il est envoyé à Boston pour recevoir des soins plus appropriés. Avant de gagner l'hélicoptère présidentiel, il est baptisé. Jackie reste à Falmouth, incapable de suivre son enfant. Son état aussi est alarmant.

John ne quitte pas le bébé :

— Accroche-toi, mon fils ! Accroche-toi.

Le clan Kennedy est arrivé depuis une heure. Bobby fait la navette entre les deux hôpitaux. Pierre Salinger est assiégé par la presse.

Jackie avait tant attendu et espéré cette naissance. Elle s'était reposée sous l'auvent de la propriété de Hyannis Port. Elle s'était remis à la peinture et lisait les dernières biographies. Elle soulignait des passages pour John, comme elle l'avait fait lorsqu'il était sénateur. Elle s'était habituée à la présence de ses deux gardes du corps et s'était promenée longuement le long des plages balayées par le vent de l'Atlantique.

Ignorant l'état de santé véritable de son enfant, elle demande aux infirmières qu'on lui apporte les journaux de ce matin et envoie son assistante acheter du rouge à lèvres.

John est allé se changer dans la suite de l'hôtel Ritz Carlton de Boston. Le téléphone ne fait que sonner. Il revient vers son jeune fils vers 18 heures et ne le quitte plus.

Le 10 août, dans la nuit, Pierre Salinger descend dans le hall de l'hôpital :

— Patrick Kennedy est mort à 4 heures du matin.

John n'a pas quitté des yeux son enfant. Il pleure seul dans la chambre froide. Le cardinal Cushing est venu à temps pour lui donner les derniers sacrements. Il pose la main sur l'épaule de John :

— Il s'est battu jusqu'au bout !

John entre dans la chambre pour annoncer la triste nouvelle à sa femme. On les laisse en paix pendant une demi-heure.

— Je ne veux pas te perdre, Jack, je t'aime tellement.

Bobby reçoit les premiers appels des journalistes avec Pierre Salinger. Il s'est occupé de l'enterrement. Janet Auchincloss est arrivée pour soutenir sa fille. Son mari, assis sur une chaise du couloir principal, garde sa tête entre ses mains.

Jackie n'assiste pas aux obsèques qui se déroulent dans l'intimité du cimetière de Brooklyn. John suit le petit cercueil blanc, les yeux rougis par la peine et le désespoir. Avant de refermer le cercueil, il glisse sa médaille de Saint-Christophe – offerte par Jackie pour son dernier anniversaire.

John se retrouve ensuite seul avec ses deux enfants pour répondre à leurs questions. Les larmes lui montent aux yeux, il les serre fort contre lui et leur murmure doucement :

— Votre maman nous aime tous les trois. Le Seigneur a voulu que Patrick soit à ses côtés pour veiller sur nous tous. Je vous aime.

Le 14 août, Jackie quitte l'hôpital. John est à ses côtés. Il a beaucoup de mal à marcher. Ils montent tous deux dans la Lincoln présidentielle sans adresser la parole aux journalistes présents. Jackie ne veut plus les voir ni leur parler. Elle est écœurée par leur attitude.

— Ce sont des vautours.

Le 28 août, plus de 250 000 personnes suivent la marche du pasteur Martin Luther King. C'est la plus grande manifestation jamais vue dans la capitale. Il est descendu à l'hôtel Willard avec ses plus proches conseillers et amis, dont A. Philipp Randolph, Bayard Rustin, Sammy Davis Jr, Bob Dylan et Harry Belafonte. L'objectif de cette marche est de sensibiliser le gouvernement sur la montée du chômage chez les Noirs, deux fois plus important que chez les Blancs, et d'en faire également une marche pour la liberté. Des centaines de journalistes, de photographes, de camions de chaînes de télévision – CBS News, ABC, NBC – sont arrivés la veille. Pierre Salinger rédige des mémos pour prévenir le Président : « Je crois que cette manifestation sera beaucoup plus importante que prévu. Nous recevons des demandes d'interviews du monde entier. »

John et Bobby sont restés en retrait pendant les préparatifs. Le 22 juin dernier, ils avaient reçu avec Burke Marshall et Ramsay Clark, respectivement directeur général de la Division de l'égalité des droits au ministère de la Justice et membre du cabinet, les leaders du mouvement des droits civiques, pour leur faire part de leurs craintes.

— Attendez la fin des élections de 1964 avant d'organiser une telle manifestation. Si des incidents graves se produisent, nos efforts vis-à-vis du Congrès seront anéantis. Nous sommes jusqu'au cou dans cette affaire !

Dix jours plus tôt, John avait annoncé à la télévision :

— Le temps est désormais venu pour cette nation de remplir ses promesses. Les événements de Birmingham et d'ailleurs ont augmenté les cris en faveur de l'égalité, si bien qu'aucune ville, aucun État, aucun corps législatif ne peut choisir prudemment de les ignorer... Nous affrontons une crise morale en tant que pays, en tant que peuple ! Un formidable changement est à portée de main et notre rôle et notre obligation sont d'accomplir cette révolution, ce changement dans la paix et de manière constructive pour chacun.

Dans la roseraie, John informe King que sa maison et ses chambres d'hôtel sont placées sur écoute téléphonique. Le FBI soupçonne son entourage d'être en relation avec des communistes.

— Hoover vous déteste personnellement, il ne vous fera pas de cadeau.

Le directeur du FBI a l'intention de prouver son pouvoir sur les autorités officielles de Washington. Il tient encore une grande partie des membres du Congrès et des occupants de la Maison Blanche.

— Il n'est pas question que ce nègre qui baise des putes à tout-va fasse croire au monde entier qu'il suit les saints Évangiles. C'est de la foutaise !

Malgré toutes les recommandations, Martin Luther King et d'autres leaders tels que John Lewis, président du SNCC, s'adressent au peuple américain et aux centaines de milliers de manifestants sous le regard de marbre d'Abraham Lincoln :

— Nous sommes montés à la capitale pour toucher un chèque ! En traçant les mots magnifiques de notre Constitution et de notre déclaration d'Indépendance, les architectes de notre République signaient une promesse dont hériterait chaque Américain ! Au terme de cet engagement, tous les hommes, les Noirs, oui, aussi bien que les Blancs, se verraient garantir leurs droits inaliénables à la vie, à la liberté et à la recherche du bonheur ! Il est aujourd'hui évident que l'Amérique a failli à sa promesse... L'Amérique a délivré au peuple noir un chèque sans valeur, un chèque qui est revenu avec la mention de provision insuffisante !... Ne nous vautrons pas

285

dans les vallées du désespoir. Je vous le dis ici et maintenant, mes amis : même si nous devons affronter des difficultés aujourd'hui et demain, je fais pourtant un rêve ! C'est un rêve profondément ancré dans le rêve américain ! Je rêve qu'un jour notre pays se lèvera et vivra pleinement la véritable réalité de son credo : nous tenons ces vérités pour évidentes par elles-mêmes que tous les hommes sont créés égaux !... Je rêve qu'un jour mes quatre enfants vivront dans un pays où l'on ne les jugera pas à la couleur de leur peau mais à la nature de leur caractère. Oui, je fais un rêve aujourd'hui...

Jackie, émue aux larmes devant son poste de télévision, applaudit chaque passage du discours. Elle avait rencontré deux fois le pasteur et avait ressenti à chaque fois son « âme ».

John adresse un télégramme de félicitations à King. La ségrégation qui règne dans certains États du Sud est insoutenable. Les événements à Birmingham en juin dernier avaient choqué toute l'Amérique : des Noirs se faisaient frapper à coups de matraque par des policiers racistes, mordre par des chiens en furie... et toute cette honte n'avait jamais empêché le gouverneur George Wallace de proclamer la bonne parole lors de ses allocutions télévisées. Son gouvernement avait été montré du doigt pour cette violence et cette indifférence. Bobby, du haut de son bureau au département de la Justice, continuait à soutenir les Noirs. Il descendait parfois dire aux manifestants en colère :

— Il y a encore beaucoup à faire, mais il nous faut considérer d'où nous venons ! Nous voulons votre aide ! Quiconque parmi vous souhaite travailler pour le ministère est le bienvenu au ministère de la Justice ! Sans être allé au lycée, c'est difficile de trouver un emploi... mais, si vous voulez aller jusqu'au bout et que vous continuez vos efforts, c'est possible !

Le 12 septembre, la famille célèbre le dixième anniversaire du mariage de John et Jackie en toute intimité à Hyannis Port. À bord du *Honey Fitz*, le couple profite, avec ses amis, de ses deux enfants. La santé et le moral de Jackie vont mieux. John se détend, il a toujours aimé se trouver en mer. Il fait un temps magnifique.

Depuis la mort de Patrick, le couple s'est ressoudé. Les colères de Jackie se sont dissipées et les aventures extra-conjugales de John semblent terminées. Il a apparemment donné congé à l'une de ses maîtresses, Mary Meyer.

Pour cet anniversaire, Jackie lui offre une nouvelle médaille de Saint-Christophe. De son côté, John lui remet le catalogue de l'antiquaire new-yorkais J. J. Klejman :

— Choisis ce que tu veux.

En fin d'après-midi, John et Jackie emmènent sur une voiturette de golf les enfants de Bobby et les leurs. Leurs rires égaient John. Le bonheur semble enfin revenu.

Jackie accepte de l'accompagner dans sa prochaine campagne présidentielle. Le 21 novembre, ils partiront pour le Texas, première étape d'une longue course.

— Je serai toujours à tes côtés.

Début octobre, John accepte bon gré mal gré la demande de Jackie. Elle part pour la Grèce en compagnie de sa sœur. C'est un voyage extraordinaire pour elle qui adore l'histoire de la Grèce antique et la Méditerranée.

Le FBI a pourtant prévenu John. Jackie doit rencontrer l'armateur Aristote Onassis. Il a été jugé coupable de corruption par le gouvernement américain et a dû verser une amende de 7 millions de dollars. Peu importe, John se contente de dire oui à sa femme.

Jackie et Lee s'offrent une croisière prestigieuse de deux semaines sur le yacht de 98 mètres du milliardaire, le *Christina*. Parmi les autres invités de ce voyage : le sous-secrétaire d'État au Commerce et Franklin Roosevelt Jr, chaperon officiel de Jackie, embarqué à la demande expresse de John. Sa présence apaisera les tensions avec la presse et le FBI.

Onassis a mis à sa disposition la plus grande chambre de son navire et l'a entièrement décorée pour l'occasion. Il a fait mettre des roses rouges dans toutes les pièces. L'espièglerie du Grec amuse beaucoup Jackie, qui se détend réellement. Onassis leur fait découvrir des lieux uniques, comme les îles de Lesbos, Chios, Lemnos et Skiros. Elle ne donne quasiment pas signe de vie à la Maison Blanche.

Le soir, Onassis raconte à Jackie les légendes les plus extra-ordinaires, dont celle d'Alexandre le Grand... Il lui parle de son histoire d'amour avec la célèbre cantatrice Maria Callas, de ses deux enfants Marc et Christine, de ses parents...

Jackie se promène en maillot de bain, se détend longue-ment à l'avant du bateau. Au milieu de l'après-midi, sous les éclats de rire d'Onassis et de sa sœur Lee, elle fait des acro-baties en ski nautique. Elle est heureuse.

À la Maison Blanche, on s'inquiète un peu. Quelques journaux à sensation ont fait leur une des photographies la montrant avec Onassis dans les ruelles d'Istanbul, en bikini sur le pont du *Christina* – celle-ci fera scandale chez les puritains, y compris Rose Kennedy. Le *Boston Globe* n'hésite pas à écrire dans ses colonnes : « Le comportement de Mme Kennedy est-il convenable pour une femme en deuil ? »

Le 6 octobre, Jackie adresse une lettre d'amour à John : « Je te jure d'être une meilleure épouse à mon retour. »

Lorsque *Air Force One* atterrit enfin, Caroline se précipite en haut de la passerelle pour embrasser sa mère. John et John Jr l'attendent en bas, se tenant la main. Jackie est heu-reuse de les retrouver tous les trois. Ils lui ont beaucoup manqué malgré ces quinze jours extraordinaires. John la trouve particulièrement belle.

Ils rejoignent ensemble leur nouvelle maison à Akota. John n'apprécie pas cet endroit, auquel il préfère nettement Cape Cod ou Glen Ora... Mais, pour Jackie, il ne dit rien. Les Bartlett seront présents ce week-end, ils ont hâte de revoir Jackie.

Le 19 novembre, Pierre Salinger marche tranquillement jusqu'au bureau d'Evelyn Lincoln, un cigare à la bouche.

— Bonjour Evelyn !

— Bonjour Pierre, il attend.

Salinger découvre John d'une humeur sombre. Il est en train de trier plusieurs documents sur Berlin.

— Bonjour, monsieur le Président.

— Salut Pierre, comment allez-vous ? Bien dormi ?

— Oui.

Salinger ne lui retourne pas la question car il se doute, à la vue de sa mine, que la nuit a dû être très mauvaise. Il devine à travers sa veste ouverte le corset sous sa chemise blanche.

— Quelles nouvelles, Pierre ?

— Je me suis arrêté pour vous dire au revoir, monsieur le Président. Je pars tout à l'heure… Nous avons, de notre côté, bien préparé votre voyage au Texas. Mackildruff vous accompagnera. Je serai de retour dans une dizaine de jours… juste à temps pour me rendre au match Armée-Marine avec vous !

— Très bien ! Qui va s'occuper de la presse pendant la visite du chancelier ouest-allemand Ludwig Erhard ?

— Mon autre assistant, Andy Hatcher.

— OK, formidable… Vous savez, Pierre, j'aimerais ne pas aller au Texas, cela me barbe. Je suis si fatigué en ce moment…

— Ne vous inquiétez pas, monsieur le Président, ce sera un voyage fantastique et vous attirerez des foules comme jamais, en compagnie de Mme Kennedy ! Ce sera merveilleux, vous verrez !

John lui sourit et lui tapote l'épaule en le raccompagnant jusqu'à la porte :

— Dépêchez-vous de revenir Pierre, vous allez nous manquer !

En quittant le bureau ovale, Pierre Salinger se demande s'il aurait dû lui parler de cette lettre reçue hier :

« Ne laissez pas le Président venir au Texas, je m'inquiète beaucoup pour lui ! Je redoute que quelque chose de terrible ne lui arrive. »

Mais, des lettres comme celle-ci, il en reçoit très régulièrement. Il a d'ailleurs répondu à cette femme ce matin même :

« J'apprécie votre sollicitude, mais ce serait triste pour ce pays s'il existait aux États-Unis une quelconque ville qu'il ne puisse visiter par crainte de violence. Je suis convaincu que les gens de Dallas l'accueilleront chaleureusement. »

11

Le 22 novembre 1963

*« Quels chars, quels chevaux auraient le
pouvoir de nous nuire... quand les étoiles
dans leur course combattent à nos côtés. »*

Karen Blixen

Le 21 novembre, à 9 h 15, John quitte le bureau ovale
après avoir signé quelques papiers et documents de la CIA.
Kenny O'Donnel lui annonce que ses deux enfants sont
déjà descendus et qu'ils se promènent avec leurs chiots.
John leur a offert ces trois animaux quelques jours après la
mort de leur petit frère Patrick. Il remet à l'assistante d'Evelyn Lincoln une lettre destinée à deux jeunes orphelins du
Texas :

— Leur père vient de décéder, c'est terrible. Faites-la
partir ce matin, s'il vous plaît.

— Oui, monsieur le Président. Bonne chance pour le
Texas.

— Oui, merci, j'en aurai sans doute besoin, c'est un pays
de dingues !

Tout en marchant rapidement vers l'ascenseur pour regagner les appartements privés de Jackie, il relit tout haut la
note du service météorologique : « Temps maussade le
21 novembre, mais ensoleillé le 22 novembre. »

Il donne cette information à Provi, la femme de chambre
de sa femme :

— Dites-lui de ne pas trop se couvrir, il devrait faire très
beau à Dallas.

— Bon voyage, monsieur le Président.

— Merci.

Jackie rejoint John dans sa chambre après avoir remis une liste d'invités à l'une de ses assistantes :

— Nous fêterons l'anniversaire de John Jr le 26 novembre à la Maison Blanche et, le 29, celui de Caroline à Cape Cod.

— Bien, madame, je vous souhaite un excellent voyage au Texas.

— J'espère qu'il ne fera pas trop froid à Houston.

À 10 h 45, les palmes de l'hélicoptère se mettent à tourner. L'officier chargé des codes confidentiels en cas de déclenchement d'une attaque nucléaire est déjà assis à l'arrière de l'appareil. John Jr tient la main de son père et lui raconte ses derniers exploits avec son petit fox-terrier :

— Écoute, John, je serai de retour dans quelques jours et je vais te ramener de nouvelles fusées, c'est promis.

Jackie et John retrouvent un quart d'heure plus tard *Air Force One* sur la piste militaire d'Andrews. Evelyn Lincoln et Marry Gallagher sont déjà dans l'appareil, ainsi que l'attachée de presse de Jackie. Le décollage est prévu à 11 heures précises. La vitesse est fixée à 800 km/h.

Jackie rejoint sa cabine et laisse John s'entretenir avec ses conseillers et les journalistes accrédités pour ce voyage. Il plaisante avec eux, son humeur est excellente. Il a toujours eu de bons rapports avec les reporters et les photographes. Lors d'une récente conférence de presse à la Maison Blanche, un des rédacteurs en chef lui avait demandé :

— Que pensez-vous, monsieur le Président, de la manière dont vous êtes traité dans la presse ?

John avait répondu en riant :

— Eh bien, ce que je peux vous dire, c'est que je lis de plus en plus la presse depuis que je suis Président et que je l'apprécie de moins en moins… Mais je ne me plains pas car je pense qu'elle fait son travail et qu'elle remplit sa mission de critiquer. De mon côté, je m'efforce de remplir la mienne. Nous allons vivre encore longtemps ensemble avant que nos chemins se séparent !

Il est ravi que Jackie l'accompagne dans ce déplacement. Il n'a pas prêté la moindre attention aux lettres de menaces de mort reçues dernièrement à la Maison Blanche.

Sur son papier à en-tête bleu pâle, Jackie rédige une note concernant le menu de l'anniversaire de John Jr et la remet à sa secrétaire. Le chef René Verdon apprécie toujours ses petits mots.

— Des cailles au raisin, John adore ça !

Durant le vol, John frappe à la porte de sa cabine et passe la tête :

— Tout va bien, chérie ?

— Oui, oui, je me prépare… Laisse-moi.

— OK, à tout à l'heure.

À 14 h 30, avant l'atterrissage à San Antonio, Jackie demande à sa secrétaire si elle doit mettre un manteau :

— Je ne pense pas, madame, il fera très beau.

Ils sont accueillis à l'aéroport par Lyndon Johnson et son épouse. Jackie le félicite pour sa nouvelle coupe de cheveux :

— Monsieur le vice-Président, cela vous va à ravir, vous rajeunissez à vue d'œil !

Le cortège, formé de plusieurs voitures officielles conduisant le couple présidentiel, les membres de son cabinet, la presse, les services secrets et les personnalités, se dirige aussitôt vers le complexe hospitalier aérospatial où John donne un discours :

— La conquête de l'espace doit continuer. C'est une chose certaine ! Nous pouvons en parler avec confiance. L'Irlandais Franck O'Connor raconte l'histoire de jeunes garçons qui, en se promenant un jour dans la campagne, arrivèrent au pied d'un mur qui semblait bien trop haut et fort peu engageant. L'obstacle leur interdisait de poursuivre. Ils ôtèrent leurs casquettes et les envoyèrent par-dessus le mur. Ils n'avaient plus qu'à les suivre ! L'Amérique a jeté aussi sa casquette par-dessus le mur de l'espace. Et nous n'avons plus qu'à la suivre !

Jackie applaudit beaucoup la déclaration. Elle est à l'origine de cette anecdote. John lui fait un clin d'œil. 25 000 Texans applaudissent également.

— Nous sommes au commencement d'une grande époque, une époque d'explorateurs et de pionniers. Cette nation s'est

293

lancée dans la conquête spatiale, nous devons continuer ! Nous n'avons pas d'autre choix. Nous vaincrons les obstacles et nous pourrons explorer les merveilles du monde !

John commence à penser que ce voyage n'est peut-être pas une si mauvaise idée. Les personnalités politiques locales le félicitent pour son éloquence, tandis que leurs épouses respectives s'entretiennent avec Jackie.

Au même moment, à Dallas, le gouverneur de l'Alabama George Wallace s'adresse à ses partisans pour leur annoncer sa prochaine candidature aux présidentielles :

— À San Antonio, à Amarillo... J'ai beaucoup d'amis dans ce grand État. Dans le combat que nous menons actuellement au sujet du gouvernement constitutionnel, nous n'aurons pas d'allié plus solide que le grand État du Texas au mois de novembre 1964 !

À 16 h 15, le cortège regagne l'aéroport de Kelly Field pour un vol de quarante minutes. *Air Force One* se pose à Houston. À 17 h 50, ils arrivent enfin à leur hôtel, le Rice. Jackie fait une sieste et demande à être réveillée vers 19 heures.

John prend une douche et se restaure. Sa chambre communique avec celle de Jackie. Ils sont au quatrième étage. Au rez-de-chaussée, des dizaines de journalistes parlent avec l'assistant de Pierre Salinger.

Kenny O'Donnel tient compagnie à John en buvant une coupe de Dom Pérignon. Ils plaisantent au sujet des chapeaux texans :

— Je ne mettrai jamais une telle chose sur ma tête !

À 21 h 50 précises, le cortège se rend au dîner organisé en l'hommage du sénateur Albert Thomas. Jackie, en robe de velours noir, est en meilleure forme. Dans la voiture, elle demande à John ce qu'il aimerait manger pour l'anniversaire de John Jr :

— Une timbale de mousse de crabe en sauce, des cailles avec du riz... une gelée d'airelles et si possible, Jackie, un dessert plutôt léger... une salade de fruits.

— Il y aura le gâteau de John.

— Donc c'est parfait !

Tous sourient dans la Lincoln noire. C'est une nouvelle limousine, livrée en juillet dernier à la Maison Blanche. Elle remplace l'ancienne, vieille de onze ans ! Elle est équipée d'un moteur V8 et peut atteindre sans difficulté les 180 km/h. Jackie et John la trouvent plutôt réussie.

La soirée se passe parfaitement. John fume un excellent cigare cubain avec Dave Powers et Kenny O'Donnel.

De retour à l'hôtel, Jackie et John serrent la main de tout le personnel du Rice pour le remercier de son accueil.

Vers 1 heure du matin, ils arrivent enfin au Texas Hotel, à Fort Worth. Des centaines de Texans, malgré l'heure tardive, sont aux abords de l'hôtel.

Un aide de camp leur fraye un passage jusqu'à la réception. Le camion transportant les bagages parvient difficilement à se garer.

Jackie et John s'installent dans leurs suites respectives du septième étage. Une pluie fine commence à tomber. Jackie est épuisée. Elle s'endort rapidement. Les Johnson ne parviennent pas à s'endormir.

Le lendemain matin, vers 10 heures, en ouvrant la fenêtre de sa chambre, John aperçoit des centaines de parapluies. Il leur lance, amusé :

— Mme Kennedy est encore dans sa salle de bains, elle se prépare !

George Thomas, son valet, sourit et range ses chemises et ses pantalons dans une valise.

À 10 h 30, ils sont reçus par le président de la chambre de commerce :

— Il y a deux ans, à Paris, je me suis présenté comme le compagnon de voyage de Mme Kennedy. J'ai un peu cette même impression au Texas ! On ne demande jamais ce que nous portons, Lyndon et moi !

Toute la salle éclate de rire. John se retourne vers Jackie et lui adresse un large sourire. Le président de la chambre de commerce s'avance vers le pupitre et annonce d'une voix grave :

— Nous allons maintenant avoir le plaisir d'entendre la fierté de Forth Worth, la chorale des Texas Boys.

John et Jackie regardent la vingtaine de gamins en pull bleu marine et chemise blanche ouverte. Ils entament aussitôt l'un des airs favoris du Texas : « Les yeux du Texas sont fixés sur toi. Et ce tout au long de la journée !… Les yeux du Texas sont désormais fixés sur toi. »

John se lève au premier couplet et applaudit. « Tu ne peux y échapper, et ce tout au long de la journée ! Ne crois pas pouvoir y échapper. Jour après jour, heure après heure, les yeux du Texas sont fixés sur toi. Et ce jusqu'à la venue de l'ange annonciateur ! »

Cette chanson fait froid dans le dos aux agents de sécurité et à Dave Powers.

Le président de la Chambre, chapeau de cow-boy à la main, annonce au micro en fixant John :

— Monsieur le président des États-Unis, je ne peux vous laisser quitter Fort Worth sans une protection contre la pluie !

John se lève de nouveau et regarde le chapeau d'un air embarrassé. Des voix hurlent :

— Mettez-le ! Mettez-le !

John le rend au président de la Chambre, amusé par sa gêne. Celui-ci lui montre comment il faut le poser sur la tête. Toute la salle s'esclaffe. Jackie est confuse pour John, qui reprend le chapeau et, sans le poser sur ses cheveux impeccablement peignés, déclare :

— Je le porterai à la Maison Blanche lundi ! Venez donc voir ça par vous-mêmes !

Pendant ce temps, l'avocat et ex-vice-président Richard Nixon quitte Dallas, à bord du vol AA82. Il vient de conclure un marché avec la firme Coca-Cola.

À 12 h 30, *Air Force One* atterrit à Dallas. Le vol a duré moins d'un quart d'heure. Quelques minutes auparavant, John a plaisanté sur son assassinat :

— Si quelqu'un veut la peau d'un Président et qu'il est prêt à se sacrifier pour cela, personne ne pourra l'en empêcher !

Jackie descend la première sur la passerelle, suivie par John. Elle porte un joli tailleur rose Chanel et un chapeau tambourin. Le sang lui monte au visage, il fait très chaud. Le toit en plexiglas de la Lincoln présidentielle a été retiré tôt ce matin. Les Johnson et le maire de Dallas les accueillent. John et Jackie sont accompagnés du gouverneur Connally et de sa femme. L'épouse du maire offre à Jackie un bouquet de roses rouges.

On entend crier : « Jack ! Jackie ! Jackie ! » Malgré les réticences des services secrets, la foule se dirige vers le couple présidentiel. John est ravi ; il serre les mains tendues avec un joyeux « bonjour ! ». Jackie fait de même. L'ambiance est encourageante pour la suite. John doit faire un discours à la chambre de commerce vers 12 h 30. Des jeunes étudiants portent des pancartes sur lesquelles est inscrit : « Bienvenue, monsieur le Président ! Bienvenue JFK ! »

Vers 13 heures, les sirènes des motards de police annoncent le départ de la Lincoln. Jackie se retourne une dernière fois. Elle est d'une humeur excellente.

— Retire tes lunettes de soleil, murmure John, retire-les, ils sont venus pour te voir !

Jackie obéit. Des centaines de milliers de Texans ceinturent le cortège. La foule est surexcitée. Certains sont suspendus à des panneaux publicitaires, à des lampadaires, à des arbres ou… penchés en haut des immeubles. Le cortège doit traverser deux fois le centre ville avant sa destination finale. Des affiches « John et Johnson » sont accrochées sur les grilles, les murs. Elles font oublier les tracts de la veille, qui comportaient le profil de John avec pour toute légende : « Recherché pour trahison. » Le *Dallas Morning News* avait titré ironiquement ce matin en une : « Bienvenue, monsieur le Président ! »

Le 24 octobre dernier, Adlai Stevenson avait été insulté par des centaines de Texans en furie. Il n'avait pas pu terminer son discours. Ils lui avaient craché au visage et jeté des objets.

13 h 30. La Lincoln se dirige vers la Bourse des affaires et le palais de justice, lorsque Nellie Connally s'adresse à John :

— Vous ne pourrez plus dire, monsieur le Président, qu'on ne vous aime pas à Dallas !

— J'en ai l'impression !

Quelques minutes avant d'atteindre Trademark où ils doivent déjeuner, un coup de feu retentit. John regarde Jackie avec cette expression qui lui est si familière. Il pose ensuite les mains à sa gorge.

Ni les occupants de la voiture ni les services secrets ne se doutent de quoi que ce soit. Tous pensent qu'il s'agit encore de pétards ou de pots d'échappement déréglés. Le chauffeur de la Lincoln, Bill Greer, continue à rouler au pas. Le gouverneur Connally est sans doute le seul à identifier le coup de feu ; il se retourne à droite pour voir le Président, puis à gauche. À ce moment précis, Connally est touché par une balle dans le dos. Une douleur vive envahit tout son corps. Il a l'impression d'avoir reçu un coup de poing très violent sur le bas des épaules. Il baisse les yeux vers son pantalon, il est couvert de sang frais. Jackie entoure de son bras gauche John et se penche vers lui.

Puis il y a un troisième coup de feu. Du sang et de la chair sont projetés sur tous les passagers et les vitres de la Lincoln. Jackie en reçoit sur le visage. La partie droite de la tête de John est emportée. Il s'écroule sur les genoux de Jackie qui hurle :

— Oh ! mon Dieu ! Ils ont tué mon mari ! John ! John !

Des larmes et du sang coulent sur ses joues.

— Je t'aime, John. Oh ! Je t'aime, John.

Le gouverneur Connally hurle :

— Ils vont nous massacrer tous !

Jackie tient entre ses mains la tête ensanglantée de John. Elle la dépose délicatement sur le cuir de son siège et s'engage jusqu'au capot arrière pour rattraper un morceau de sa cervelle.

Clint Hill se précipite sur elle et la repousse.

— Non ! Non ! Laissez-moi !

Il l'attire dans l'habitacle et la protège de son propre corps. Le chauffeur accélère enfin jusqu'au tunnel, mais il est déjà trop tard. John agonise, le visage dans le sang. Une odeur épouvantable s'imprègne sur les vêtements de tous les passagers.

13 h 34. Le premier communiqué d'UPI tombe dans toutes les rédactions du pays :

« Dallas, on vient de tirer sur la voiture du Président. »

13 h 41. CBS News diffuse ses premiers messages, l'Amérique est bouleversée. Bobby, qui était en famille et avec ses adjoints dans sa maison de Hickory Hill, est prévenu par le directeur du FBI, John Edgar Hoover. Ce dernier a pris un grand plaisir à lui annoncer la nouvelle. Ted le saura au cours de sa séance au Sénat...

« Dallas, au Texas, trois coups de feu ont été tirés sur le cortège présidentiel. Il semblerait que le président Kennedy soit gravement touché. Nous recevons à l'instant de plus amples informations : le président Kennedy a été touché alors que le cortège quittait le centre ville. Mme Jacqueline Kennedy s'est précipitée vers M. Kennedy. Elle s'est écriée : "Oh non ! Oh non !" Le cortège a accéléré. Selon United Press, les blessures de M. Kennedy pourraient être mortelles. Je répète, flash d'information CBS News, le président Kennedy aurait été victime d'une tentative d'assassinat à Dallas. »

Quelques minutes plus tard, la Lincoln se gare devant les portes de l'hôpital Memorial Parkland. Les médecins ont déjà été prévenus par radio. Dans une cohue déconcertante, les services secrets et les infirmiers transportent le corps inanimé de John. Son visage est recouvert par la veste de Clint Hill. Les photographes se jettent sur la voiture et tirent les premiers clichés, dont le bouquet de roses rouges écrasées par les pieds du Président et de la Première Dame. Dave Powers, en découvrant la scène, se sent très mal et court aux lavabos pour vomir.

Le médecin chef attribue un numéro au dossier du malade : 24 740. Il note : « Race blanche, blessé par balle. »

Un des agents des services secrets demande à joindre un prêtre. Le chef de l'hôpital lui donne les coordonnées du père Huber, qui franchit les portes de la salle des urgences à 13 h 57 et donne l'extrême-onction au Président. Il s'éteint trois minutes plus tard. Avant de recouvrir son corps d'un drap blanc, Jackie embrasse tendrement l'un de ses pieds. La scène est presque insupportable pour le personnel médical présent. Elle marche dans son sang et pleure.

— Madame Kennedy, je vous en prie.

Tous ont la gorge serrée, beaucoup de femmes et d'hommes présents pleurent aussi.

14 h 25. Le journaliste de télévision Walter Cronkrite déclare au peuple américain :

— Une dépêche nous arrive de Dallas... Officiellement, apparemment... le Président est mort. À 13 heures, heure de la Côte Est... Le vice-président M. Johnson a quitté l'hôpital de Dallas, mais on ignore pour quelle destination. Il devrait vraisemblablement prêter serment et devenir le 36e président des États-Unis !

Dehors, la foule pleure, hurle sa colère et sa honte. Les policiers en faction, armés de fusils à pompe, ont beaucoup de mal à la contenir. Avec l'aide des services secrets, ils doivent veiller au départ du Président défunt vers *Air Force One*, de sa veuve et du nouveau président des États-Unis, Lyndon Johnson.

La radio texane commence à diffuser des messages de condoléances : « La nation tout entière fixe les yeux avec douleur sur Mme Jacqueline Kennedy, tandis que Dallas et le Texas baissent leurs yeux de honte... Nul ne sait encore si l'on a déjà arrêté l'homme qui a tiré sur le Président ! »

À Hyannis Port, Rose décide de ne rien dire à son mari et de garder ce drame pour elle et ses enfants. Elle quitte la grande maison froide pour rejoindre seule la plage. Joseph dort paisiblement dans sa chambre, où la télévision et la radio ont été débranchées par son infirmière, Rita Dallas.

Le commandant de bord d'*Air Force One*, les yeux humides, attend les instructions de Lyndon Johnson.

— Nous attendrons le corps du président Kennedy avant de décoller.

Kenny O'Donnel est parvenu à trouver un cercueil en bronze dans l'établissement de pompes funèbres le plus proche de l'hôpital. Les médecins et conseillers de John ont voulu éviter à Jackie de voir le corps transporté jusqu'au cercueil.

— Croyez-vous que je ne supporterais pas de voir cela ? J'ai vu mon mari mourir dans mes bras. J'avais son sang et sa cervelle sur moi !

Avant de refermer le couvercle, Jackie retire son gant gauche noirci de sang et son alliance pour la glisser au doigt de John.

— Mon Dieu ! Comme je t'aime, mon chéri.

En attendant l'arrivée de l'ambulance privée qui transporte la dépouille présidentielle et Jackie, Johnson contacte Bobby chez lui :

— Je vous présente mes condoléances.

— Merci.

— Je vous demande votre avis, monsieur, avez-vous une objection à ce que je prête serment dans l'appareil qui nous ramène vers Washington ?... Je voudrais savoir qui a le droit de me faire prêter serment... Pourriez-vous vous renseigner, s'il vous plaît ?

Bobby contacte son plus proche collaborateur, Nicolas Katzenbach :

— Je crois que n'importe qui peut le faire !

Bobby transmet dix minutes plus tard l'information, sans rien y ajouter. Il n'a jamais pu supporter la personnalité du Texan et, en cet instant, il répugne à lui parler. Nicolas Katzenbach dicte le texte du serment à Marie Fehmer, la secrétaire de Johnson.

14 h 20. Le cercueil de bronze est monté dans l'appareil avec l'aide de Dave Powers, du colonel McNally et des deux stewards.

Johnson et lady Bird entrent rapidement dans la cabine de Jackie pour lui présenter ses condoléances.

— Heureusement que j'étais auprès de lui.

— Voulez-vous vous changer ?

— Non merci !

14 h 38. Johnson prête serment, la main gauche sur la Bible au cuir usé de John. Le juge Sarah Hughes, dépêchée en urgence de Dallas, l'écoute attentivement.

— Moi, Lyndon B. Johnson je jure solennellement que je remplirai fidèlement la fonction de président des États-Unis d'Amérique... Que Dieu me vienne en aide.

Jackie est au côté de Johnson pendant la prestation, elle a gardé son tailleur Chanel couvert de sang et de chairs cervicales. Johnson embrasse sa femme, puis Jackie.

Avant le décollage de l'appareil, le juge quitte le Président et lui souhaite bonne chance à Washington.

14 h 47. *Air Force One* quitte enfin Dallas.

Durant le vol, Johnson se fait servir deux bols de soupe et appelle plusieurs fois John Edgar Hoover, qui l'informe que l'on vient d'arrêter un suspect : Lee Harvey Oswald.

— Nous sommes persuadés que c'est l'assassin.

— Je vous demande de faire votre travail comme vous avez toujours su le faire, monsieur Hoover.

— Oui, monsieur le Président, vous pouvez compter sur ma fidélité.

— Merci, Edgar.

Jackie revient auprès du cercueil de son mari, la main posée sur le couvercle. Son assistante et son attachée de presse se taisent dans la douleur et la gêne.

À l'extérieur, une escadrille de Corsaire escorte *Air Force One*. Le général Maxwell Taylor vient d'ordonner cette protection :

— En cas d'attaque internationale !

Dans la cabine principale, toutes les petites lumières sont allumées. Les passagers ont reçu l'ordre de tirer les rideaux. Beaucoup d'entre eux pleurent ou boivent plusieurs verres de whisky sans glace.

Johnson s'entretient un moment avec Rose Kennedy pour lui présenter ses condoléances :

— Je vous remercie, monsieur le Président.

Kenny O'Donnel est incapable de s'asseoir ; il reçoit au poste de pilotage tous les appels de la Maison Blanche et du département d'État. Pierre Salinger a été prévenu durant le vol de son propre appareil, il fait à présent demi-tour sur Washington.

Durant les trois heures de vol, un silence lourd pèse dans l'avion. On propose plusieurs fois à Jackie – Johnson a envoyé ses volontaires – de se changer :

— Il n'en est pas question !

À l'atterrissage, Jackie reste près du cercueil avec Kenny O'Donnel et Dave Powers. Marie Fehmer, la secrétaire particulière du président Johnson, leur propose de la soupe avant de regagner les voitures officielles :

— Non merci, nous attendons Robert Kennedy. Il ne devrait plus tarder maintenant.

Bobby et Jackie descendent par la passerelle arrière après que les officiers ont chargé le cercueil à l'arrière de l'ambulance. Bobby ne lâche pas la main de sa belle-sœur. Elle est épuisée. Ils ne se disent rien et montent dans le long corbillard. Derrière les barrières, des centaines de journalistes sont arrivés, mais on ne les entend pas. Le silence règne toujours.

Johnson descend avec son épouse de l'avion. Il a préparé avec ses conseillers un petit discours et s'adresse au peuple américain :

— C'est un jour triste pour nous. Nous avons subi une perte inestimable. Cela représente une terrible tragédie qui m'affecte personnellement. Je sais que le monde entier partage la douleur de Mme Jacqueline Kennedy et de toute sa famille. Je ferai de mon mieux, je ne peux rien de plus. Je vous demande votre aide et vos pensées.

Au même moment, le journaliste Walter Cronkrite ouvre un énième journal sur l'événement du jour :

— Pour vous présenter le nouveau Président, voici Eric Sevareid.

— Merci Walter... En ce jour de deuil, il y a une chose qui peut nous réconforter un peu. Cette fois, le successeur d'un Président assassiné est un homme de qualité. Il a cinquante-cinq ans, un âge idéal pour assumer la présidence des États-Unis d'Amérique. L'âge où l'expérience et l'énergie forment une combinaison parfaite. Il est né près du village texan de Johnson City, où le drapeau familial flotte sur le ranch LBJ. Avocat de formation, il a déjà une belle carrière politique derrière lui. L'âpre duel avec M. Kennedy pendant la campagne de 1960 reste très présent dans nos mémoires. M. Kennedy l'avait choisi comme vice-président en partie pour son influence dans les États du Sud. Lui seul pouvait lui concilier les conservateurs sudistes. Par la suite, beaucoup ont même affirmé que M. Kennedy devait sa victoire à M. Johnson. Feu M. Kennedy et M. Johnson s'activaient tous deux pour régler les querelles qui divisaient le parti démocrate texan. Mais désormais tout ça semble si dérisoire et dénué d'importance. M. Johnson est Président et le Texas tout entier est devenu sa base politique.

Le corps de John est transporté jusqu'à la morgue militaire, à quelques kilomètres de la capitale. Jackie et Bobby attendent durant des heures dans la salle lugubre des petits déjeuners. Jackie se confie à son beau-frère tout en fumant cigarette sur cigarette. Elle se fiche à présent totalement de son image. Ses jambes sont si faibles qu'elle est incapable de tenir debout. Bobby fait venir le docteur Janet Travell pour lui administrer des amphétamines.

Dave Powers, suivi de Larry O'Brien et de Kenny O'Donnel, est chargé par Bobby d'acheter un cercueil pour leur ami. Ils choisissent un modèle en acajou et signent un chèque de 3 800 dollars, de leurs fonds personnels.

George Thomas est arrivé avec une valise emplie de costumes différents. Jackie choisit seule le modèle, la cravate, les chaussettes et les chaussures.

— Faites de votre mieux, George.

— Oui, madame.

Vers 4 h 30 du matin, le corps de John rentre enfin à la Maison Blanche. En le voyant passer, Pierre Salinger murmure :

— Notre chef est de retour.

Le père John Cavanaugh, ami des Kennedy, entre dans la salle des audiences, où a été déposé le cercueil.

— Mon âme, Seigneur, mon âme attend le Seigneur. C'est lui qui rachète Israël de toutes ses iniquités.

Jackie, les yeux clos, habillée toujours du tailleur ensanglanté, prie en silence. Elle ne peut s'empêcher de revoir le large sourire de Jack et d'entendre son rire inimitable. Des larmes chaudes coulent sur ses joues. Ses yeux cernés sont constamment baissés.

Une heure plus tard, en concertation avec Bobby, Arthur Schlesinger Jr, Charles Spalding et Robert McNamara, Jackie doit décider de laisser ouvert ou fermé le cercueil. Le travail d'embaumement est loin d'être une réussite.

— Bobby, je n'arrive pas à croire que Jack soit mort.

Pierre Salinger reçoit l'information sans explication :

— Le cercueil du président Kennedy sera fermé.

Il rejoint l'immense salle de presse qu'il connaît bien depuis trois ans. Une centaine de journalistes, fumant cigarette sur cigarette et hurlant des mots incompréhensibles, attend ses commentaires. Les yeux rouges, il leur annonce les premiers détails de Dallas et les préparatifs du lendemain.

Durant la nuit, Jackie se fait apporter certaines archives de la bibliothèque du Congrès. La directrice générale de l'établissement reconnaît sa voix dès son premier appel. Kenny O'Donnel lui a demandé de retourner immédiatement dans son bureau :

— Vous allez recevoir plusieurs appels de Mme Kennedy. Nous avons besoin de vous.

Rutherford Rogers remet à Jackie chaque document sélectionné. D'heure en heure, Jackie consulte avec Sargent Shriver l'ensemble des textes historiques sur les obsèques de plusieurs présidents des États-Unis.

Sous la lueur de deux lampes de chevet, elle trie certains croquis et note les détails les plus précieux. Bobby envoie le médecin George Buckley pour lui administrer une seconde dose de calmants :

— Je n'en veux pas, merci, je dois garder l'esprit clair... J'ai beaucoup de travail devant moi. Merci, George.

Une heure plus tard, Bobby la prévient de l'arrivée de sa mère et de son beau-père :

— Fais-les monter dans leur chambre, je les verrai demain matin.

Jackie ne dort pas de la nuit, elle sommeille seulement une heure. Pierre Salinger, entre autres, a dormi pour la première fois à la Maison Blanche. Une migraine épouvantable lui barre le front.

Au petit déjeuner, Jackie demande à ses enfants de dessiner quelque chose pour leur papa ou de lui écrire un petit mot. Les enfants ont été informés de la mort de leur père par leur gouvernante Maud Shaw.

Caroline tend son dessin et son mot : « Papa chéri, tu vas beaucoup nous manquer. Je t'aime beaucoup, papa ! »

Jackie les serre contre elle très fort. Provi, qui vient remporter les deux plateaux du petit déjeuner, ne peut s'empêcher de pleurer.

— Je vous aime si fort, mes tout petits.

Avant de faire refermer le cercueil, Jackie dépose les dessins et lettres de leurs enfants, la médaille de Saint-Christophe de John et le pince-cravate sur lequel figure le nom du bateau qu'il commandait pendant la guerre : *PT109*. Bobby dépose une mèche de ses cheveux.

Le dimanche 24 novembre, le soleil illumine les arbres centenaires de la Maison Blanche. Jackie referme l'enveloppe dans laquelle se trouve sa dernière lettre d'amour à John. C'est aujourd'hui qu'il quittera définitivement cette maison qu'il a tant aimée. Depuis hier soir, des conseillers de Johnson ont fait comprendre à Evelyn Lincoln qu'elle doit rapidement retirer du bureau ovale les choses personnelles de son Président. Bobby a eu beau téléphoner à Johnson, rien n'y a fait. Le Texan est pressé de prendre ses marques.

Durant la nuit, vers 2 heures, Hoover a exigé du chef de la police de Dallas que soit transféré avant la fin de la journée le suspect Lee Harvey Oswald.

Menotté, Oswald descend lentement vers le sous-sol du commissariat de police, où l'attendent un fourgon spécial et une escorte de motards. Il est entouré du capitaine Fritz et de quatre inspecteurs.

L'assistant en chef de la police de Dallas, Charles Batchelor, offre Oswald à la presse. Il vient de terminer un interrogatoire de trois heures et demie. Le compte rendu de celui-ci est communiqué en partie aux journalistes :

« Oswald a acheté un fusil pour 20 dollars en mars dernier. Il a déjà été arrêté à La Nouvelle Orléans suite à une manifestation, mais a été libéré aussitôt pour faute... Il est à Dallas depuis octobre dernier car il travaillait dans un entrepôt de livres scolaires, d'où sont partis les coups de feu qui ont tué le président Kennedy ! Nous l'avons arrêté au cinéma, alors qu'il venait d'abattre le policier Tippit... Il est passé à l'Est en 1959, où il a épousé une Russe répondant au nom de Marina. Nous pensons qu'il a agi non pas pour des raisons idéologiques mais psychologiques. Il est né deux mois après la mort de son père... Il a deux frères qui l'ont élevé en même temps que sa mère Marguerita... une mère autoritaire et étouffante. Oswald vivait dans un milieu très difficile. »

Les journalistes tendent leurs micros pour essayer d'attraper un mot, une expression, un regret... L'homme leur paraît si vulnérable, il est petit, maigre, dégarni. Il porte un simple tee-shirt et un chino bleu marine. Son allure et son calme les étonnent tous.

— Avez-vous tué le Président ? Avez-vous tué le Président ?
— J'ai tué personne !
— Avez-vous tué le Président ?
— Non, je ne suis pas inculpé, personne ne m'a rien dit !
— Si, vous avez été inculpé !
— Pardon ?

12 h 21. En arrivant à deux mètres du fourgon, un dénommé Jack Ruby, membre de la mafia locale et patron d'une boîte de nuit de Dallas, tire à bout portant sur Oswald. La chaîne de télévision NBC a suivi le meurtre en direct. Ruby est arrêté et hurle :

— J'ai fait cela pour Mme Jacqueline Kennedy !

Le chef de la police annonce à la presse :

— Oswald est décédé à 13 h 07.

— Il est mort ?

— Oui, il est mort ! Sa femme Marina Oswald viendra l'identifier à la morgue.

Marina Oswald et sa belle-mère sont invitées à retrouver le corps gisant sur une table d'hôpital. Marina embrasse la joue de son mari tandis que Marguerita Oswald lance au chef de la police :

— Je crois qu'un jour vous aurez honte de ce que vous avez fait ! Vous baisserez la tête de honte !

Jackie quitte ses appartements et se dirige vers le cercueil. Elle y glisse sa lettre et dépose un baiser sur le couvercle. Elle rejoint ensuite Bobby, qui lui annonce que Lee Harvey Oswald vient d'être assassiné.

— Sa pauvre épouse ! Mon Dieu ! Tous ces morts, c'est affreux !

Une prolonge d'artillerie emporte la dépouille de John, celle-là même qui avait emporté le corps du président Abraham Lincoln. Un hongre noir nommé Black Jack est tenu par les rênes par un jeune officier. Il porte sur son tapis de selle une paire de bottes accrochée à l'envers, symbole du héros tombé au champ d'honneur.

Jackie, ses deux enfants, Bobby, Teddy et leurs sœurs ne quittent pas des yeux la procession. Jackie se penche vers John Jr :

— Salue ton papa, John.

Le petit garçon s'avance et s'exécute. L'image est transmise dans le monde entier. Toute l'Amérique a la gorge serrée.

Sous les roulements de tambours, la prolonge d'artillerie descend doucement Pennsylviana Avenue. Trois formations militaires la ceinturent.

Des centaines de milliers d'Américains sont dans les rues : ils pleurent, ils prient, ils prennent des photographies… 13 h 50, le cortège funéraire s'immobilise pour le salut au chef. Le cercueil est ensuite descendu et amené à l'intérieur de la Rotonde, où des centaines de personnalités attendent pour rendre un dernier hommage à leur Président.

Durant le reste de la journée et de la nuit, plus de 250 000 Américains viennent saluer la dépouille de John.

Le lundi 25 novembre, une garde formée de neuf militaires en uniforme d'apparat porte le corps hors de la Rotonde. 2 500 soldats forment le cortège funéraire final, qui se dirige vers la cathédrale Saint Matthew.

Plus de 1 000 personnalités du monde entier sont venues saluer la mémoire de John Fitzgerald Kennedy : le général de Gaulle, le grand-duc du Luxembourg, la reine de Grèce, le Premier ministre israélien, le Premier ministre canadien, l'empereur d'Éthiopie, Haïlé Sélassié – reçu le 1er octobre précédent par John à la Maison Blanche –, le chancelier allemand, Chung Hee Park, venu de Corée du Sud… Ils suivent en marchant le cortège ; devant eux, Jackie et Bobby, main dans la main, avancent à pas rapides.

Aristote Onassis a passé la nuit à la Maison Blanche et suit de sa chambre la cérémonie à la télévision. Il a prêté une partie de sa flotte aérienne pour transporter les principaux invités de Jackie et de sa belle-famille.

Le cardinal Cushing, vêtu de noir et de rouge, bénit le cercueil :

— Dieu tout-puissant, puisse ce sacrifice purifier de tous les péchés l'âme de votre serviteur, John Fitzgerald Kennedy, qui a quitté ce monde. Puissiez-vous lui accorder votre pardon et le droit au repos éternel.

Dans l'assemblée se trouvent également la cousine lointaine de John, Mary Ryan, à laquelle il avait rendu visite en juin dernier, la juge Sarah Hughes, Martin Luther King – qui pleure un frère – et… Mary Meyer.

Dans les cinquante États du pays, des messes sont organisées. Des centaines de milliers de bougies sont allumées dans les chapelles et les églises.

Le cardinal, avant d'annoncer la fin de la messe, lit avec sa voix si particulière cinq passages des Saintes Écritures, sélectionnés par Jackie. Caroline murmure à l'oreille de sa mère :

— Tout ira bien, maman, ne pleure pas. Je prendrai soin de toi.

Le chant des cornemuses fait frémir toute l'assemblée. Avec leurs bonnets en ours noir, leurs kilts rouges, les neuf musiciens ont fière allure. Rose les regarde, admirative, depuis son siège en osier.

Une heure plus tard, Black Jack rentre dans le cimetière national militaire d'Arlington, sous les yeux ébahis du gardien du cimetière, John Metzler. Le cheval est de plus en plus nerveux. Il est temps que la cérémonie se termine. Une escadrille de Corsaire traverse en trombe le ciel pour saluer une dernière fois son commandant en chef.

Air Force One survole ensuite la tombe à très basse altitude. Le bruit assourdissant de ses moteurs résonne pendant plusieurs minutes. Un sentiment de malaise envahit soudainement l'assemblée.

Un clairon sonne la fin du cortège.

John sera enterré ici, parmi les 150 000 militaires et leurs familles. Le prêtre du cimetière, le père Thomas McGraw, bénit la tombe :

— Ô Seigneur, dont la miséricorde assure le repos aux âmes des fidèles, veuille bénir cette tombe et le corps que nous y enterrons, celui de notre bien-aimé Jack Kennedy, 35e président des États-Unis…

Le commandant en chef de la cérémonie funéraire hurle :

— Présentez armes !

Vingt et une salves sont tirées, ce qui secoue Jackie et Bobby. Les sœurs de John pleurent, les mains couvrant leur bouche.

— Présentez armes !

Une autre salve est tirée.

Jackie, les yeux dissimulés sous un voile noir, reçoit de l'officier suprême le drapeau des États-Unis qui avait été posé sur le cercueil depuis son arrivée à Washington. Elle bénit une dernière fois la tombe et allume la flamme éternelle.

— Repose en paix, mon amour.

Épilogue

*« Je t'aimais, c'est pourquoi, tirant de
mes mains ces marées d'hommes, j'ai tracé
en étoiles ma volonté dans le ciel. Afin de te
gagner la liberté, la maison digne de toi, la
maison aux sept piliers, ainsi tes yeux brille-
raient peut-être pour moi. »*

(T. E. Lawrence, *Les Sept Piliers de la sagesse*)

Le président Lyndon Johnson donne officiellement les pleins pouvoirs au juge de la Cour suprême Earl Warren pour enquêter sur l'assassinat du président Kennedy. Celui-ci forme une commission qui portera son nom, composée de six autres membres dont la respectabilité et la loyauté vis-à-vis du gouvernement sont irréprochables : Hales Boggs, Gerald Ford (le futur Président républicain), le sénateur Richard Russel (un des meilleurs amis et soutiens de Johnson), le sénateur John Cooper, l'ancien conseiller au département d'État durant la présidence de JFK John M. Cloy et Allen Dulles, l'ex-directeur de la CIA démissionné après l'échec de la baie des Cochons.

Parallèlement à leur enquête, Hoover dirige la sienne dont il rend compte de l'évolution chaque semaine à Johnson. Pour le directeur du FBI, Oswald est l'unique assassin de JFK. Johnson le félicite de sa perspicacité et ne manque pas de le lui rappeler au cours de leurs nombreux entretiens téléphoniques.

Le 27 janvier 1964, la chaîne de télévision BBC diffuse une émission spéciale sur la mort de John Fitzgerald Kennedy. Son audience est un véritable record. Face au présentateur, Arlan Specter, conseiller spécial auprès de la commission Warren, répond aux questions du journaliste et du public. Sur le plateau, deux mannequins représentant le président Kennedy et le gouverneur Connally se trouvent dans une limousine.

— Faut-il vraiment qu'une même balle ait blessé John Fitzgerald Kennedy et le gouverneur Connally pour qu'il puisse n'y avoir qu'un seul assassin?

— La commission est d'avis, comme l'exprime son rapport, qu'il s'agit d'une balle unique…

— La balle magique est donc très importante, et c'est Alan Specter qui a le premier affirmé qu'une même balle avait atteint Kennedy et Connally! La commission Warren affirme qu'une seule balle a touché le président Kennedy au bas du cou et a traversé la gorge, déchirant sa cravate en ressortant. Cette même balle a poursuivi sa route pour pénétrer dans le dos de Connally, pulvérisant une côte au passage, avant de ressortir devant, juste sous le sein droit. Et ce n'est pas tout! La balle a alors touché son poignet droit et l'a traversé pour venir enfin se loger dans sa cuisse gauche!… Il y a une chose qui rend la théorie de la balle magique difficile à croire pour un grand nombre de gens: l'état de la balle 399. Une balle qui a tant fait pourrait-elle ressortir dans cet état?

Le film réalisé par un amateur répondant au nom d'Abraham Zapruder continue à semer le doute. La tête du Président, lors du dernier impact mortel, recule comme si elle était touchée d'un tir de face. La commission Warren, à l'aide du FBI, fait immédiatement interdire la diffusion du film. Elle utilise cependant des images de celui-ci, mais en inversant l'impact de la balle. La tête du Président retombe, sur les tirages photographiques, en avant.

Dans la suite de l'instruction, un des conseillers juridiques de la commission, Lee Rankin, obtient la preuve qu'Oswald a travaillé un temps pour le FBI. Il fait part de cette information à Allen Dulles:

— Si c'est vrai et que cela peut être prouvé, les gens penseront qu'il y a eu une conspiration pour commettre ce meurtre ! Ni la commission ni personne ne pourront les en dissuader.

— C'est terrible !

— Maintenant, ce sera très difficile à prouver. Je suis en relation avec le FBI et il ne l'admettra jamais. Et je présume que toutes les preuves ne seront jamais montrées !

— Pourquoi ont-ils intérêt à établir qu'Oswald est le seul coupable ?

— Ils veulent que l'on remballe cela et qu'on laisse tout tomber ! Ils ont trouvé leur homme, il n'y a rien de plus à faire. La commission soutiendra leur conclusion et nous rentrerons tous chez nous à la maison... et tout sera enfin terminé !

— Je n'aime pas l'idée que notre conversation soit enregistrée pour les archives... Je crois qu'il faudrait la détruire.

Le 5 juin 1964, Jackie est reçue par la commission d'enquête Warren pour déposer son témoignage sur les événements du 22 novembre 1963. Bobby est à ses côtés mais, étant absent à Dallas, les sept membres de la commission ne l'obligent pas à en faire autant.

— Je regardais vers la gauche et j'ai entendu ces bruits horribles. Ces coups de feu. Mon mari n'a pas fait le moindre bruit. Il avait un regard interrogateur et, lorsque je me suis tournée pour le regarder, j'ai vu un morceau de son crâne, je me souviens très bien... Cela ressemblait à de la chair. Et puis il a porté la main sur sa gorge et il s'est effondré sur mes genoux.

Jackie les regarde droit dans les yeux sans la moindre expression. Bobby avale plusieurs fois sa salive.

— J'ai crié : « Oh non ! Oh non ! John je t'aime ! »

Un des membres de la commission baisse les yeux ; c'est l'ex-directeur de la CIA, Allen Dulles.

— J'ai essayé d'empêcher les morceaux de sa tête de tomber, mais il ne restait plus rien sur le devant. Je me souviens d'avoir hurlé, tout cela a duré une éternité... Je ne me

313

rappelle pas être montée sur l'arrière de la Lincoln, mais j'ai entendu Clint Hill, mon garde du corps, hurler : « Vite il faut aller à l'hôpital ! »

Le 19 juin, l'avion de Ted s'écrase. Le pilote et l'un de ses amis sont tués sur le coup. Le jeune sénateur s'en sort de justesse, mais sa colonne vertébrale est atteinte ; il devra porter un corset.

Le 27 septembre 1964, le président Johnson reçoit à la Maison Blanche, des mains du président de la commission Earl Warren, les vingt-six volumes de l'enquête. Le juge de la Cour suprême est respecté depuis longtemps par Washington et les médias pour son intégrité. La conclusion est définitive :
« Lee Harvey Oswald a agi seul. Il n'y a pas eu de complot international ou intérieur. Trois balles seulement ont été tirées à Dealey Plaza. Elles sont parties du fusil bon marché et de faible puissance d'Oswald. Elles ont été tirées de l'entrepôt de livres scolaires de Dallas. »
Sur la chaîne CBS, le célèbre présentateur Walter Cronkite commente le soir même ces conclusions :
— Deux choses ressortent de la lecture du rapport. Lee Harvey Oswald était un menteur. Avant sa mort, il a été interrogé à plusieurs reprises. Le rapport de la commission Warren révèle qu'il a menti sur certains sujets importants. Il a menti sur son fusil, son revolver, ses déplacements et les documents retrouvés en sa possession. De plus, c'est une enquête incroyablement fastidieuse qu'a menée la commission Warren. Toute la criminalistique a été mise à l'œuvre : tests balistiques, examen des armes, graphologie, analyses de l'emballage du fusil, des photos et documents reliant Oswald à ce crime… Earl Warren n'a pas hésité à courir dans les escaliers du bâtiment pour chronométrer les déplacements d'Oswald. C'est la parole du menteur, du marginal et du transfuge contre celle de plusieurs éminents Américains !
Bobby ne conteste pas le travail de la commission lorsqu'il est interrogé à ce sujet par les médias. Lyndon Johnson

314

lui avait demandé de participer à l'enquête, mais il avait refusé et proposé le poste à son plus proche collaborateur, Nicolas Katzenbach. Si les dossiers devaient être rouverts, la vie privée de son frère serait mise à nu. La plupart des dossiers confidentiels ont été scellés à sa demande le samedi 23 novembre.

Jackie reçoit la télévision au département de la Justice, aux côtés de Bobby et de Ted. La neige a de nouveau envahi la capitale et le feu brûle dans la cheminée du bureau du ministre de la Justice :

— Je voudrais saisir cette occasion pour exprimer ma gratitude pour les centaines de milliers de messages, presque 800 000 en tout, que mes deux enfants et moi-même avons reçus ces derniers mois. Savoir l'affection que vous portez à mon mari nous a réconfortés... Quand j'en ai la force, j'en relis... Je tiens personnellement à répondre à toutes ces lettres. Ce sera long.

Le 7 octobre, Jackie retourne à Hyannis Port pour célébrer le cinquantième anniversaire de mariage de Rose et de Joseph. Caroline et John Jr retrouvent leurs cousines et cousins sur les plages balayées par des vents violents. Joseph ne quitte quasiment plus sa chambre. Il est très heureux de revoir Jackie.

Après la cérémonie funéraire, elle était venue lui rendre visite afin de lui remettre le drapeau qui avait recouvert le catafalque. Joseph avait serré contre lui l'étendard, ses doigts paralysés ressemblaient à s'y méprendre à des griffes. Des larmes avaient coulé sur son visage et Jackie avait posé sa tête sur ses mains. Tous deux avaient pleuré pendant un long moment.

Bobby poursuit son travail au département de la Justice. Chaque jour, il téléphone plusieurs fois à Jackie. Ils passent de plus en plus de temps ensemble.

Jackie est en charge de construire, avec l'aide de mécènes et de dons individuels, la bibliothèque qui présentera l'univers de John Fitzgerald Kennedy : ses racines, sa famille, ses études, ses premières campagnes... ses 1 007 jours de présidence et son assassinat. Durant les premiers mois, Jackie reçoit chaque jour des sommes incroyables venues des cinquante États du pays, mais également de l'étranger. Les historiens qui avaient participé au gouvernement de son mari viennent l'aider. L'ensemble de ses conseillers, de ses ministres, des personnalités rencontrées, sont interviewés. Chaque entretien est scrupuleusement contrôlé par Jackie.

Bobby n'est plus qu'un fantôme à la Maison Blanche. Il ne supporte pas de voir Johnson à la place de son frère. Il critique sa politique au Vietnam, ses choix envers les minorités et les classes les plus pauvres. Il remet sa démission en septembre 1964, avant de se présenter aux élections sénatoriales de New York.

— Je viens vous demander votre soutien comme l'a fait le président Kennedy et comme vous le lui avez accordé en 1960 ! Le président Kennedy a fait campagne ici sur ces mêmes marches. Il a parlé des problèmes de l'État, il a parlé des problèmes de notre pays. Et de ce qui le préoccupait tant, ainsi que le parti démocrate et en vérité tous les Américains : nous n'avons pas été à la hauteur de notre potentiel ! Je me présente, sur la base du bilan des trois dernières années et demie de l'administration Kennedy, comme candidat du parti démocrate.

Il est élu le 3 novembre avec une large majorité. Jackie ne le quitte plus, malgré les scènes de jalousie d'Ethel. Aux côtés de son beau-frère, elle retrouve la lumière et l'énergie de John. Il personnifie le mythe des grands espoirs restés sans lendemain.

Le 14 mai 1965, elle inaugure un monument en mémoire de John à Londres. La reine Elizabeth II est à l'origine de celui-ci. Les deux femmes s'entretiennent sur les meilleurs moments de leur existence. La reine lui raconte en détail la cérémonie funéraire de Winston Churchill, disparu le 24 janvier dernier.

Le 31 janvier 1966, Bobby déclare au Congrès que les États-Unis ne gagneront pas la guerre au Vietnam. Johnson hurle de colère dans son bureau. Le directeur du FBI, John

Edgar Hoover, commence sa sale besogne. Il transmet à la presse des informations sur la liaison entre Bobby et l'actrice Marilyn Monroe. Ethel est choquée et se replie à Hickory Hill avec leurs enfants.

Un an plus tard, ce sera au tour de Jackie de répondre aux accusations du magazine *Look*, qui ironise sur son comportement lors de l'assassinat de son mari : « Pourquoi était-elle montée sur le capot arrière de la Lincoln ? S'enfuyait-elle ou allait-elle chercher le cerveau de son mari ? »

Jackie renonce aux poursuites et se tait dans la douleur.

Le 16 mars 1968, Bobby annonce qu'il est candidat aux élections présidentielles. Johnson, quant à lui, y renonce. La place est donc libre.

— Que voulons-nous pour les États-Unis en matière de logement, d'éducation, de construction d'écoles pour nos enfants ? Nous faisons tous ensemble ce qui est nécessaire et ce pays va être transformé ! Ce qui peut nous guider pour les années à venir, ce sont les mots de George Bernard Shaw : « Certains voient la réalité et demandent pourquoi ? Moi, je rêve de l'impossible et je vous dis pourquoi pas ! »

Jackie confie à Arthur Schlesinger Jr au cours d'un dîner :

— Ils auront eux aussi Bobby ! Ils ont tué John, ils vont tuer aussi Bobby !

Deux semaines et demie plus tard, le pasteur Martin Luther King est assassiné sur le balcon de son motel. Bobby, en campagne, l'annonce à la foule venue l'écouter. On craint pour sa vie.

— J'ai de très mauvaises nouvelles pour tous ceux qui souhaitent la paix dans le monde… Martin Luther King a été tué ce soir à Memphis !… À ceux parmi vous qui sont noirs et qui seraient tentés par la haine et la méfiance contre tous les Blancs suite à une telle injustice, je voudrais dire que je partage au fond de mon cœur les mêmes sentiments. Un membre de ma famille a été tué lui aussi, mais par un Blanc… L'Amérique n'a besoin ni de clivages ni de haines… ni de violences.

Jackie assiste aux obsèques auprès de Coretta, de Bobby et d'une Amérique désemparée. Bobby apparaît aux yeux des pauvres, des minorités et des Noirs comme leur dernier espoir. Jackie est à ses côtés, tout en priant chaque jour pour qu'il ne lui arrive rien. Bobby confie, le soir des obsèques, à Pierre Salinger :

— Un jour ou l'autre, quelque part, un homme dans la foule attendra... et ce sera mon tour. Il me tuera.

Les attaques contre Bobby se font de plus en plus violentes. Jimmy Hoffa convoque la presse :

— Robert Kennedy n'était pas un bon ministre de la Justice, il n'est pas un bon sénateur non plus ! Je frémis à l'idée qu'il devienne le prochain président des États-Unis ! Nous aurions droit alors à un État fasciste. D'abord, parce qu'il soutiendrait ses ambitions personnelles... Ensuite, parce que c'est un gosse de riche gâté pourri, qui croit que nous allons tous nous incliner et qu'il nous dictera sa politique ! Nous refusons cela.

Le 8 juin, au cours de sa campagne présidentielle, Bobby est assassiné à Los Angeles. Jackie retrouve Ethel à l'hôpital du Bon Samaritain. La tension entre les deux femmes disparaît cette nuit-là. Joseph apprend la nouvelle par sa femme. La douleur lui est insupportable.

Le 20 octobre 1968, Jackie, trente-neuf ans, retrouve la paix et la sérénité auprès d'Aristote Onassis, soixante-deux ans. Leur mariage en Grèce fait la une des médias. Ils regagnent le *Christina* pour leur lune de miel.

— Un mariage grotesque et insultant !

Jackie et ses enfants s'éloignent pour un long moment du rêve américain et de la tragédie du clan Kennedy pour retrouver celle d'Ithaque.

Un nouveau drame surgit au sein du clan Kennedy. Le sénateur Ted Kennedy est accusé de délit de fuite le 17 juillet 1969. Depuis l'assassinat de ses deux frères, Ted a sombré dans l'alcool et le stupre. Au cours d'une de ses soirées bien arrosées, sa voiture plonge dans les eaux de Chappaquiddick. Il s'en sort de justesse mais laisse à l'intérieur l'une des anciennes assistantes de Bobby, Mary Jo Kopechne, vingt-huit ans. Dix heures plus tard, la police du Massachusetts la retrouve morte noyée. Ted plaide coupable. Ses ambitions présidentielles sombrent dans les eaux noires de Martha's Vineyard.

Le 18 novembre, le patriarche s'effondre d'une crise cardiaque. À quatre-vingt un ans, il a vu disparaître quatre de ses neuf enfants. Jackie caresse ses cheveux blancs, puis embrasse son front. Elle se souvient des si belles années passées en compagnie du clan encore plein d'effervescence et d'espoir.

— Tout est fini à présent.

Le *Boston Globe* lui rend un émouvant hommage : « Un homme dont l'histoire a largement dépassé les récits les plus romanesques de l'époque de Hotario Alger, dans laquelle il vit le jour ! À force de volonté et selon ses propres principes, Joseph P. Kennedy, né dans un milieu modeste, est parvenu à l'apogée du pouvoir financier et de la politique en adhérant aux vertus traditionnelles de l'Amérique, qui sont quelque peu dévaluées dans la société d'aujourd'hui : culte de la famille, fidélité aux amis, force de caractère et volonté de gagner ! »

Sous le vent et la pluie, il est enterré à Brooklyn. Jackie et Ted passent la soirée à se souvenir des plus belles années de Hyannis Port à Washington.

Le 23 janvier 1973, Alexandre, l'un des deux enfants d'Onassis, meurt dans un accident d'avion. Sa sœur Christina est persuadée que Jackie a porté malheur à sa famille.

— Elle nous a apporté la malédiction !

Les dépenses extravagantes de sa belle-mère la mettent aussi hors d'elle. Son père, reclus dans son yacht, se met à la boisson et délaisse ses affaires.

Le 15 mars 1975, Aristote Onassis est vaincu par une pneumonie. Il meurt à l'hôpital américain de Neuilly-sur-Seine. Jackie n'est pas là, elle est restée à New York.

Veuve, Jackie se retrouve à la tête d'un véritable empire. La fortune du milliardaire est estimée à un milliard de dollars. Elle retourne au pays avec ses deux enfants. Propriétaire d'un superbe appartement sur Park Avenue, au 1 040, face à Central Park, Jackie retrouve une vie normale.

Le 17 novembre 1979, l'un des enfants de Ted est amputé d'une jambe atteinte d'une tumeur. Il est âgé de quatorze ans. Jackie est au chevet de l'enfant et lui lit les livres que son oncle adorait.

Le 11 août 1980, Ted Kennedy se retire de la course à la Maison Blanche. Le scandale de Chappaquiddick a refait surface au milieu de sa campagne. Il retourne dans le Massachusetts en tant que sénateur. Il divorce officiellement le 6 décembre 1982.

Le 22 novembre 1983, le clan Kennedy se réunit pour célébrer le 20ᵉ anniversaire de la mort de John. Jackie a refait sa vie et travaille aux éditions Doubleday. Elle est chargée des projets spéciaux.

La publication de ses ouvrages remporte souvent un très grand succès : *Vie et mort de Nicolas II*, par Edward Radzinsky, une biographie du chanteur Michael Jackson, *Le Pouvoir des mythes*, par Joseph Campbell, des livres pour enfants… Elle se passionne également pour les monuments publics menacés. Son concours ouvre de nombreuses et prestigieuses portes. Chacune de ses apparitions fait l'objet d'une véritable hystérie chez les photographes reporters.

— Si la Grand Central Station disparaît, d'autres édifices disparaîtront également ! Et tout ce qui a de la valeur aux yeux des gens, la vie dans cette ville… tout ça va disparaître et nous en serons réduits à vivre dans un univers cauchemardesque de verre et de fer !

Elle consacre une grande partie de son temps à élever ses deux enfants et demande, entre autres, à Pierre Salinger de l'aider dans ce sens :

— Pierre, expliquez-leur qui était leur père, ils doivent savoir qui était leur père.

Le jeudi 19 mai 1994, à 22 h 15, John Jr referme les paupières de sa mère. Atteinte d'un cancer généralisé, elle a rendu son dernier soupir au milieu de ses souvenirs les plus précieux : ses livres, ses photographies, ses lettres encadrées et ses deux enfants. John Jr descend rejoindre les journalistes et curieux qui ceinturent l'entrée de l'immeuble :

— Hier soir, ma mère est décédée, entourée de ses amis et de sa famille. Elle s'est éteinte comme elle le désirait, en posant ses propres conditions.

Le président Clinton lui rend hommage à la télévision.

— Dieu lui a donné de grands dons et lui a imposé de lourds fardeaux. Elle a porté tous ces fardeaux avec grâce, dignité et beaucoup de bon sens.

À la cathédrale Saint Ignace, Ted lit l'oraison funèbre avec beaucoup d'émotion. Dans la résidence de Hyannis Port, Rose, cent trois ans, l'écoute de son poste de télévision. Elle est sans doute l'une des premières à reconnaître le courage, le style et la détermination de Jackie. Un des domestiques lui demande si elle veut plus de café :

— Je vous remercie, je vais écouter ce que mon fils va dire... et puis j'irai me promener sur la plage, il fait si beau dehors.

— Oui, madame Kennedy.

— Ne pleurez pas, je vous en prie... Ne pleurez pas, chez les Kennedy, on ne pleure pas !

Le président Clinton, accompagné de son épouse, entre dans la cathédrale. Des fleurs blanches parfument l'allée centrale. Au bout d'une vingtaine de minutes, Ted se tient debout devant l'autel :

— Personne ne lui ressemblait, personne ne parlait comme elle ou n'écrivait comme elle. Personne ne faisait les choses à sa manière. Au cours de ces quatre jours interminables de 1963, elle nous a soutenus en tant que famille et en tant que nation. C'est en grande partie grâce à elle que nous avons pu exprimer notre chagrin et ensuite reprendre le cours de nos vies. Elle n'a jamais cherché la gloire. Je crois que cela lui rappelait des souvenirs d'une douleur insupportable, qu'elle fut pourtant obligée de subir sous les feux de la rampe. Elle a fait l'honneur de notre histoire et, pour ceux qui l'ont connue et aimée, elle a embelli nos vies. Jackie était trop jeune pour être veuve en 1963 et elle est trop jeune pour mourir maintenant.

Le corps est transporté vers Arlington, escorté par douze motards et une dizaine de voitures officielles. Aucun photographe n'est admis à la dernière cérémonie. Le président

Clinton, ami de la famille depuis son élection en 1992, lit un dernier texte :

— Grâce à son exemple, nous comprenons mieux la beauté de l'art, le sens de la culture, les leçons de l'Histoire, la force du courage individuel, la noblesse du service public et surtout l'inviolabilité de la famille.

Caroline, trente-sept ans et John Jr, trente-quatre ans, sous le regard ému du cardinal et des nombreuses personnalités, embrassent le cercueil avant qu'il ne rejoigne celui de leur père et de leurs frères et sœurs : Arabella et Patrick. Les arbres du cimetière militaire d'Arlington sont recouverts de fleurs blanches. L'été promet d'être magnifique. À travers certains d'entre eux, Caroline et John Jr peuvent apercevoir la Maison Blanche et ses jardins. Ils se souviennent de cet hélicoptère duquel descendait un homme à l'allure magnifique. Il claquait des mains et leur criait en riant :

— Alors, les enfants ?

Leur mère était à leurs côtés. Elle leur murmurait à chaque fois :

— Courez ! Courez ! Papa est rentré !

Et, quand ils étaient dans ses bras, cet homme se retournait vers elle et lui disait avec un sourire magnifique :

— Hello Jackie, quelles bonnes nouvelles ?

Sources

Bill ADLER, *Jacqueline Kennedy*, Citadel Press, 1994.

Christopher ANDERSEN, *Jackie et John*, Ramsay, 1996.

Christopher ANDERSEN, *Jackie et John, les jeunes années*, Ramsay, 1996.

Christopher ANDERSEN, *Jackie et John, les années de pouvoir*, Ramsay, 1996.

Christopher ANDERSEN, *John et Jackie, histoire d'un couple tragique*, Ramsay, 2003.

Christopher ANDERSEN, *Sweet Caroline*, Jean-Claude Lattès, 2003.

Robert Sam ANSON, *Ils ont tué Kennedy*, Denoël, 1976.

Nicole BACHARAN, *Histoire des Noirs-Américains au xxᵉ siècle*, Complexe, 1994.

Nicole BACHARAN, *Good Morning America*, Seuil, 2001.

Maurice BARDÈCHE, *Histoire des femmes*, Stock, 1968.

Mary BARELLI GALLAGHER et France SPATZ LEIGHTON, *Ma vie avec Jackie Kennedy*, Presses de la Cité, 1969.

Michael Knox BERAN, *The Last Patrician, Bobby Kennedy and the End of American Aristocracy*, St. Martin's Griffin, 1999.

Yves BERGER, *Dictionnaire amoureux de l'Amérique*, Plon, 2003.

Serge BERSTEIN et Pierre MILZA, *Histoire du xxᵉ siècle*, tome 2, Hatier, 1996.

Nellie BLY, *The Kennedy Men*, Mass Market Paperback, 1997.

Annie BONNAFÉ, *Théogonie, la naissance des dieux,* Rivages poche, 1981.

Daniel BOORSTIN, *Histoire des Américains*, Robert Laffont, 1991.

Sarah BRADFORD, *America's Queen*, Viking, 2000.

Benjamin C. BRADLEE, *Conversations with Kennedy*, Norton, 1975.

André BRISSAUD, *L'Amérique de Kennedy*, La Table Ronde, 1962.

Matthew Joseph BRUCOLI, *Scott Fitzgerald*, Vertige, 1985.

Sheila L. CASSIDY, *Remembering Jack and Bobby Kennedy, a Kennedy Anthology*, Paperback, 1992.

Oleg CASSINI, *In my Own Fashion*, Pocket Books, 1987.

Oleg CASSINI, *A Thousand Days of Magic*, Rizzoli, 1995.

Jérome CHARYN, *New York, Chronique d'une ville sauvage*, Gallimard, 1994.

323

Bill CLINTON, *Quand histoire et espoir se rencontrent*, Odile Jacob, 1996.

Hillary CLINTON, *Mon histoire*, Fayard, 2003.

Peter COLLIER et de David HOROWITZ, *Les Kennedy, une dynastie améri-caine*, Payot, 1985.

Marie-Agnès COMBESQUE, *Martin Luther King*, Le Félin, 2003.

Paul COUTURIAU, *Andrew Jackson, vie et mort d'une légende*, Casterman, 1992.

Philippe DE GAULLE *De Gaulle, mon père*, Plon, 2003.

John Kenneth GALBRAITH, *Des amis bien placés*, Seuil, 2001.

Jacqueline GENET et Élisabeth HELLEGOUARC'H, *Trente-deux nouvelles irlan-daises*, Centre de publications de l'université de Caen, 1992.

Danièle GEORGET, *John-John, l'héritage Kennedy*, Michel Lafon, 1993.

Chuck et Samuel GIANCANA, *Notre homme à la Maison Blanche*, Robert Laffont, 1992.

Nicki GILES, *Marilyn*, Presses de la Cité, 1992.

Alain GILLETTE, *Jusqu'à ce que je meure*, Desclée de Brouwer, 1969.

Marie-Christine GUERINI, *La Saga Guerini*, Flammarion, 2003.

Nerin E. GUN, *Les Roses rouges de Dallas*, Julliard, 1964.

Neil A. HAMILTON, *Presidents*, Checkmark Books, 2001.

Nigel HAMILTON, *JFK, une jeunesse insouciante*, Seuil, 1996.

James HEPBURN, *L'Amérique brûle*, Nouvelles Frontières, 1968.

Seymour HERSH, *La Face cachée du clan Kennedy*, L'Archipel, 1998.

Mark HERTSGAARD, *L'Amérique expliquée au monde entier*, Stock, 2002.

David HEYMANN, *Jackie*, Robert Laffont, 1989.

Andrew HUNT et Perry LEOPARD, *J. F. Kennedy, chronique de l'histoire*, éd. Chronique, 1996.

Charles JOHNSON et Bob ADELMAN, *I Have A Dream*, La Martinière, 2000.

André KASPI, *Les 1000 jours d'un président*, Armand Colin, 1993.

Edward M. KENNEDY, *Demain l'Amérique*, Albin Michel, 1968.

John Fitzgerald KENNEDY, *Profiles in Courage*, Harper & Brothers, 1956.

Maxwell Taylor KENNEDY, *Make Gentle the Life of this World, the Vision of Robert F. Kennedy*, Harcourt, 1998

Robert KENNEDY, *Ma lutte contre la corruption*, Robert Laffont, 1965.

Robert KENNEDY, *To Seek a Never World*, Doubleday, 1967.

Robert KENNEDY, *13 jours*, Denoël, 1968.

Robert KENNEDY, *Témoignages pour l'histoire*, Belfond, 1989.

Rose KENNEDY, *Le Temps du souvenir*, Stock/Albin Michel, 1974.

François KERSAUDY, *Winston Churchill, le pouvoir de l'imagination*, Tallandier, 2000.

Ronald KESSLER, *Les Péchés du père*, Albin Michel, 1996.

Martin Luther KING, *Contre toutes les exclusions*, Desclée de Brouwer, 1994.

Martin Luther KING, *Autobiographie*, préface de Bruno CHENU, Bayard, 2000.

Henry KISSINGER, *La Nouvelle Puissance américaine*, Fayard, 2003.

Edward KLEIN, *John et Jackie, un amour tourmenté*, Robert Laffont, 1996.

Edward KLEIN, *La Malédiction des Kennedy*, Presses de la Cité, 2003.

Jacques KLEIN, *New York et la Côte Est*, Guides Arthaud, 1998.

Philippe LABRO, *Je connais gens de toutes sortes*, Gallimard, 2002.

Denis LACORNE, *La Crise de l'identité américaine*, Fayard, 1997.

Jean LACOUTURE, *J. F. Kennedy*, Nathan, 2000.

Archie Fire LAME DEER, *Le Cercle sacré*, Albin Michel, 1995.

Xavier de LANGLAIS, *Le Roman du roi Arthur*, Piazza, 1965-1971.

LEAGUE OF WOMEN VOTERS, *Choosing The President*, The Lyons Press, 1999.

Laurence LEAMER, *Les Femmes Kennedy*, Grasset, 1996.

Thierry LENTZ, *Kennedy, enquêtes sur l'assassinat d'un président*, Jean Picollec, 1995.

Christophe LOVINY et Vincent TOUZE, *JFK*, Seuil/Jazz éd., 2003.

Jacques LOWE, *Le Clan Kennedy*, La Martinière, 2003.

Norman MAILER, *Oswald*, Plon, 1995.

Norman MAILER, *L'Amérique*, Plon, 1999.

William MANCHESTER, *Mort d'un président*, Robert Laffont, 1967.

Claude MOISY, *John F. Kennedy*, Librio, 2003.

Richard NIXON, *Mémoires*, Stanké, 1978.

Richard NIXON, *Dans l'arène*, Tsuru, 1990.

Katherine PANCOL, *Une si belle image*, Seuil, 1994.

Geoffrey PERRET, *Kennedy, une vie comme aucune autre*, Encres de nuit, 2003.

Daniel PETRILLO, *Robert F. Kennedy*, Chelsea House, 1989.

Jan POTTKER, *Jackie et Janet*, Jean-Claude Lattès, 2002.

Jerry OPPENHEIMER, *The Other Mrs Kennedy*, St. Martin's Press, 1996.

Lee RADZIWILL, *Happy Times*, Assouline, 2002.

Marta RANDALL, *John F. Kennedy*, Chelsea House, 1988.

Richard REEVES, *President Kennedy, Profile of Power*, Touchstone Books, 1994.

Thomas C. REEVES, *Le Scandale Kennedy*, Plon, 1991.

Jean-François REVEL, *L'Obsession américaine*, Plon, 2002.

William REYMOND, *JFK, autopsie d'un crime d'état*, Flammarion, 1998.

William REYMOND, *JFK, Le Dernier Témoin*, Flammarion, 2003.

Christiane SAINT-JEAN-PAULIN, *La Contre-Culture*, éd. Autrement, 1997.

Nicole SALINGER, *Jackie*, Assouline, 1998.

Pierre SALINGER, *Avec Kennedy*, Buchet-Chastel, 1967.

Pierre SALINGER, *Je suis un Américain*, Stock, 1975.

Pierre SALINGER, *De mémoire*, Denoël, 1995.

Arthur M. SCHLESINGER Jr, *Les 1 000 jours de Kennedy*, Denoël, 1965.

Arthur M SCHLESINGER Jr, *Robert Kennedy et son temps*, Oliver Orban, 1978.

Urs SCHWARZ, *John Fitzgerald Kennedy*, Rencontre, 1964.

Urs SCHWARZ, *Robert Francis Kennedy*, Rencontre, 1969.
George Bernard SHAW, *Les Pensées*, Le Cherche Midi, 1992.
Hugh SIDEY, *John Fitzgerald Kennedy*, Arthaud, 1964.
Matthew SMITH, *Victime*, Plon, 2003.
Theodore C. SORENSEN, *Kennedy*, Gallimard, 1966.
Donald SPOTO, *Marilyn Monroe*, Presses de la Cité, 1993.
Donald SPOTO, *Jackie, le roman d'un destin*, Le Cherche Midi, 2001.
Robert Louis STEVENSON, Intégrales des nouvelles, Phébus libretto, 2001.
Anthony SUMMERS, *Le Plus Grand Salaud d'Amérique*, Seuil, 1995.
J. Randy TARABORRELLI, *Jackie, Ethel, Joan*, Warner Books, 2000.
Nick TAYLOR, *John Glenn : A Memoir*, Bantam Books, 2000.
Alfred TENNYSON, *Le Rêve d'Akbar et autres poèmes*, La Différence, 1992.
Evans THOMAS, *Robert Kennedy : His Life*, Simon & Schuster, 2000.
Marie-France TOINET, *La Présidence américaine*, Montchrestien, 1996.
Nick TOSHES, *Dino*, Rivages, 2001.
Walt WHITMAN, *Comme des baies de genévriers*, Mercure de France, 1993.
Ole WIVEL, *Karen Blixen, un conflit personnel irrésolu*, Actes Sud, 2004.

Archives de la JFK Library à Boston, documents des bibliothèques de New York, de Boston, de l'Unesco, de la bibliothèque du Congrès (Washington D.C.), archives publiques du FBI à Washington D.C. Entretiens avec Jacques Lowe (1998 et 1999), Pierre Salinger (1998 à 2003), Arthur Schlesinger Jr (2001) et Oleg Cassini (2004).

Table

Remerciements

L'auteur remercie chaleureusement pour leur soutien Yves Derai, Emmanuel Rubin, Françoise, Pierre Salinger, James Hill, de la bibliothèque JFK de Boston, Oleg Cassini, l'ambassade américaine de Paris et Nathalie Repa, de RMC Info.

Cet ouvrage a été composé
par Atlant' Communication
aux Sables-d'Olonne (Vendée)

Impression réalisée sur CAMERON par

BRODARD & TAUPIN

GROUPE CPI

La Flèche (Sarthe)
en mai 2004
pour le compte des Éditions de l'Archipel
département éditorial
de la S.A.R.L. Écriture-Communication

Imprimé en France
N° d'édition : 688 – N° d'impression : 23803
Dépôt légal : mai 2004